SOMBRAS
DE
REIKIAVIK

SERIE NEGRA

ANTHONY ADEANE

SOMBRAS
DE
REIKIAVIK

Traducción de
Pablo Álvarez Ellacuria

RBA

Título original inglés: *Out of thin air. A true story of impossible murder in Iceland.*
Autor: Anthony Adeane.

© Anthony Adeane, 2018.
Publicado por primera vez en Gran Bretaña en 2018
por Riverrun, un sello de Quercus Books.
© de la traducción: Pablo Álvarez Ellacuria, 2019.
© de esta edición: RBA Libros, S.A., 2019.
Avda. Diagonal, 189 – 08018 Barcelona
rbalibros.com

Primera edición: febrero de 2019.

REF.: OBFI272
ISBN: 978-84-918-7205-4
DEPÓSITO LEGAL: B. 1338-2019

Servicios editoriales: deleatur, s.l.

Impreso en España • *Printed in Spain*

CONTENIDO

NOTA SOBRE LOS NOMBRES

Los islandeses siempre se tratan por el nombre de pila. El listín telefónico se ordena no a partir de los apellidos, sino del nombre de la persona. Y se hace así porque en Islandia los apellidos son patronímicos, es decir, se forman con el nombre de pila del padre como raíz y los sufijos «-son» o «-dóttir», en función de si el vástago es niño o niña. Así, si Aron es hijo de Jon, se le conocerá como Aron Jonsson. Y Helga, la hija de Aron Jonsson, llevará por nombre Helga Arondóttir.

A lo largo del libro he seguido la costumbre islandesa y me refiero a todos los protagonistas por sus nombres de pila, excepto cuando dos de ellos tienen el mismo nombre.

LISTA DE NOMBRES IMPORTANTES

Guðmundur Einarsson
Geirfinnur Einarsson

LOS SOSPECHOSOS
Erla Bolladóttir
Sævar Ciesielski
Kristján Viðar Viðarsson
Tryggvi Rúnar Leifsson
Albert Klahn Skaftason
Guðjón Skarphéðinsson

PERSONAJES CLAVE DE LA INVESTIGACIÓN EN KEFLAVÍK
Haukur Guðmundsson
Valtýr Sigurðsson
Kristján Pétursson

PERSONAJES CLAVE DE LA INVESTIGACIÓN EN REIKIAVIK
Örn Höskuldsson
Sigurbjörn Víðir Eggertsson
Eggert N. Bjarnason
Karl Schütz
Grétar Sæmundsson

LOS CUATRO DEL LLÚBBURINN
Magnús Leópoldsson
Einar Bollason
Sigurbjörn Eiríksson
Valdimar Olsen

1

DESVANECIDOS EN EL AIRE

Hoy ha vuelto a las colinas rojas.

Han pasado más de cuatro décadas desde que Erla acompañó a la policía hasta las quebradizas formaciones rocosas de Rauðhólar, pero es evidente que los años no han disipado su recuerdo del camino. Es un viaje que ha emprendido tantas veces de memoria que ahora lo recorre sin pensar, como guiada por señales invisibles en la nieve.

Nos conduce hasta una roca roja y enorme, y se detiene. No se oye nada, excepto el caer de la nieve sobre nuestras espaldas. Vuelta hacia el viento, señala por fin una profunda oquedad bajo la piedra. «Ahí», murmura. «Ahí es donde nos dijeron que habíamos escondido el cuerpo de Geirfinnur».

———————

Imaginad, señor, un país que, de una punta a otra, nada ofrece a vuestros ojos excepto montes baldíos de cumbres perpetuamente cubiertas de nieve y, entre cima y cima, campos divididos por escarpes vitrificados cuyas aristas parecen competir entre sí para impedir que el observador llegue a atisbar la escasa hierba que a duras penas asoma entre ellas.

Tan lóbregas rocas ocultan también los pocos asentamientos de los nativos, y no parece haber árbol alguno capaz de ofrecer cobijo ni refugio a la amistad y la inocencia. Imagino, señor, que con mis palabras no habré inspirado en vos el deseo de convertiros en habitante de Islandia; y es cierto que, al contemplar este país por vez primera, sentiría uno la tentación de creer imposible la presencia en él del ser humano, de no ser porque el mar próximo a la costa está cubierto de barcas.

Cuando el joven sueco Uno von Troil escribió esta crónica en 1772, Islandia era un país casi exclusivamente rural, y las distancias entre granja y granja eran largas y traicioneras. El peligro acechaba a la vuelta de la esquina. En cualquier momento, un terremoto o una erupción volcánica podían destruir los pastos y condenar a la miseria a los campesinos y jornaleros del país. Abundaban las enfermedades, y la mortandad infantil era muy alta: incluso a mediados del siglo XIX, un 35 % de los recién nacidos fallecía antes de cumplir su primer año de vida.

La vida en el campo era dura, y en especial durante los larguísimos inviernos, cuando los habitantes de la casa pasaban la mayor parte de la jornada trabajando puertas adentro. El olor en las granjas era nauseabundo, ya que el ganado se custodiaba dentro de la casa, y a menudo se colocaba a los animales de mayor tamaño bajo el dormitorio para aprovechar al máximo su calor. Tomar un baño era mucho menos habitual que escupir en el suelo, y los piojos campaban a sus anchas por toda la granja, al punto de que mucha gente acababa contrayendo una enfermedad, la tiña fávica, que provocaba una considerable pérdida de cabello. Los afectados acostumbraban a dejarse puesto un gorro incluso dentro de las casas, para ocultar los estragos de su cuero cabelludo.

Pero la oscuridad invernal podía también ser beneficiosa. Una vez alimentado y ordeñado el ganado durante las pocas horas de luz diurna, el resto de la jornada laboral se consagraba a cardar lana, una monótona actividad cuyo tedio solía aliviarse con actividades de ocio. Esa era en parte la función de una tradición muy extendida entre la sociedad rural: la *kvölda-vaka*, o velada vespertina, en la que toda la familia se reunía para compartir juegos, oraciones e historias. Para que la granja saliese adelante era preciso asegurarse de que todos los ocupantes de la casa se mantenían despiertos y concentrados durante la tediosa tarea de cardado. Los juegos de la velada vespertina tenían un propósito muy serio.

Con todo el mundo sentado en la misma habitación, los adultos se retaban a componer versos, o ponían a prueba los conocimientos de doctrina religiosa de los niños, para que el sacerdote local tuviera a la familia en buena consideración cuando pasase de visita. A veces leían en voz alta las sagas islandesas, la colección de historias recopiladas en los siglos XIII y XIV que relatan con enorme brío las vidas y leyendas de los primeros colonos islandeses.

Aquellas veladas no solo mejoraban la productividad, sino que hacían las veces de educación informal para unos niños que pasaban larguísimas horas trabajando en la granja. En la Islandia de los siglos XVIII y XIX, las familias se encargaban de la educación, y la Iglesia la supervisaba; las veladas vespertinas contribuyeron a que el nivel de alfabetización en la sociedad campesina islandesa fuese casi universal. En su historia social de Islandia *Wasteland with words*, Sigurður Gylfi Magnússon explica que, para unos niños que trabajaban durante largas horas en condiciones muy arduas, las historias del pasado suponían una forma de evasión hacia mundos imaginarios, lejos de la implacable realidad de la vida en la granja.

Es muy posible que los «nativos» a los que se refería Von Troil en su descripción de Islandia fuesen invisibles, dado lo inclemente del clima y la inusual topografía de la isla, pero su respuesta a los rigores del invierno quizá no fuese tampoco la que esperaba. Mientras Von Troil recorría a pie los escarpes helados, admirándose de que alguien pudiese salir adelante en un entorno tan brutal, los islandeses se reunían en torno al hogar y aprendían el catecismo y recitaban poesía.

Las historias son un elemento central de la forma de vida islandesa. Esto, que quizá suene banal (toda sociedad, cultura e incluso civilización está delimitada y conformada en mayor o menor medida por sus historias), es especialmente cierto en el caso de Islandia. Hablamos de una nación de lectores y narradores, con una riquísima historia literaria de renombre mundial, un país en el que es tradición regalarse libros en Nochebuena, en el que las leyendas de las sagas aparecen escritas a gran tamaño en los espacios públicos y en el que una de cada diez personas llega a publicar sus escritos. Se cuenta que, en 1783, la lava ardiente de una gran erupción volcánica amenazaba con engullir la iglesia de Kirkjubær, en el sur de Islandia, y que el reverendo Jón Steingrímsson pronunció un discurso tan elocuente que consiguió detener el avance de la lava. A finales de la Edad Media, en ninguna corte escandinava podía faltar la figura del poeta islandés.

Existe en islandés una expresión (*«Ad ganga med bok I maganum»*) que significa literalmente que todo el mundo «lleva un libro en el estómago», algo que queda patente con la proliferación de biografías, autobiografías y crónicas históricas de la vida cotidiana (en particular de un segmento de la sociedad rural que, con anterioridad al siglo xx, apenas había tenido acceso a la educación fuera del hogar). ¿Y qué iban a hacer si no durante los largos meses de invierno? El espíritu de la velada vespertina sigue vivo. Durante mucho tiempo, en Islandia se han contado historias como forma de supervivencia.

Todo el mundo en Islandia ha oído hablar de las desapariciones de Guðmundur y Geirfinnur. Son dos casos tan arraigados en la cultura islandesa que han adquirido tintes míticos, y sus detalles son tan conocidos que han dado pie a frases hechas: «¡Estuvo tanto tiempo buscando las llaves que pensé que encontraría a Geirfinnur!». Se alude a ellos en películas, en debates políticos y en el programa de humor que el 90 % del país sigue por televisión en Nochevieja. En un episodio de 2013 de la popular serie de animación *Hulli*, su gafotas protagonista (basado en Hugleikur Dagsson, el creador de la serie) descubre un esqueleto en los páramos islandeses y, al identificarlo como Geirfinnur, exclama: «¡Es el hallazgo del siglo!».

Han pasado cuarenta años, pero la gente sigue fascinada por ellos. Adolescentes nacidos muchos años después de aquellas desapariciones hablan de ellas con el mismo conocimiento de causa que sus padres, que las vivieron en su día. Un periodista se enfrascó hasta tal punto en los casos que acabó sufriendo un colapso nervioso; otro se refiere a ellos como «un agujero negro». Hasta el último islandés sabe lo que sucedió, pero nadie *sabe* qué sucedió. Constituyen la investigación criminal más famosa de la historia de Islandia; en varias ocasiones han puesto al descubierto las facetas más tenebrosas de esta nación segura y pacífica, y su esencia está en las ausencias, la rumorología y la ficción.

Todo empezó en 1974, con un joven de camino a un club nocturno.

Guðmundur Einarsson tenía dieciocho años de edad, el cabello largo y oscuro y complexión de porcelana. Era un muchacho callado y sereno que recientemente había completado sus estudios de secundaria y había comprado ya los libros que necesitaría para convertirse en mecánico.

A las 20.00 horas del 26 de enero de 1974, Guðmundur se dejó caer por casa de su amigo Sigurbjorn Haraldsson. Allí estuvo bebiendo con algunos compañeros de clase, y a las 23.00 horas salieron en dirección a un club nocturno de Hafnarfjörður, un pueblito costero diez kilómetros al sur de Reikiavik.

El club se llamaba Alþýðuhúsið y tenía fama de bronco. Muchos jóvenes acudían desde las poblaciones vecinas a los llamados «bailes campesinos», los cuales, pese a las connotaciones de tan plácido nombre, a menudo degeneraban en reyertas organizadas. Las peleas se sucedían por la abarrotada pista de baile, y si alguien quería decirle algo a sus acompañantes tenía que gritarles al oído para hacerse oír.

Guðmundur se emborrachó, bailó con sus amigos y, al cabo de unas horas, salió a la calle. La temperatura estaba dos grados por encima del punto de congelación, el viento soplaba con fuerza y una capa grisácea y húmeda de nieve vieja cubría el suelo. Guðmundur echó a andar.

Unos conocidos le vieron a eso de las 2.00 horas. Dos muchachas, Elínborg Rafnsdóttir y Sigríður Magnusdóttir, le vieron en la carretera cerca del Alþýðuhúsið. Llevaba puesta una chaqueta ligera a cuadros, pantalones verdes y zapatos marrones, y gesticulaba al paso de los coches intentando que parasen. Elínborg y Sigríður frenaron al pasar junto a Guðmundur para invitarle a subir al coche, pero, cuando las vio a través del parabrisas echó la mano al bolsillo. No estaba solo. Le acompañaba un hombre vestido con una camisa amarilla.

El de la camisa amarilla era más bajo y delgado que Guðmundur. Iba un par de pasos por detrás de este y parecía muy borracho. En el momento en que las dos mujeres los rebasaron, el tipo se lanzó de improviso sobre el capó de su Volkswagen y se deslizó hasta caer al otro lado del coche. De inmediato pisaron el acelerador para salir de allí a toda prisa, los faros del coche abriendo brecha en la oscuridad frente a ellas, mientras Guðmundur y su acompañante se incorporaban, iluminados por el resplandor rojizo de las luces traseras del coche.

Entre las 2.00 y las 3.00 horas alguien más vio a Guðmundur. Sveinn Vilhjálmsson conducía su coche junto con dos pasajeros cerca de Hafnarfjörður. Al parar en un semáforo vieron en el arcén a un joven pálido, de cabello largo y chaqueta a cuadros. Parecía muy borracho y había estado intentando dar el alto a los coches de delante. Se acercó hasta el coche parado, pero de repente resbaló en el hielo y cayó al suelo. Permaneció tumbado un instante antes de volver a ponerse en pie, y entonces decidió alejarse del coche con paso inestable. Parecía estar solo.

El semáforo se puso verde, y Sveinn se alejó de allí. Es muy posible que él y sus dos acompañantes fuesen los últimos en ver a Guðmundur Einarsson con vida. Después de aquella noche, nadie volvió a verle nunca.

Cuando una persona desaparece en Islandia, quienes la buscan son los ciudadanos de a pie. Se da la alarma, y personas de toda condición responden a la llamada: abogados, banqueros, campesinos y albañiles unen fuerzas para rastrear el terreno.

Islandia carece de ejército, y apenas mantiene una exigua guardia costera; tampoco existía una organización oficial encargada de localizar a las personas desaparecidas hasta que empezaron a establecerse equipos de voluntarios. Los primeros estuvieron compuestos por las mujeres de las comunidades pesqueras, que peinaban la costa buscando a sus maridos e hijos cuando se producía un naufragio, pero hubo que esperar hasta 1950 para que un rescate verdaderamente notable animase a los distintos grupos desperdigados por el país a fundirse en una organización de alcance nacional.

El 14 de septiembre de 1950 se perdió el contacto por radio con un avión que volaba desde Luxemburgo a Reikiavik para repostar combustible; se trataba del *Geysir*, un Douglas DC-4 Skymaster de color metálico, que no transportaba pasajeros, pero sí el ataúd de una estadounidense de cuarenta y seis años de edad, toda una manada de perros de exhibición y una colección de objetos curiosos, entre ellos, nada menos que una zanfoña muy ornamentada. Se organizó una batida para localizar la aeronave desaparecida, que resultó infructuosa. En las iglesias de todo el país, los pastores guiaron las plegarias de sus parroquias pidiendo la aparición del *Geysir* y su tripulación.

Tres días después de que el avión desapareciera de los radares, la guardia costera recibió un mensaje: «Posición desconocida, todos vivos». La tripulación había logrado localizar un transmisor y establecer contacto con el mundo exterior. Habían sobrevivido con trece rebanadas de pan de centeno, veinticuatro tabletas de chocolate, una caja de naranjada y hojas de té hervidas con nieve derretida en una cafetera improvisada. El *Geysir* se había estrellado sobre el volcán Bárðarbunga, en el lado noroeste de Vatnajökull, el glaciar más grande de Islandia.

Una misión de rescate salió de inmediato de la base aérea norteamericana. El avión aterrizó junto a los restos del *Geysir*, pero enseguida se hundió tanto en la nieve que no pudo volver a despegar. Los rescatadores necesitaban ahora que se les rescatase también. En la cima del glaciar Vatnajökull, a una altitud de 1800 metros, permanecían aislados tres miembros del ejército estadounidense, un inspector de aviación, los seis exhaustos miembros de la tripulación islandesa del *Geysir*, una docena de perros supervivientes, dos aviones y unas pocas toneladas de antigüedades medio heladas. La azafata localizó unos rollos de tela y forró los restos del avión con una gruesa y mullida tela roja para retener el calor. En los retretes se había encerrado a un *bulldog* particularmente agresivo.

Veintitrés civiles islandeses, todos ellos montañeros experimentados, decidieron unir fuerzas y escalaron juntos el Vatnajökull; algunos de ellos recorrieron más de treinta kilómetros sobre el glaciar para llegar al lugar del accidente. Consiguieron salvar a los diez supervivientes de ambos aviones, así como a uno de los perros, y aquel osado y peligrosísimo rescate ocupó las portadas de todo el país. Allí donde las fuerzas armadas de Estados Unidos habían fracasado, unos islandeses, sin apenas entrenamiento especializado digno de tal nombre, habían conseguido salirse con la suya. Inspirada por esta épica hazaña, toda una red de equipos de rescate fue extendiéndose por el país. Así nació la ICE-SAR, o Asociación Islandesa de Búsqueda y Salvamento.

Los equipos de la ICE-SAR, integrados por voluntarios que se someten a dos años de exigente formación para llegar a ser miembros, y financiados en parte por la venta de fuegos artificiales en Nochevieja, se han granjeado una excelente fama a escala mundial, y es habitual que se recurra a ellos en situaciones de crisis global. Cuando un terremoto de gran magnitud sacudió Haití en 2010, entre los primeros grupos internacionales de rescate que aterrizaron en Puerto Príncipe para rescatar a los supervivientes de entre las ruinas estuvo un equipo de treinta y siete voluntarios islandeses.

Los viajes al extranjero, sin embargo, son raros. Los equipos de la ICE-SAR se encargan más a menudo de encontrar a personas atrapadas por los repentinos cambios en el clima y el terreno de Islandia. Pese a la imagen que puede tenerse del país

a consecuencia de sus extremos procesos naturales, como te-
rremotos y corrimientos de tierra, los desastres, cuando se pro-
ducen, acostumbran a tener un origen menos espectacular.
Suele haber avisos cuando se avecinan tormentas feroces o una
actividad sísmica importante, pero es más difícil prepararse
para los vientos huracanados que se desatan de un momento
a otro, o eludir el hielo negro que hace perder el control a los
coches en la carretera.

Si algo distingue el clima islandés es la imprevisibilidad.
Cuando los islandeses hablan del tiempo, a menudo dicen que
viene en «muestras»: puede virar tan repentinamente que, incluso en las mañanas soleadas, es aconsejable salir de casa con
una chaqueta gruesa. Entrad en una cafetería para almorzar
en un día claro y luminoso y, para cuando volváis a la calle,
todo Reikiavik podría estar cubierto de blanco.

La noche en que Guðmundur desapareció, una tormenta
descargó inesperadamente sobre Hafnarfjörður y las ciudades
de los alrededores. Durante el tiempo en que Guðmundur estuvo dentro del club nocturno, el cielo se mantuvo en buena
medida despejado, con alguna que otra llovizna localizada,
pero, para cuando amaneció, las estrías de los campos de lava
cercanos habían quedado sepultadas bajo una lisa y sedosa
capa de nieve.

Pasó un día entero sin que Guðmundur diera señales de
vida, y sus padres publicaron un anuncio en el periódico local
para preguntar si alguien en Hafnarfjörður sabría decirles
dónde podría estar su hijo. Era la primera vez que pasaba la
noche fuera de casa sin decirles dónde estaba. Al día siguiente,
el padre de Guðmundur, Einar Baldursson, denunció la desaparición de su hijo.

El 30 de enero de 1974, Njörður Snæhólm, inspector encargado de la investigación, recibió una llamada telefónica de Elín-

borg Rafnsdóttir, una de las dos mujeres que había visto a Guðmundur desde su coche la noche que desapareció. Le habló a Njörður del hombre de la camisa amarilla. Njörður habló con los tres amigos que habían estado con Guðmundur esa noche: ninguno de ellos había ido de amarillo.

Conocido entre sus compañeros de clase como un joven cordial al que le gustaba beber y que nunca perdía un pulso, Guðmundur a veces pasaba las noches probando su fuerza contra tipos de los pueblos vecinos. Cuando desapareció después de pasar por el club nocturno, sus amigos dieron por supuesto que se había ido a casa de alguna mujer, o que se habría metido en una pelea de borrachos con alguien a quien había vencido en un pulso. A la mañana siguiente, empezaron a temerse que hubiera muerto accidentalmente en una pelea.

Estaba también la posibilidad de que hubiese caído a la lava en un descuido. Hoy en día, cubrir a pie la distancia que separa Hafnarfjörður de Blesugrof, lugar de residencia de Guðmundur, resulta complicado, pero en 1974 era más peligroso todavía, sobre todo si uno echaba a andar de noche bajo los efectos del alcohol. Hafnarfjörður se construyó sobre unos extensos campos de lava de unos siete mil años de antigüedad, allí donde el magma solidificado buenamente lo permitía. Si Guðmundur no había conseguido que nadie le llevase en coche, la ruta que seguramente habría seguido para volver a casa sería un atajo por una zona deshabitada en la que el terreno es muy irregular y está salpicado de profundas fallas.

La policía organizó casi una docena de batidas para buscarlo. El terreno estaba oculto bajo más de medio metro de nieve, lo que dificultaba la empresa, pero eso no arredró a los casi doscientos integrantes del equipo de rescate. Se distribuyeron por los campos de lava con termos de café en la mochila y cuerdas colgadas al hombro.

No era fácil saber dónde mirar. Se trataba de un área grande, y la nieve fresca había borrado toda posible huella o rastro. Algunos equipos recorrieron el terreno alrededor de Hafnarfjörður, mientras otros se dirigían hacia el norte, hacia Reikiavik. Cuando trataron de cavar en la nieve, las palas toparon con hielo.

Pocos días después, la nieve empezó a derretirse. El 3 de febrero, los equipos de rescate, a los que ya se había unido el padre de Guðmundur, se apresuraron a reanudar la búsqueda a bordo de furgonetas, y se adentraron en cuevas y grietas intentando encontrar cualquier pista sobre el paradero del joven desaparecido. Pero nada pudieron descubrir en los campos de lava, ni siquiera con sus fosas y resquicios expuestos de nuevo a la luz del sol.

El 19 de noviembre de 1974, Geirfinnur Einarsson terminó de trabajar y regresó a Keflavík, una ciudad situada a unos cincuenta kilómetros al sudoeste de Reikiavik. El pelo, largo y ondulante, le caía por debajo de las orejas, y fumaba una pipa roja y negra. Su marca de cigarrillos preferida era Raleigh.

Habían pasado unos diez meses desde la desaparición de Guðmundur Einarsson y, a pesar de la coincidencia del patronímico, no había entre ambos hombres parentesco alguno. No tenían amigos en común, vivían en poblaciones diferentes y se encontraban en etapas muy diferentes de sus respectivas vidas. Así como Guðmundur apenas había alcanzado la mayoría de edad en el momento de su desaparición, Geirfinnur era un hombre casado de treinta y dos años de edad, y tenía dos hijos pequeños.

Su trabajo, por lo general, se desarrollaba en las centrales eléctricas de toda Islandia: recorría largas distancias a través del país para palear carbón en zonas remotas (por ejemplo, a lo largo del borde occidental del valle de Þjórsárdalur) o para trabajar en la central eléctrica de Sigolduvirkjun, en el sudeste del país. Durante noviembre de 1974, sin embargo, Geirfinnur había estado trabajando cerca de casa. Estuvo ayudando en una obra cerca de Keflavík, contratado por su amigo Ellert Björn Skúlason.

Después del trabajo, Geirfinnur cenó con su mujer, Guðný Sigurðardóttir. Terminada la comida, Guðný salió para ir a la biblioteca. Geirfinnur se quedó leyendo en la cama.

Cuando Guðný regresó a casa, entre las 20.30 y las 21.00 horas, se encontró allí a Þórður Ingimarsson, un amigo de Geirfinnur: los dos hombres estaban viendo la televisión y bebiendo café. Alrededor de las 22.00 horas, Geirfinnur dijo que tenía que reunirse con alguien, y le pidió a Þórður que le llevara en coche. Geirfinnur no especificó con quién iba a reunirse. A Þórður le contó que le habían pedido que fuese solo.

Ya en el coche, Geirfinnur le comentó a Þórður que tendría que haber ido armado a la reunión. Þórður se lo tomó a broma. Dejó a Geirfinnur en la cafetería Hafnarbúðin, cerca de los muelles de Keflavík, y se marchó.

Era una noche fría y despejada y las calles estaban silenciosas. Geirfinnur entró en la cafetería, pero la gente con la que debía encontrarse no estaba allí. Compró unos cigarrillos y regresó a casa.

Geirfinnur llegó a casa a las diez y cuarto. Se quitó la chaqueta. Poco después de su regreso sonó el teléfono. Respondió el hijo de Geirfinnur. La voz al otro lado de la línea pidió hablar con Geirfinnur Einarsson, y usó su nombre completo. Era una voz grave y masculina: al niño no le pareció haberla oído antes. Le pasó el teléfono a su padre. Geirfinnur escuchó en silencio, y luego dijo: «Ya estuve». Hubo una pausa. «Está bien, voy para allá». Agarró la chaqueta y la pipa y salió hacia la puerta. El niño corrió detrás de su padre y le preguntó adónde iba, pero no obtuvo respuesta. Preguntó si podía acompañarle: la respuesta fue que no. Geirfinnur subió a su Ford Cortina rojo y se dirigió al café.

Geirfinnur Einarsson no regresó a casa esa noche. A la mañana siguiente, su coche apareció con las puertas desbloqueadas cerca de la cafetería, con las llaves todavía en el contacto. Al igual que Guðmundur diez meses atrás, Geirfinnur se había esfumado.

La desaparición de Guðmundur quizás había sido un trágico accidente, pero todo apuntaba a que en la de Geirfinnur había un trasfondo criminal. Había muchas, muchísimas preguntas sin respuesta. ¿A quién había ido a ver? ¿Quién lo había llamado y le había pedido que volviera? ¿Y dónde estaba ahora?

En la Islandia de 1974, los delitos graves eran algo prácticamente inaudito. La última gran investigación de asesinato había sido la de un taxista que apareció en el asiento delantero de su coche con una bala en la cabeza siete años atrás, y nunca se había resuelto. Los asesinatos eran muy, muy poco habituales, y mucho más en una ciudad como Keflavík, donde casi todos los vecinos se conocían. Aquel era un crimen impensable en un lugar donde los crímenes impensables eran... eso, impensables.

La mayoría de las desapariciones en Islandia solían explicarse porque alguien se había perdido o se había suicidado, pero no parecía que ese hubiese sido el caso de Geirfinnur. Las circunstancias eran demasiado extrañas; y los detalles, demasiado sospechosos. A pesar de las peticiones de ayuda de la policía, nadie dio un paso al frente para declarar que se había reunido con Geirfinnur. Esto reforzó la sospecha de que la gente con la que Geirfinnur tenía previsto verse en el café era cómplice de su desaparición. Un perro rastreador de la policía captó el olor de Geirfinnur y se puso a correr en círculos frente al café. Los investigadores dedujeron que Geirfinnur no se había alejado de Hafnarbúðin a pie, sino que había subido a otro vehículo.

Durante los días siguientes, la policía de Keflavík reconstruyó los detalles de la vida de Geirfinnur. No fue fácil reunir detalles, y no porque sus asuntos personales fueran particularmente complicados, sino porque era casi imposible imaginar que alguien se la tuviese jurada. No tenía dificultades económicas y, en los años anteriores a su desaparición, sus ingresos habían sido ligeramente superiores a los habituales, y había podido comprar una casa. Ganaba lo suficiente como para ir tirando, pero no tanto como para que despertase envidias.

Quienes le conocían le describieron como callado y sobrio. Tenía pocos amigos y ningún enemigo aparente. Cuando se investigó si había recibido paquetes o llamadas telefónicas inusuales en los meses previos a su desaparición, la policía no encontró nada. Su correspondencia más prolongada era la carta que recibía de su padre una vez al año.

Un conocido de Geirfinnur se puso en contacto con Valtýr Sigurðsson, el abogado investigador asignado al caso, y le contó una historia que aportó un elemento importante del personaje. Él y Geirfinnur habían trabajado juntos en una central eléctrica, pero no habían intimado, en parte porque Geirfinnur nunca se esforzaba por congeniar con sus compañeros de trabajo. Cada noche, una vez terminado su turno, Geirfinnur cogía el dinero que había ganado y lo metía bajo la almohada. El espacio privado escaseaba en los dormitorios, y todo comportamiento inusual llamaba rápidamente la atención. El gesto de ocultar su salario no pasó desapercibido.

Una tarde, los compañeros de trabajo de Geirfinnur decidieron que, en vez de entretenerse jugando a las cartas, le gastarían una broma. Mientras Geirfinnur se duchaba, uno de sus colegas hurgó bajo la almohada y sacó el dinero que había allí guardado. Aguantándose la risa, esperaron en poses de estudiada indiferencia a que Geirfinnur volviera. Cuando entró en la habitación, se fue hasta su cama y miró subrepticiamente debajo de la almohada. Al no encontrar nada, levantó el edredón y le dio varias sacudidas para asegurarse de que el dinero no se hubiera enganchado en una costura.

«Oye, Geirfinnur», dijo uno de los bromistas, «¿estás buscando algo o qué?». Todos en el dormitorio se echaron a reír. Geirfinnur no dijo nada. Sonrió un poco, recuperó su dinero, se metió en la cama y se volvió hacia la pared.

La policía interpretó esta historia como un indicio del carácter sosegado de Geirfinnur. De haber sido una persona violenta, podría haber empezado una pelea, pero su reacción fue serena y razonable. Sonrió porque era un tipo tranquilo, capaz de verle el lado divertido a las cosas: un hombre de temperamento equilibrado. La policía concluyó que era poco probable que alguien así se hubiera visto involucrado en un altercado.

Esta evaluación coincidía con la descripción que Guðný, la esposa de Geirfinnur, hizo de su marido. No era como los bravucones jóvenes de los clubes nocturnos de Hafnarfjörður que buscaban pelea para entretenerse. En una década de matrimonio, Guðný solo recordaba haber visto a Geirfinnur enojado en una ocasión, y ni siquiera entonces perdió los estribos, sino que se mantuvo en silencio, retraído, hasta que se le pasó el disgusto.

Los investigadores no descartaban en absoluto que Geirfinnur se hubiera lanzado a una larguísima parranda cargada de alcohol. No era raro que la gente desapareciera de borrachera durante varias noches, especialmente durante los meses de invierno. Ninguno de los agentes de policía de Keflavík había trabajado antes en un caso de asesinato, y estaban más acostumbrados a lidiar con accidentes, robos y alguna que otra redada de drogas, siempre de poca monta; delitos menores que requerían habilidades investigativas muy alejadas de las que se necesitan en la investigación de un asesinato. Después de todo el trabajo invertido en la investigación, nada les resultaría más embarazoso que ver a Geirfinnur volviendo a casa ileso y apestando a alcohol. Serían el hazmerreír de Islandia.

Tres días después de la desaparición, los investigadores de Keflavík obtuvieron una primera pista importante. Frente a la cafetería había una cabina de teléfono. Hacia las 22.15 horas del 19 de noviembre de 1974, exactamente cuando Geirfinnur habría regresado a casa después de su primera visita a la cafetería, un hombre con una chaqueta de cuero marrón había hecho una llamada desde el teléfono público. No había necesitado consultar la guía telefónica.

La policía decidió que se trataba seguramente del hombre de voz profunda que había hablado por teléfono con el hijo de Geirfinnur y, luego, con este. Quizás había llegado tarde a la cafetería, había llamado a Geirfinnur desde la cabina y se había encontrado con él en el coche a su regreso.

Dos adolescentes, Ásta Elín Grétarsdóttir y Sigríður Helga Georgsdóttir, habían estado dentro de la cafetería, al igual que la encargada de la barra, una tal Guðlaug Jónasdóttir. Ninguna de las tres mujeres había visto antes a la persona que llamó desde la cabina. No era lo habitual en un pueblo como Keflavík. Guðlaug, en particular, fue muy rotunda al afirmar que, de haber sido alguien del pueblo, lo habría reconocido. El hombre de la chaqueta de cuero le había dado una moneda de veinte coronas para pagar la llamada. Ese era el precio para Reikiavik: la llamada local en Keflavík solo costaba quince coronas. Este detalle apuntaba a que se trataba de alguien de fuera. Todo parecía indicar que un forastero había ido a Keflavík aquella noche y había cometido un asesinato.

Los detectives de Keflavík convocaron a los testigos del café y hojearon los cuadernillos y kits de retratos robot de la policía, combinando bocas, narices y ojos en configuraciones inusitadas con la esperanza de conjurar una representación exacta de la cara de la persona de la cabina. Los investigadores recurrieron incluso a la extravagante idea de encargar la creación de un busto, con el razonamiento de que quizá sería más fácil plasmar las descripciones de aquel hombre en tres dimensiones, en lugar de en dos.

Se moldeó en arcilla una escultura de la cabeza del hombre de la cabina. La estatuilla podía sostenerse cómodamente en las palmas de ambas manos. Era de color marrón oscuro, y en ella destacaban el voluminoso corte de pelo y una mirada clara y penetrante.

Pasada poco más de una semana de la desaparición de Geirfinnur, los investigadores de Keflavík metieron en una bolsa de papel la cabeza de arcilla, o «Leirfinnur»,* y la llevaron a la capital para mostrársela a la policía de Reikiavik. Tras largas deliberaciones, la inusual escultura fue mostrada al público a través de RÚV, la cadena de radiodifusión y televisión pública.

Así fue como la extraña efigie llegó a los hogares del país, y como la noticia de la misteriosa desaparición se extendió hasta el último rincón de Islandia. «Vivíamos en la inopia», recuerda Sigríður Pétursdóttir, una periodista que, en aquel entonces, era una niña que vivía en el pequeño pueblo de Húsavík, en la costa norte de Islandia. «Los únicos crímenes de los que tenía-

---

* Juego de palabras con el término islandés *leir* («arcilla»). (*N. del t.*)

mos noticia eran los de los libros de Enid Blyton, y de repente aquella inquietante estatua apareció en el televisor y nos convencimos de que venía a por nosotros».

De un día para otro, la población de toda Islandia creyó tener información vital sobre lo que podría haberle ocurrido a Geirfinnur. La policía recibió tantas llamadas que se vieron obligados a designar un agente especial encargado de atender el teléfono. Un ingeniero que leyó sobre la investigación en el periódico envió un dictáfono casero a la comisaría para que los detectives pudieran grabar las llamadas telefónicas. Los investigadores tomaron nota de todos los supuestos avistamientos de «Leirfinnur» a lo largo y ancho del país. El montón de alertas con lo que la gente había visto en sueños superaba el centímetro de grosor.

«Tengo el nombre del asesino en mi escritorio», pudo leerse en el titular de primera página de un diario islandés, al que acompañaba la foto de un agente de policía de Keflavík hojeando la guía telefónica con los nombres de todos los residentes de Islandia.

«Leirfinnur» había hablado por teléfono en islandés, por lo que era muy probable que fuera islandés. A la gente le inquietaba que uno de los suyos pudiera haber cometido un asesinato. La violencia asesina era algo histórico, un cuento que se les contaba a los niños como recordatorio del pasado vikingo del país, un elemento más de las sagas. Para toda una generación de islandeses, la desaparición de Geirfinnur fue el momento en que se dieron cuenta de que también ellos podían matar y ser asesinados.

Cada vez que una llamada telefónica proporcionaba nueva información a la policía, los investigadores mostraban una foto de la persona delatada a uno de los testigos del café. Entre los nombres propuestos apareció el de Magnús Leópoldsson, personaje muy conocido de Reikiavik cuyos rasgos guardaban un sorprendente parecido con la cabeza de arcilla.

Magnús era el gerente del Klúbburinn, uno de los pocos clubes nocturnos que se mantenía abierto hasta tarde en Reikiavik. Dos noches antes de su desaparición, Geirfinnur había estado en el Klúbburinn. Los amigos que le acompañaban aquella noche declararon a la policía que Geirfinnur había estado hablando con un hombre. Este tendría entre veinticinco y treinta años de edad y el pelo de un rubio oscuro que le caía por debajo de las orejas. En el viaje de regreso a casa, Geirfinnur no mencionó a aquel hombre ni lo que habían discutido.

En Reikiavik circulaban rumores de que los hombres que dirigían el Klúbburinn también estaban involucrados en el contrabando de alcohol que vendían luego en el club. En Islandia solo podía venderse cerveza de un contenido alcohólico inferior al 2,25 %, y el Estado tenía (y tiene todavía) el monopolio sobre la venta de alcohol, lo que encarece mucho su precio. Se decía que los propietarios de los clubes nocturnos de Reikiavik solventaban el problema del alto precio de los licores destilando alcohol casero en bañeras o aprovechando las importaciones ilegales que marineros noruegos lanzaban al agua desde sus barcos. La policía ya sospechaba que Geirfinnur estaba implicado en actividades de contrabando a escala local. Los investigadores habían hablado con un hombre que declaró haberle pedido a Geirfinnur que destilara sesenta litros de alcohol para él, pero que Geirfinnur había desaparecido antes de tener la oportunidad de llegar a un acuerdo.

La policía comenzó a sospechar que la desaparición de Geirfinnur estaba relacionada con un plan para pasar alcohol de contrabando junto con el hombre con el que había hablado en el Klúbburinn.

El 25 de enero de 1975, la policía interrogó a Magnús Leópoldsson en comisaría. Ese mismo día salió en libertad sin cargos. No sería la última vez que se le interrogara en relación con el caso.

Durante los meses siguientes, los investigadores continuaron con su labor, pero la pista se había enfriado. El 5 de junio de 1975 se cerró oficialmente el caso Geirfinnur. Había transcurrido casi un año y medio desde que Guðmundur desapareciese del club nocturno de Hafnarfjörður, y más de seis meses desde que Geirfinnur fuese a una cafetería y no regresase a casa; nada, ningún indicio permitía suponer el paradero de uno u otro. La desaparición de Guðmundur no se trató como un asunto criminal, mientras que las pistas más prometedoras en el caso de Geirfinnur guardaban relación con los dos hombres con los que al parecer había estado en contacto antes de desvanecerse: un tipo en el Klúbburinn, dos días antes de su desaparición, y el hombre de la chaqueta de cuero que hizo la llamada telefónica desde una cafetería de Keflavík.

Aquellos tipos casi fantasmagóricos, apenas entrevistos por los testigos, se movían en segundo plano por el lugar de los hechos, vagos en todos sus detalles, inciertas sus siluetas. La media sonrisa del «Leirfinnur» y su mirada vacua eran una de las pocas pruebas tangibles en el remolino de rumores sobre contrabandistas, y el Klúbburinn, y Magnús Leópoldsson.

Es muy probable que la investigación de uno y otro caso se hubiese suspendido indefinidamente de no haber sido por la detención, seis meses más tarde, de una mujer y su novio en un caso de estafa completamente desligado de la investigación. La mujer tenía veinte años, el pelo rubio tirando a rojizo y gafas estilo aviador de montura dorada. Se llamaba Erla Bolladóttir.

2

LA LUZ ROJA

En otoño de 2014 me puse en contacto con la productora lon dinense Mosaic Films con la idea de rodar un documental sobre las desapariciones de Guðmundur y Geirfinnur. Al director general de Mosaic, Andy Glynne, le gustó la idea y nos envió al director Dylan Howitt y a mí a grabar algunas entrevistas para un *teaser* que luego se presentaría a los directores de programación. A lo largo de los dos años siguientes volé en varias ocasiones a Islandia acompañando a Dylan, y luego pasé otro año y medio recopilando datos por mi cuenta, cuando el rodaje ya había terminado. Al principio, los casos parecían impenetrables. Cada mañana, Dylan y yo salíamos temprano de nuestro piso alquilado en el centro de Reikiavik con la ilusión de añadir algo más a lo que ya sabíamos, pero, por la noche, nos daba vueltas la cabeza, y la clara línea argumental que creíamos seguir se difuminaba bajo el peso de la nueva información y las contradicciones en los testimonios. Un islandés obsesionado con las desapariciones describe el acto de investigarlas como algo parecido a «adentrarse en el bosque», y tuvo que pasar más de un año de pesquisas para que empezásemos a desbrozar un sendero por entre los árboles.

En pocos sitios puede ser más fácil rodar un documental que en Islandia. Existe una base de datos en línea en la que consta el número de teléfono de cada ciudadano islandés, incluidos el presidente y el primer ministro, y un mapa en el que se indica su lugar de residencia. Casi todos los islandeses a los que entrevistamos hablaban un inglés impecable, y todos se mostraron corteses y accesibles, incluso cuando abordamos temas incómodos, y muchos nos recibieron en sus casas con bandejas de comida y bebida: tiras grisáceas de arenque en conserva sobre pan con mantequilla, pasteles con glaseado rosa y amarillo y jarras y más jarras de café negro. La mayoría de los islandeses viven en Reikiavik y sus alrededores, una ciudad que se puede recorrer en un día sin tráfico en diez minutos, y en la que, cuando nieva, las quitanieves despejan las calles antes de que llegue a cuajar.

Sus menos de 350.000 habitantes crean la impresión de que todo el mundo conoce a todo el mundo. Si necesitas que te presenten a alguien, cabe la posibilidad de que la persona a la que acabas de entrevistar tenga un primo que pueda ponerte en contacto con esa persona. La sensación de pertenencia a una comunidad es extraordinariamente fuerte. Uno no toma un apellido, uno es hijo (-son) o hija (-dóttir) de Islandia. Cuando un islandés muere, tanto si es muy conocido más allá de su círculo de amigos y familiares como si no, el Morgunblaðið, el diario de mayor tirada del país, publica su esquela.

Grabar en vídeo una entrevista con alguien, evidentemente, es diferente a hablar con esa persona de antemano. Los entrevistados suelen hablar con naturalidad frente a un discreto micrófono o a un cuaderno de notas, pero, en cuanto se ven ante el objetivo de una cámara, tanto da quiénes sean o cómo se lleve a cabo la entrevista, la conciencia de que se les está grabando afecta a la forma en que responden. Algunos se vuelven más cautelosos y matizan consciente o inconscientemente sus respuestas con incisos aclaradores que probablemente harán que sus palabras resulten inservibles para un medio en el que prima la expresión breve y elocuente. Otros, sin embargo, se crecen y consiguen expresarse con mayor concisión y emoción si cabe a la luz de los focos.

Erla Bolladóttir entra en esta segunda categoría. Ha hablado de su vida en los tribunales, en reportajes de telediarios y en documentales. Ha escrito un libro. Tanta repetición le ha servido para ganar cierta habilidad a la hora de narrar su propia vida: aquellos pasajes que en otra época recordaba vagamente son ahora prístinos en su memoria gracias a la repetición. Es algo que todos hacemos. A partir de las personas, los objetos y las experiencias presentes en nuestras vidas, todos construimos narrativas sobre nuestros orígenes y nuestra identidad. Pero Erla es un caso único. Para ella, ser especialista en los detalles de su vida se ha convertido en una cuestión de supervivencia.

Cuando llegamos a Islandia, la de Erla fue la primera casa que visitamos. Nos quitamos los zapatos en la puerta y, tras colgar abrigos y bufandas en los ganchos que flanqueaban el pasillo, entramos en lo que resultó ser un apartamento muy bien dispuesto en los sótanos del edificio. Nos sentamos con una taza de café en la mano para entrar en calor, y al oírla hablar agradecí que Dylan estuviera allí para guiar con amabilidad la conversación. Me sentí joven y muy poco preparado para entretejer las hebras de la vida de nadie, y no sería sino varios años más tarde, estando ya mucho más inmerso en los desconcertantes detalles de los casos, cuando me sentí capaz de intentar poner por escrito la crónica de las desapariciones y sus secuelas.

Sentado en la mesa de la cocina mientras Erla hablaba, me alegré para mis adentros al pensar que no sería yo el que luego, en la sala de edición, tendría la responsabilidad final de condensar tanto detalle y dolor en un algo con visos de fidelidad.

Erla nació en Reikiavik el 19 de julio de 1955, la tercera de cinco hermanos, cuatro chicas y un chico. Su madre, Þóra, se encargó a tiempo completo de cuidarlos. Auténtica belleza en su juventud, había trabajado como modelo dentro y fuera del país, y en sus pómulos agudos asomaba aún la soberbia que a veces poseen los muy bellos, una cierta dureza cuando relajaba sus facciones que hacía que su expresión fuera más severa de lo que pretendía.

Þóra se enorgullecía de vestir a juego a sus hijas en cumpleaños y celebraciones navideñas. Las fotos familiares parecen las de la familia Von Trapp de vacaciones. Cuatro niñas rubias con vestidos rojos, camisas blancas abotonadas hasta la gola y cintas en el pelo, y detrás de ellas, su madre, radiante, vestida con el mismo atuendo y con los labios pintados.

Erla había sido una niña exuberante y extrovertida, cuya voz podía oírse en toda la calle cuando salía a jugar. La disciplina en casa corría a cargo de Þóra: a ella era a la que Erla temía, y más de una reprimenda se ganó por hacer ruido en el barrio.

El padre de Erla, Bolli, era más benévolo. Había sido gerente de la oficina de la Loftleiðir Icelandic en el aeropuerto neoyorquino de Idlewild, ahora conocido como el John F. Kennedy, y por ese motivo la familia se estableció en Long Island durante cinco años, siendo Erla muy niña. Trabajar para una aerolínea era una ocupación cargada de glamur en aquellos primeros años del turismo de masas; y, en las lánguidas noches de verano, los sofás del cuarto de estar se apartaban contra las paredes para organizar bailes a los que acudían amigos y amigas de la familia vestidos de punta en blanco. Sociable y carismático, Bolli fue siempre el favorito de Erla.

Algunos de los primeros recuerdos de Erla son los de ver en televisión las series estadounidenses por antonomasia, *La ley del revólver* y *Bonanza*, y de ir de paseo en bicicleta con sus hermanas en paralelo al agua. Esta influencia norteamericana hizo de ella algo exótico cuando regresó a Islandia en 1962, a los siete años de edad. Era algo de lo que alardear ante sus nuevas compañeras de clase. Los niños le preguntaban si había visto a los Beatles en Estados Unidos, y ella respondía que sí, que John Lennon y Paul McCartney vivían en su calle y que los veía todos los días.

Y no era tan raro. Para los niños islandeses, el mundo exterior era algo lejano y remoto. En Islandia estaba su hogar, y la gente que vivía allí era una gran familia. Cuando los políticos de partidos rivales discutían en televisión, era como si dos hermanos se pelearan entre ellos. Erla se sabía el nombre de todas las calles de Reikiavik. Los productos de importación eran caros y poco habituales. En Navidad llegaban al país algunas frutas a granel, y durante un mes las calles de Reikiavik olían a manzanas frescas.

A veces, en verano, a Erla y sus hermanos los enviaban a granjas en otros rincones de Islandia, una tradición que se remonta varios siglos en el tiempo. En el pasado, la necesidad de dinero impulsaba estos viajes: los niños iban a buscar trabajo de temporada a las granjas, y cuando regresaban junto a sus familias lo hacían con unos modestos ahorros. Pero, en la infancia de Erla, el valor de aquellos viajes estivales ya no era económico. Lo que importaba era la experiencia cultural. Los niños solo podían entender verdaderamente su país viviendo en la naturaleza durante unos meses. Los editoriales de los periódicos nacionales ensalzaban la importancia de que los jóvenes islandeses fueran testigos de primera mano de los ritmos de trabajo que habían mantenido a la nación abastecida de carne y lana durante siglos.

A Erla la alojaron en una granja situada en una pequeña aldea en el noroeste del país. Solo tres familias vivían allí: no había otras granjas en kilómetros, y solo se podía acceder a ella por barco o avión. Un día, mientras Erla ayudaba al granjero a recoger los huevos en el gallinero, este la besó a la fuerza y la sobó de arriba abajo. Erla se lo contó a la esposa del granjero, quien le dijo que hablaría con su marido para asegurarse de que no volviera a ocurrir; eso sí, no debía hablar de ello con nadie.

Erla regresó a casa cambiada. Incapaz de hablar con su familia sobre el incidente, se sintió alienada. Veía a sus padres y hermanos absortos en alguna actividad y se sentía tan distanciada de ellos, tan poco involucrada en lo que fuera que estuviesen haciendo, que empezó a preguntarse si, cuando era bebé, se la había llevado del hospital la familia equivocada. Empezó a pasar más tiempo sola. Las horas volaban cuando se sentaba en su dormitorio y soñaba despierta que se reunía con sus verdaderos padres.

Una vez sacó dinero de la cartera de su padre, compró un paquete de cigarrillos y se fue a fumárselos a una colina con vistas al edificio de apartamentos donde vivía su familia. Desde donde Erla estaba sentada podía ver a su madre a través de la ventana de la cocina preparando la cena, y mientras la miraba iba dando caladas cada vez más hondas y pensaba: «Para que aprendas». De alguna manera, lo que había pasado en la granja había sido culpa de su madre. Fumar un cigarrillo, sentada en lo alto de una roca y observar el deambular de su madre por la cocina sin que esta lo supiera le devolvió a Erla una sensación de control que había echado en falta desde que regresó de la granja.

Siendo Erla todavía joven, su padre malversó dinero de la oficina de ventas de Pan American Airlines en Reikiavik, en la cual trabajaba. Empezó con cantidades pequeñas, diciéndose a sí mismo que aquello era un préstamo que devolvería en el futuro, pero en 1966 robó 400.000 coronas, el equivalente en la actualidad a algo menos de 60.000 libras esterlinas. Al año siguiente se llevó el doble. La auditoría anual mostró el déficit, y le pillaron. Bolli había sido un éxito en la empresa, por lo que se prefirió no presentar cargos contra él, pero perdió su trabajo.

Aquellos vertiginosos días en el negocio de las aerolíneas marcaron el punto álgido en la carrera profesional del padre de Erla, cuyos empleos subsiguientes fueron cada vez menos lucrativos. Con cada cambio de trabajo, la familia se mudaba a casas progresivamente más y más pequeñas, hasta que Erla y sus hermanos tuvieron que dormir en una misma habitación, mientras sus padres pasaban la noche en el cuarto de estar. Se habían acabado las lujosas fiestas de su infancia.

Las estrecheces económicas hicieron mella en la relación de los padres de Erla, que acabaron por separarse cuando Erla tenía catorce años de edad. «Las cosas en casa estaban difíciles», cuenta Erla, «pero, de puertas hacia fuera, todo iba bien. Es lo que tiene vivir en una comunidad pequeña. Es muy importante que nadie sepa que algo anda mal».

Poco antes de su decimosexto cumpleaños (el último obstáculo antes de independizarse de su familia), su madre le dijo que tenía que estar en casa antes de la medianoche. Erla se saltó en varias ocasiones el toque de queda y Þóra quiso reprenderla. Discutieron. De repente, Þóra abofeteó a Erla. Antes de saber siquiera lo que estaba haciendo, Erla le devolvió la bofetada. Se quedaron calladas. La mano le escocía a Erla con una sensación curiosa que no era desagradable.

A las pocas semanas cumplió dieciséis años y se fue a vivir con su padre a Reikiavik.

En la cima de una pequeña colina en el centro de Reikiavik hay un monumento de un vikingo con la vista puesta en el mar. Creada por Einar Jónsson, un escultor cuyas obras adornan los parques de las ciudades de todo el país, la estatua representa a Ingólfur Arnarson, al que por lo general se considera el fundador de Islandia.

Escasean las crónicas de viajeros que visitaran Islandia antes de su colonización. En el año 400 a. C., el explorador griego Piteas descubrió una isla muy al norte en el océano Atlántico donde el sol brillaba durante toda la noche. Más de mil años después, monjes irlandeses llegaron en sus viajes a un territorio extraño, situado en un lugar similar del Atlántico, donde el sol era tan brillante que incluso a medianoche podían distinguir los piojos de sus camisolas. Luego, en el siglo ix, llegaron los vikingos.

Aunque el año exacto de la colonización de Islandia sigue siendo objeto de debate, la versión más popular la sitúa en el año 874, cuando Ingólfur Arnarson y sus seguidores abandonaron Noruega en busca de nuevas tierras y navegaron hacia el noroeste hasta que llegaron al flanco sur de Islandia. Viendo una orilla lejana en el horizonte, Arnarson arrojó al océano los pilares de madera de su trono de caudillo y proclamó que construiría su casa allí donde el agua los arrastrara. Los pilares acabaron en una pequeña bahía (o *vik*) que, debido a las cercanas aguas termales, estaba cubierta por vapor (o *reykja*). Arnarson llamó Reikiavik a aquel lugar, y desde allí fundó Islandia. El territorio era en buena parte inhóspito y albergaba pocos animales terrestres que cazar, pero no carecía de potencial: los ríos de agua dulce estaban llenos de peces, y la hierba crecía larga y frondosa en los valles a lo largo de la costa.

¿Qué inquietud sentirían Ingólfur y sus compañeros al hollar una tierra extraña de cuyas entrañas escapaba humo? Islandia se asienta sobre la dorsal mesoatlántica, y la antigüedad de sus formaciones rocosas no llega a los dieciséis millones de años, apenas un instante si se los compara con los cuatro mil millones de años que suman algunas de las masas terrestres más antiguas de la Tierra. Más que en cualquier otro país, el paisaje parece estar en perpetuo (y visible) proceso de creación. El vapor emana del terreno, y los géiseres lo puntúan como signos de exclamación. Bajo el agua, la erupción de los volcanes da lugar a nuevas islas.

Al igual que sucede en todo el mundo con los mitos fundacionales, algunos de sus elementos son apócrifos. En verano de 1974, cuando se lanzaron al agua cien pilares de madera para conmemorar el 1100.º aniversario del asentamiento, ninguno de ellos apareció cerca de Reikiavik. En esencia, sin embargo, la idea de que un grupo de hombres y mujeres independientes lo dejaron todo para forjar una nueva sociedad sobre un pedazo de roca estéril y hasta entonces deshabitada sigue siendo parte integral de la historia de los orígenes de Islandia.

La independencia del territorio duró poco. En el siglo XIII, los caudillos islandeses juraron lealtad a Noruega para poder acceder al comercio y llevar la estabilidad al país tras décadas de derramamiento de sangre durante la llamada Era de Sturlung. Cuando Noruega se convirtió en territorio dependiente de Dinamarca, Islandia quedó sometida al dominio danés.

Siglos de penurias fomentaron el resentimiento hacia Dinamarca. Las hambrunas y la enfermedad asolaron Islandia, pero la ayuda enviada desde Copenhague, cuando llegaba, era escasa. En 1627, los piratas del norte de África le dieron la vuelta a la leyenda vikinga, y secuestraron a casi 250 ciudadanos de las islas Vestman de Islandia para venderlos como esclavos en Argel; el rey danés apenas se dio por enterado. En los fértiles caladeros situados a pocos kilómetros de la costa sur del país, los británicos hacían tremendas capturas de bacalao islandés con total impunidad. Los devotos reyes daneses prohibieron la danza durante más de un siglo.

La miseria de aquel sometimiento alcanzó su punto más bajo en 1783, cuando una enorme erupción volcánica en el sur de Islandia provocó que el suelo vomitara gases venenosos, lava y ceniza durante ocho meses consecutivos. Tan descomunal fue la explosión que todavía hoy conserva el dudoso honor de ser el peor desastre natural no solo de Islandia, sino también de Gran Bretaña. Murieron incontables cabezas de ganado, y una hambruna generalizada arrasó aproximadamente con la quinta parte de la población islandesa: menos de 40.000 personas sobrevivieron. Debido a las duras condiciones del monopolio comercial danés, Islandia se veía obligada a exportar un porcentaje considerable de sus existencias de alimentos, mientras que miles de sus habitantes morían de hambre.

La independencia se perfilaba cada vez más como el antídoto contra la indigencia y la indignidad de medio milenio bajo dominio extranjero. Durante el siglo XIX, un grupo de intelectuales islandeses liderados por el erudito Jón Sigurðsson se convirtieron en cabeza visible de un movimiento cada vez más popular. Con el argumento de que Islandia no había renunciado legalmente a su independencia en la época medieval, defendían que ni Noruega ni, por extensión, Dinamarca habían tenido nunca legítimo control sobre Islandia.

El movimiento independentista hizo bandera de las sagas, las historias en las que se recogen con gran garra las vidas de las primeras generaciones de colonos, y las vendió como crónica de una época en la que los islandeses habían vivido en el triunfo y la abundancia, una época dorada anterior a toda injerencia extranjera. Aunque la esencia de esas «crónicas» es en gran medida ficticia, en su conjunto constituyen quizá la representación más detallada del funcionamiento de una sociedad medieval europea en la Edad Media. La valentía y el espíritu pionero de los vikingos se blandieron como características innatas del pueblo islandés. Al rechazar el yugo danés, los ciudadanos de a pie podían vivir en su propia tierra, como lo habían hecho los héroes de las sagas. En la vida pública islandesa empezaron a asomar los primeros brotes nacionalistas.

Dinamarca fue cediendo gradualmente parcelas de poder a Islandia. En un intento de impulsar la urbanización en el país, las autoridades danesas concedieron cartas pueblas a Reikiavik y otras cinco ciudades. Tras varios siglos siendo poco más que una granja, Reikiavik pronto atrajo algunas de las instituciones comunes en las ciudades de toda Europa: una prisión, un obispado, una biblioteca y una escuela. El parlamento islandés, conocido como Alþing y fundado en el valle de Þingvellir en torno al año 930, fue trasladado a Reikiavik y celebró su primera asamblea el 1 de julio de 1845. En 1874, mil años después de que Ingólfur Arnarson supuestamente lanzara los pilares de su trono hacia Islandia, el rey danés permitió al país disponer de una constitución propia. El número de habitantes de Reikiavik aumentó de unos pocos cientos a sumar más de mil.

El rápido crecimiento de la ciudad aceleró el afán de autonomía en Islandia. Dos importantes innovaciones en la industria pesquera aceleraron el crecimiento de la población urbana. En primer lugar, los barcos con cubierta sustituyeron a los de remos durante las últimas décadas del siglo XIX. Los barcos con cubierta podían cargar mayores volúmenes de pesca y faenar en aguas más profundas. Gracias en parte a las inversiones del Landsbanki, el banco nacional fundado pocos años antes, aparecieron las primeras grandes empresas islandesas con más de un centenar de empleados. Fue el nacimiento del capitalismo en Islandia. En segundo lugar, los barcos de pesca empezaron a utilizar motores. En 1902, el *Stanley* fue equipado con un motor danés de dos caballos de fuerza, lo que le permitía realizar múltiples salidas en un día, en lugar de una sola. A lo largo de la costa proliferaron las empresas dedicadas a la pesca de arrastre. La revolución industrial había llegado a Islandia, y los catalizadores no fueron los trenes y el carbón, sino los barcos y la pesca.

Reikiavik, una ciudad que, antes de la expansión de la pesca comercial, carecía de una industria que atrajese a migrantes económicos del resto del país, vio crecer su población en casi un 10 % anual entre 1897 y 1908. La capital albergaba el 5,5 % de la población total del país en 1890, y en 1930 esa proporción había aumentado al 25,8 %. El crecimiento económico de Islandia impulsó las reivindicaciones independentistas, y, asistida por los cambios en la actitud global hacia el colonialismo, la soberanía quedó confirmada en un tratado de 1918 y fue proclamada oficialmente en 1944. Para entonces, el pescado constituía alrededor del 90 % de las exportaciones del país.

A pesar de la preeminencia que la historia fundacional del país otorga a Reikiavik, la identidad nacional de Islandia siempre ha tenido sus raíces en el campo: en cierto modo, así sigue siendo. Uno aprende a hablar el islandés «de verdad» en las zonas rurales del país, y no «en la grava», término despectivo con el que solía aludirse a las grandes poblaciones de Islandia. Durante mucho tiempo se perpetuó un considerable desequilibrio electoral a favor de las regiones rurales, pese al éxodo masivo del interior a la costa.

Sin embargo, cuando Erla abandonó la casa de su madre en 1971, los avances tecnológicos en la industria pesquera habían desencadenado un proceso que convirtió Reikiavik y sus alrededores en el centro político y económico de Islandia, sede no solo del parlamento y la mayoría de las oportunidades de empleo, sino también hogar de casi la mitad de la población islandesa. Tradicionalmente, los novelistas habían descrito la ciudad como un pozo de iniquidad, el lugar donde se ponía a prueba la moralidad del protagonista antes de regresar a la seguridad de la vida rural. La de 1970, sin embargo, fue posiblemente la primera década en la que el número de obras de ficción islandesa ambientadas en Reikiavik superó al de las que tenían el campo como escenario principal.

Para una persona joven, Reikiavik era entonces un lugar lleno de emociones. Gracias a líneas aéreas como la Loftleiðir Icelandic (coloquialmente llamada la «aerolínea *hippie*»), los viajes a América y Europa Occidental resultaban mucho más asequibles y, entre 1950 y 1970, el número de islandeses que volaban al extranjero aumentó en más del 600 %. Los jóvenes islandeses viajaban a Londres y San Francisco, y regresaban con nueva música y nuevos gustos de moda; y las azafatas islandesas llenaban sus maletas con vinilos de Cream y Moody Blues para que sus compatriotas los oyeran luego en casa. En el centro de la ciudad, una tienda llamada Karnabær, inspirada en la Carnaby Street de Londres, vendía nuevas ropas a los jóvenes de Reikiavik.

El 22 de junio de 1970, Led Zeppelin actuó en el Festival de las Artes de Reikiavik. La popularidad del concierto llevó al reportero de la emisora estatal RÚV a comentar que no se había visto cosa igual en la ciudad desde que, durante la Segunda Guerra Mundial, se aceptara que los cupones de racionamiento podían canjearse por cubrecalzados de goma. A los miembros de la banda, por su parte, Islandia les cautivó hasta tal punto que inspiró la letra de uno de sus temas más famosos, «Immigrant song». A su paso por el centro de la ciudad, la policía se alineó en las aceras para proteger a la banda, pero ni siquiera esta medida impidió que los adolescentes estirasen el brazo a través de los huecos en las barreras para rozar siquiera el abrigo de Robert Plant. Los jóvenes islandeses tenían al alcance de la mano un nuevo mundo, y no iban a dejar que se les escurriese entre los dedos.

Los jóvenes de Reikiavik asumían ideologías y formas de pensar que eran anatema para sus padres. Eran la primera generación criada al margen del dominio danés y, como tal, se les hacían raros los impulsos nacionalistas de sus mayores. El *hippie* consumidor de drogas, amante de la libertad y con conciencia social rompió con el conservadurismo campesino que había definido a Islandia durante siglos. Durante las protestas por la implicación de Islandia en la OTAN, la sangre llegó al río cuando la policía se enfrentó a jóvenes pacifistas opuestos a la guerra. El soviético Boris Spassky y el estadounidense Bobby Fischer se enfrentaron en el Campeonato Mundial de Ajedrez de Reikiavik en 1972 y, para disgusto del gobierno progresista en el poder, muchos islandeses manifestaron vociferantes su apoyo al ruso.

En otoño de 1970 se creó el primer Departamento de Ciencias Sociales en la Universidad de Islandia en Reikiavik, y los cursos de ciencias políticas y sociología pronto se hicieron populares entre los estudiantes melenudos que vivían en la capital. En los alrededores de Reikiavik se formaron comunas a las que los jóvenes acudían a drogarse y arreglar el mundo. «La píldora acababa de llegar al país», cuenta la escritora Halldóra Thoroddsen, que en aquellos años vivía en la ciudad, «así que mucha gente no iba allí más que a follar».

Erla se convirtió en asidua de las comunas próximas al puerto de Reikiavik: allí fumaba hachís y escuchaba a Jefferson Airplane y a bandas islandesas de rock progresivo como Trubrot. «La autoridad es una mierda, los capitalistas son unos cerdos..., en ese plan», resume su mentalidad de aquel entonces. Colocarse en las fiestas con los amigos le daba la misma sensación satisfactoria y reservada que había experimentado mientras fumaba cigarrillos robados y observaba a su madre desde la colina.

En una de estas fiestas, Erla vio a Sævar Ciesielski. Se habían conocido años atrás, de niños, en un viaje de verano de Erla a la granja de los abuelos de Sævar. Recordó que él le había mostrado un rincón secreto en un granero desde el que podían saltar sin hacerse daño, y que habían pasado toda una tarde saltando de los alféizares de las ventanas a los fardos de heno. Y ahora, casi una década después, ahí lo tenía frente a ella, un poco aparte del resto del grupo en la fiesta, con un amago de sonrisa en la cara.

«Me parecía un tío muy interesante», dice Stefán Unnsteinsson, un periodista que recuerda haberse cruzado con Sævar en varias comunas del centro de Reikiavik. «Entonces era joven, tendría tal vez diecisiete o dieciocho años, y se le veía inteligente pero sin pulir. En los círculos *hippies* lo veían como alguien interesante. Parecía extranjero, muy delicado, pero muy seguro de sí mismo. Tenía conversación, podía hablar de todo, y se podía pasar un rato agradable con él. Luego, claro, uno se enteraba de la reputación que tenía».

Nacido el 6 de julio de 1955 de padre estadounidense de origen polaco y madre islandesa, el apellido Ciesielski inmediatamente hacía de Sævar alguien diferente. En un país de *-sons* y *-dóttirs*, donde los patronímicos son lo habitual entre la población, la sibilancia de ese «Ciesielski» lo condenó a ser diferente desde que nació. Quizá no deba extrañarnos que, en una de las sociedades más homogéneas de Europa, en la que más del 95 % de los residentes eran islandeses de pura cepa, Sævar, un joven de origen extranjero con una historia familiar poco habitual y un apellido menos habitual todavía se convirtiera en uno de los «hombres del saco» más famosos del país. Sævar se crió en uno de los barrios más pobres del centro de Reikiavik. Michael, su padre, era estricto, especialmente con su hijo, y por la noche se sentaba, borracho, y arengaba a su hijo sobre los mentirosos y tramposos que había en el mundo. A veces le inculcaba la disciplina a golpes. Anna, la hermana de Sævar, recuerda una ocasión en la que su padre se quitó el cinturón y lo dobló por la mitad para poder azotar al niño sin usar la hebilla. Sævar nunca estuvo a gusto en la escuela. Testarudo y contestón, a menudo se enzarzaba en discusiones con sus compañeros de clase y profesores, y su escasa estatura lo convertía en blanco fácil para los abusones en el patio de la escuela. Pronto empezó a robar en las tiendas y a ser transferido de escuela en escuela. Un antiguo profesor suyo recuerda que era «imposible».

Cuando Sævar tenía catorce años de edad, un psiquiatra determinó que tenía dificultades para adaptarse y recomendó que lo enviaran a Breiðavík, un instituto en el noroeste de Islandia para niños problemáticos. Breiðavík consistía en una hilera de edificios simétricos y totalmente blancos situados en uno de los rincones más remotos del país: su solo nombre resuena aún inquietante en la psique islandesa. Los niños de las décadas de 1950 y 1960 recuerdan que se usaba a menudo como amenaza («como no hagas los deberes, acabarás en Breiðavík») y aún hoy el espectro de su antigua existencia flota sobre quienes fueron enviados allí. Para los padres era un lugar que producía resultados: sus hijos iban a Breiðavík y volvían cambiados.

No fue sino años más tarde, décadas después de su cierre, cuando la verdad sobre Breiðavík salió a relucir. Las historias de humillantes rituales y de violaciones, a menudo a manos de un director particularmente sádico, acabaron siendo demasiado numerosas como para poder ser ignoradas. La institución, fundada con la intención de inculcar disciplina a niños con problemas, había acabado fomentando un entorno de maltrato para muchos de esos niños. Breiðavík cerró sus puertas en 1979, y por todo legado dejó docenas de hombres quebrantados, cuyas perspectivas en la vida adulta se vieron gravemente limitadas por el abuso al que fueron sometidos. Un estudio realizado por el profesor de psicología forense Gísli Guðjónsson con niños que asistieron a Breiðavík entre 1953 y 1970 reveló que un 75 % de ellos había pasado por los tribunales más adelante por actividades delictivas.

Ese era el ambiente del que Sævar salió siendo aún adolescente al regresar a Reikiavik. Para muchos de los internos de Breiðavík, el centro pesaría como una losa sobre ellos durante el resto de sus vidas; para Sævar, sin embargo, la experiencia no hizo sino confirmar lo que ya empezaba a aprender sobre el mundo: que tanto en casa como en la escuela o en Breiðavík, quienquiera que ocupase un puesto de autoridad iba a ir a por él. Pronto cayó en la delincuencia, y subsistió robando carteras y vendiendo drogas en las fiestas.

Con su pelo castaño hasta los hombros, su delgadez y su gran chaqueta de cuero, el aspecto de Sævar no podría haber sido más diferente del de los mocetones rubios que protagonizaban las series estadounidenses que Erla veía de niña. Tenía, eso sí, un magnetismo del que carecían aquellos pistoleros sosainas. Cuando estaba en una habitación, la gente se sentía atraída por él.

En una fiesta en diciembre de 1973, alguien echó LSD en la bebida de Erla. En cuanto notó que la droga se apoderaba de ella, se obligó a encontrar un rincón apartado para pasar el colocón en paz. Lejos del estruendo de la fiesta, encontró una puerta que daba a una habitación a oscuras. Del equipo de música en la esquina emanaba un resplandor rojizo, y hacia este se dirigió, topando con los muebles ocultos en la oscuridad, hasta que tropezó con alguien tumbado en el suelo. Era Sævar. También a él le habían echado algo en el vaso.

La pareja encendió una cerilla y revisaron los discos del estéreo (Frank Zappa, Pink Floyd) y se contaron todo lo que había que saber el uno del otro. «Me pareció que había conocido a uno de los seres humanos más increíbles de todos los tiempos, y él sentía lo mismo». Salieron de la casa al día siguiente como pareja. «Quizás el mundo no hubiese cambiado mucho», cuenta Erla, «pero nosotros sí; vaya que sí».

Erla no había conocido nunca a nadie como Sævar. Por su mente pasaban constantemente proyectos y planes de todo tipo, y se dejaba arrastrar por cada nueva pasión. Siempre fue inquisitivo, inquieto. Le encantaba el arte, y Erla recuerda las tardes que pasó junto a él mientras intentaba traducir sus reflexiones en pinturas impresionistas. Cuando un amigo lo introdujo al cubismo, pasó en vela toda una noche cubriendo las paredes de una comuna con imitaciones de Picasso.

El cine era otra de sus pasiones, y estuvo muy activo en la incipiente escena cinematográfica de Reikiavik. Vilhjálmur Knudsen, un documentalista local, le enseñó a utilizar una cámara super-8; y, más de una noche, los cineastas en ciernes de la ciudad se apretujaron en el cuarto de estar de Vilhjálmur para comparar ideas y discutir las películas de François Truffaut y Jean-Luc Godard. Los aranceles a las mercancías importadas eran extremadamente altos, y por eso tiraban de contactos en las navieras para colar de contrabando equipos de grabación como cámaras Bolex y lentes Yvar de 75 mm. Sævar rodó una película sobre los mataderos y la hipocresía de comer carne. Más tarde, hizo un cortometraje en super-8 para el que sacó una máscara de cera de la cara de Erla y la grabó en un cementerio.

La familia de Erla no veía a Sævar con buenos ojos. A finales de aquel mismo mes lo había llevado a casa de su madre a comer y, una vez que él se ausentó de la mesa, Þóra cosió a preguntas a su hija sobre su nuevo novio. En cuanto supo que Sævar había estado en Breiðavík, sus peores temores se confirmaron: aquel chico iba a traer problemas. Después de otra incómoda visita, en la que Þóra interpretó que Sævar le estaba dando drogas en el baño a Erla, le prohibió que volviera. Erla le dijo a su madre que si no quería ver más a Sævar, tampoco la vería más a ella.

En diciembre de 1973 se mudó de casa de su amiga para vivir con su padre en su nuevo apartamento, en Hafnarfjörður: faltaba un mes para que Guðmundur Einarsson saliera de fiesta con unos amigos y no volviera a ser visto.

Vista desde fuera parecía una casa de muñecas, con un tejado y unos ribetes rojos en las ventanas que realzaban el blanco de las paredes. Las fotos policiales tomadas mucho más tarde, sin embargo, revelan que el orden y la pulcritud no llegaban más allá de la puerta principal. El suelo del dormitorio estaba cubierto de ropa, y el trastero, abarrotado de basura. Erla se trasladó al apartamentito del sótano, compuesto de dos habitaciones y un baño, en el 11 de la calle Hamarsbraut.

El 11 de Hamarsbraut estaba a pocos pasos del centro de Hafnarfjörður y, con sus aparcamientos vacíos y sus calles silenciosas, la zona cercana al piso parecía tierra de nadie. Fueron meses difíciles para Erla. Aquel fue un invierno amargo con frecuentes tormentas, y, por las mañanas, Erla se obligaba a salir a la oscuridad de la calle para acudir a su trabajo como empleada en las islas Ritsimi, el servicio de telégrafos estatal. Adelgazó hasta pesar menos de cincuenta kilos.

Su padre había sufrido un derrame cerebral y estaba en el hospital, y ella se sentía sola, aislada de su familia y de sus antiguos amigos. El ánimo se le ensombreció, sin que hubiera manera de aliviar su pena. El sol salía a las once de la mañana y se ponía a las cuatro de la tarde, y cada mañana, al despertarse en la oscuridad, sentía como si una mano la retuviese en la cama. En el apartamento de arriba podía oír a sus vecinos deambulando sobre el piso de madera. A veces se tumbaba en la cama, y pensaba que le apetecía un cigarrillo. El paquete estaba en la mesilla de noche, y no tenía más que estirar la mano para cogerlo. Pero entonces pensaba: «¿Qué más da?»; y se quedaba donde estaba. Un árbol bloqueaba las vistas desde su ventana, y ella se quedaba tumbada contemplándolo, pensando que en algún momento volvería a dormirse.

Agotada por el trabajo, el clima y sus problemas de estabilidad mental, Erla pensaba a veces que Sævar llegaba a ser agobiante. «No había más tema que sus ideas», explica. «Para él, la gente era idiota, y mis amigos también. Él razonaba con lógica..., yo no podía rebatir lo que decía, pero no tenía fuerzas para discutir las cosas al mismo nivel que él. No sé muy bien cómo, pero no me lo permitía. Lo planteaba todo de tal manera que, si no estaba de acuerdo con él, yo era igual de idiota que los demás». Lo peor eran las sospechas de que la engañaba. A veces desaparecía de su vida durante días sin contarle a dónde iba.

Hablaba con Erla de que quería cometer el crimen perfecto. Le fascinaba Al Capone, y fantaseaba con robar bancos a caballo o echar LSD en el suministro de agua para ofrecer a los ciudadanos de Reikiavik una experiencia inolvidable. Si algo le satisfacía era la idea de que la policía y los funcionarios de aduanas supieran que había hecho algo y que no pudieran acusarle de ello. Robaba candelabros, alcohol, bolsas de talonarios de cheques viejos y, en una ocasión, un fletán de cien kilos a un pescador en el puerto de Reikiavik. En las comunas vendía drogas que había introducido de contrabando en Islandia dentro de latas de película. Aun así, y pese a ser uno de los delincuentes más conocidos de Reikiavik, fue Erla la que ideó un plan que dejó a las autoridades con un palmo de narices.

Para robar una oficina de correos en la Islandia de la década de 1970 hacía falta un documento de identidad falso y conocer al detalle el servicio de telegrafía del país. El trabajo de Erla en las islas Ritsimi y una tarjeta de identidad que Sævar había robado les dieron los medios para hacerse con mucho dinero.

El 23 de agosto de 1974, Erla llamó por teléfono al centro de recepción de telegramas de la oficina nacional de telégrafos y explicó que trabajaba para una oficina de correos en Grindavík, en el suroeste de Islandia. Ella y Sævar habían manipulado el teléfono desenroscando la boquilla y remetiendo en ella un trozo de tela para distorsionar la voz de Erla y crear la impresión de que la llamada era de larga distancia. Erla recitó el texto de cinco transferencias telefónicas por un total de 475.000 coronas (equivalentes a unas 22.500 libras esterlinas en la actualidad). Estaba convencida de que su colega reconocería su voz, pero no fue así: hablaron sobre el tiempo, y la transacción fue confirmada.

Una amiga de Sævar, de facciones parecidas a las de la titular de la tarjeta, recogió el dinero. La amiga se embolsó 100.000 coronas, y Sævar y Erla se quedaron con las 375.000 restantes. Sævar prestó 300.000 del botín al documentalista Vilhjálmur Knudsen a cambio de poder utilizar su equipo de rodaje.

Y repitieron la jugada. El 18 de octubre de 1974, Erla llamó de nuevo haciéndose pasar por la oficina de correos de Grindavík. Esta vez, sin embargo, no usaron a una amiga para recoger el dinero, sino que fue la propia Erla. Habían escogido Grindavík porque era una oficina con mucho ajetreo, con lo que disminuía la probabilidad de atraer la atención. Sin embargo, cuando llegó a la oficina le dijeron que los cheques habían sido enviados a la sucursal equivocada. El 22 de octubre tuvo que ir a otra oficina de correos mucho más pequeña y tranquila en la ciudad de Selfoss.

Erla se disfrazó tomando prestada ropa de la hermana de Sævar y embadurnándose con mucho maquillaje, algo que no había hecho desde antes de entablar amistad con los *hippies* de las comunas. No era un disfraz convincente, y al acercarse al mostrador estaba convencida de que los pillarían.

Una de las mujeres detrás del mostrador le dijo a Erla: «Así que tú eres la que viene a por todo ese dinero», y los demás trabajadores de la oficina de correos se volvieron inmediatamente para mirarla. Erla medio esperaba que una mano cayese sobre su hombro y que de inmediato la esposasen. En lugar de ello, le dieron instrucciones para que fuera al banco de al lado, donde un empleado contó el dinero que Erla metió luego en una bolsa de tela antes de irse.

Ya en casa, con Sævar, abrió la cremallera de la bolsa y vertió el dinero en la cama. Había casi medio millón de coronas. Se cargaron las manos con los coloridos fajos de billetes para saber cuánto pesaban 100.000 coronas. Había suficiente dinero para pedir la hipoteca de una casa. Erla tenía una bata vieja de su madre, y metieron la mitad del dinero en el bolsillo izquierdo y la otra mitad en el derecho. No tocaron la bata durante mucho tiempo. Era como tener un monstruo en el armario.

Sin saber qué hacer con el dinero, Erla y Sævar reservaron habitación en un hotel elegante y se hicieron pasar por forasteros. Compraron materiales de arte, y Sævar se hizo con una caña de pescar. Dieron la entrada de un Mustang blanco con rayas verdes y la cabeza de un tigre en el capó. Durante tres semanas no comieron más que carne.

Pero la policía ya les rondaba. Los investigadores se presentaron en las islas Ritsimi e interrogaron a los empleados para averiguar si alguien sabía algo de la estafa. Cuando se enteraron de que Erla mantenía una relación con Sævar Ciesielski, se confirmaron sus sospechas.

En diciembre de 1974, poco después de la desaparición de Geirfinnur, se dieron a la fuga. Erla y Sævar compraron billetes de ida a Copenhague. Aún les quedaba mucho dinero, que cambiaron por coronas danesas antes de pegarlo con cinta adhesiva a las piernas de Erla. Erla cubrió luego los billetes con varios rollos de gasa y se puso unas botas de caña alta. Había restricciones sobre la cantidad de divisas que se podían sacar del país, pero cruzó la aduana sin problemas.

Se fueron a vivir a Christiania, la sociedad autogestionada en el corazón de la ciudad, y despilfarraron el dinero que les quedaba: llegó un momento en el que tuvieron que recurrir a robar manzanas de los puestos de frutas en Copenhague para poder comer.

Daba la impresión de que el momento de mayor esplendor de Christiania había pasado. La visión utópica de los fundadores del vecindario empezaba a desvencijarse. Erla trabajaba como limpiadora en hoteles de la ciudad, y el olor de la lejía la hacía vomitar en los mismos baños que estaba fregando. Se hizo una prueba de embarazo y descubrió que estaba embarazada de Sævar.

Regresaron a Islandia, y se mudaron a un piso de nueva construcción en el barrio de Kópavogur, en las afueras de Reikiavik, pocas semanas antes de que Erla diera a luz.

El 24 de septiembre de 1975 nació Julia. «Se parecía a lo que yo había visto en un sueño», cuenta Erla. «Tenía veinte años, y era muy joven e ingenua, y había muchísimas cosas de las que no sabía nada. Ni siquiera era consciente del proceso de dar a luz: el acto en sí mismo me sorprendió. Me la recostaron en el hombro y estuve a punto de darle un lametón: fue un gesto instintivo, natural, porque estaba cubierta de baba y sangre, pero enseguida me di cuenta de que seguramente no es eso lo que una debe hacer. La quería más que a nada en la vida, y nada se iba a interponer entre nosotros. Ella era ahora mi vida».

Sævar quiso encontrar la forma de mantenerlas. En otoño de 1975 emprendió otra salida de contrabando, y en diciembre metió 3,7 kilos de cánnabis de Rotterdam a bordo del transatlántico *Reykjafoss*. Erla, mientras tanto, se había hecho a la placidez de la vida doméstica. Adecentó su nuevo hogar, en el que tendía los pañales recién lavados sobre ollas y sartenes para que se secaran. Ella y Sævar decidieron que, aunque vivirían juntos, ya no serían una pareja. Mientras trasteaba por el nuevo piso con la niña en el costado, sintió una calma que no había sentido en años.

El 12 de diciembre de 1975, Sævar fue detenido bajo sospecha de malversación de fondos. Al día siguiente se llevaron detenida a Erla.

3

PESADILLA EN EL 11 DE HAMARSBRAUT

La prosperidad islandesa se puede medir por la cantidad de grúas que se alzan en la capital. Durante la bonanza económica de la primera década del presente siglo, cuando el sector financiero de Islandia pasó a ser un actor de peso en la economía mundial, la ciudad se llenó de obras a medida que iban apareciendo hoteles y restaurantes de lujo para atender la demanda de los banqueros que se dejaban caer por Reikiavik durante largos fines de semana. Cuando el sector se vino abajo en 2008, las grúas desaparecieron, dejando a su estela edificios a medio terminar, algunos de los cuales siguen aún en pie, incompletos, cada uno de ellos como un monumento a la transitoriedad y futilidad del éxito.

Estamos en septiembre de 2016, y yo me encuentro en Reikiavik, durante una estancia más larga de lo habitual en la ciudad. Las visitas anteriores habían transcurrido entre reuniones y entrevistas, y apenas había tenido ocasión de hacerme con una impresión, siquiera fugaz, de la ciudad. Si el país era cabeza de cartel, Reikiavik me pareció su telonero, un sitio para que los visitantes pudiesen comprar géneros de punto a precios excesivos y comer bien antes de dirigirse en coche a las colinas cubiertas de nieve. Pero, tras una estancia más prolongada en Reikiavik, empecé a descubrir su peculiar encanto.

Junto a las tiendas más turísticas del centro pueden encontrarse locales que llevan años atrayendo sin aspavientos a la población local: Mokka, una cafetería de estilo años cincuenta,

59

toda lámparas bajas y paredes enmaderadas, donde se sirve un café fortísimo y unos gofres tan grandes que rebosan el plato; una tienda de ropa de segunda mano en el sótano del 25 de Laugavegur, regentada por un sacerdote pagano llamado Jörmundur; Bókin, una laberíntica librería en una esquina de Klapparstígur, atestada de cajas de libros de bolsillo que se desparraman hasta la calle. Entre las casas de hierro corrugado pintadas de colores primarios y los austeros edificios públicos asoman, a lo lejos, las montañas y los extremos de la bahía. La totémica iglesia de Hallgrímskirkja se alza sobre la ciudad como un ojo omnividente, un asta de bandera plantada en el centro de la ciudad.

Lejos de las concurridas calles del centro de la ciudad, los barrios son tranquilos y residenciales. El nombre de los inquilinos figura claramente impreso en la puerta principal de cada casa. La calefacción es geotérmica, por lo que estar calentito en casa resulta barato, amén de ecológico, e incluso cuando nieva casi todas las ventanas permanecen entreabiertas para airear las habitaciones. A lo largo de las tranquilas calles, el silencio se ve perturbado por los murmullos de la radio y los retazos de conversación que emanan de cocinas ocultas a la vista.

Dylan y yo caminamos por el centro de la ciudad al atardecer. Pasamos por el pintoresco estanque del centro de la ciudad. Alrededor de su perímetro se encuentran muchos de los edificios más importantes de la nación: el Parlamento, el Museo Nacional, la biblioteca municipal, el Tribunal Supremo. Decenas de personas patinan sobre hielo en la superficie helada, y, al otro lado del estanque, una mujer traza piruetas perfectas mientras su novio la graba con el móvil. A la luz del crepúsculo, las aceras incrustadas de nieve adquieren un tinte rosado que tornan a azul cuando el sol se oculta bajo el horizonte.

Erla ya está frente al restaurante cuando llegamos, con un móvil en su mano derecha y un cigarrillo en la otra, y una nube de humo envuelve su cabeza. Oscuras líneas entrecruzan su cabello teñido de rubio. Oculta sus ojos, grandes y castaños, detrás de unas gafas rectangulares sin montura, y sus dedos están cubiertos de anillos. A veces, cuando habla, en sus palabras resuena el eco de su juventud en las comunas *hippies* de Reikiavik: «Me veo a mí misma más como un ser espiritual que como ser humano. [...] Si la existencia física no es más que esto, menuda engañifa». No aparenta sus sesenta y un años de edad, y me resulta difícil mirarla sin ver a la chiquilla sentada hace casi cuarenta años en el Tribunal Supremo, con la mano en la barbilla, a la espera de saber qué sería de ella.

Estar con ella resulta agradable. Hay una apertura y calidez en su personalidad que atrae de inmediato. Le gusta la gente, saca energía de ellos, y durante el tiempo que paso con ella observo sus muchas interacciones con extraños, que a menudo terminan en una broma o una sonrisa y me hablan de alguien que disfruta naturalmente de la compañía de otros. Pero un cierto recelo atempera esa vivacidad, sobre todo a la hora de abordar los casos en detalle: no es un gesto instintivo, pero ha aprendido que es una defensa necesaria en una vida plagada de decepciones. Como acompañante resulta contradictoria: una persona de natural confiado que se ha visto obligada a ser cautelosa.

Entramos en el restaurante, Erla delante de mí, Dylan detrás, y al cruzar el umbral veo que pega un respingo. Sigo su mirada y veo una mesa de cinco treintañeras inmaculadamente vestidas: sus gestos delatan sin disimulo que hablan de Erla, y sus cuchicheos pretendidamente sutiles son tan torpes que casi resultan ridículos. Ninguna se esfuerza demasiado por parecer discreta. Como cualquier abusón de patio de colegio puede atestiguar, el objetivo de chismorrear durante el recreo no es pasar desapercibido, sino ser sorprendido en el acto de pasar desapercibido. Con cualquier otra persona podría intentar decir algo para consolarla, pero a Erla no le gustaría. Es más, probablemente la irritaría. Aunque quiere que la gente empatice con ella, la lástima, por muy sincera que sea, hace que se encabrite. Ese primer vistazo al restaurante cambia a Erla durante el resto de la tarde. Si se siente vulnerable, los encuentros desagradables de ese tipo hacen que sienta vergüenza y la vuelven callada y retraída. Pero, cuando está de buen humor, como esta noche, la atención le da un aire desafiante. Devuelve las miradas de la gente con una sonrisa descarada, se convierte en una versión aparentemente más segura de sí misma. Cuando ríe lo hace con más fuerza, y gesticula más abiertamente, sabedora de que se la observa, y aprovecha la oportunidad para demostrar que no le agobia interpretar el papel de pérfida malhechora o, peor todavía, el de víctima oprimida.

Al día siguiente salimos de Reikiavik, en teoría para grabar algunas escenas en el campo, pero también para que Erla pueda mostrarnos el suroeste de Islandia. Se queda atónita al descubrir que ninguno de sus acompañantes ha probado nunca el pescado seco, o *harðfiskur*, un aperitivo muy popular en Islandia, similar a la mojama de pescado; insiste en parar en un supermercado y compra tres paquetes grandes y una lata de mantequilla. En el coche, mientras conduce, cometo el error de intentar cortar un trozo con los dedos, pero cada tira de pescado es recia como una cuerda. Acabo arrancando un bocado con los dientes, y masco, rumio casi, las duras hebras de pescado, ahora untadas con mantequilla, hasta que la carne rinde su sabor, sorprendentemente suave.

Una de las cosas más llamativas de conducir por Islandia es la falta de puntos de referencia artificiales. Con sus áridas montañas y amplios espacios abiertos como telón de fondo, Islandia ha conjurado toda clase de extrañas criaturas a lo largo de los siglos: trolls que viven en las colinas, elfas que esperan a los hombres en las encrucijadas para tentarlos e inducirlos a la locura y monstruos que repiquetean en las ventanas mientras dormimos.

A falta de iglesias medievales, palacios antiguos y castillos, son las historias mitológicas las que narran la historia del paisaje. En el inmenso glaciar Vatnajökull, atravesado en una ocasión en arriesgadísima empresa por los agricultores del norte del país que necesitaban acceder a las fértiles aguas del sur durante la temporada de pesca, se dice que el hielo resuena aún con los himnos cantados por quienes se despeñaron en sus grietas. En ocasiones resulta necesario rediseñar proyectos de construcción porque podrían allanar los terrenos de un duende; si los camiones se desvían no es para salvar la vida de un ser sobrenatural, sino porque estos lugares se han convertido en tesoros culturales.

Hay un estereotipo muy extendido según el cual el porcentaje de islandeses que creen en lo sobrenatural es muy elevado: un estudio realizado en 1998 por el periódico islandés *DV*, y citado a menudo por periodistas extranjeros, reveló que el 54,4 % de los encuestados creían que los elfos eran reales. Pero la supervivencia de estas historias no significa que los islandeses crean en los fenómenos sobrenaturales en mayor proporción que los ciudadanos de otras naciones. Para ellos, abrir un agujero en un peñasco que, según la leyenda, alberga a una criatura mitológica es destruir una reliquia del pasado del país.

Conducimos hacia el este y, a medida que nos alejamos de Reikiavik, las colinas negras se hacen más grandes, monolíticas formaciones rocosas que van ocultando el cielo a ambos lados del coche hasta que nuestro camino parece transcurrir por un embudo.

A pocos kilómetros de las playas negras de Vík nos encontramos con algo inesperado: un atasco. Cada verano, los agricultores de toda Islandia marcan a sus ovejas y las sueltan para que engorden. Una oveja adulta tiene una muesca en el cuerno que indica su provincia, una etiqueta que revela el distrito y una marca en la oreja que identifica su redil. Las ovejas deambulan por el monte, alimentándose de brezo, hasta el día del *rettir*, la recaptura de mediados de septiembre, en la que el ganado, considerablemente más orondo, regresa a la granja, en muchos casos como paso intermedio hacia el matadero.

Erla enciende un cigarrillo y se apoya en el capó del coche mientras cientos de ovejas pasan a nuestro lado. Cuando una se desvía hacia las cunetas que flanquean el camino, los pastores, que van a caballo, chasquean la lengua y las envían de vuelta al rebaño. Uno de los pastores se detiene junto a nuestro vehículo. Tendrá cincuenta y tantos años, y es de constitución fornida; cabalga a lomos de un caballo grande y castaño de largas crines rubias. El tipo llama a sus amigos, y todos se acercan hasta que a nuestro alrededor tenemos media docena de jinetes silenciosos. Es evidente que todos saben quién es Erla.

Aún tengo muy presentes las miradas con las que la recibieron en el restaurante, y en ese momento me resulta difícil calibrar si el encuentro va a ser amistoso. Pero, entonces, uno de ellos grita: «¡Estamos todos contigo!», y todos ríen; y Erla se ríe también y se une a ellos. El pastor baja de su caballo, le tiende su casco a Erla y la ayuda a subirse a la silla. «No he montado a caballo desde que era niña», dice, antes de tirarnos las llaves del coche y salir al galope con los granjeros por la carretera, sorteando las ovejas.

Erla vive todavía en un país donde su nombre se asocia a la infamia. En cualquier otro lugar del mundo sería un personaje anónimo: no estaría expuesta a miradas descaradas en un restaurante, ni a las pausas de un pastor a caballo.

Famosa en todo el país por las razones equivocadas, Erla ha pasado gran parte de su vida adulta sometida al escrutinio público. Basta con echar la más superficial de las miradas a los periódicos sensacionalistas para comprobar que las mujeres acusadas de delitos graves ejercen siempre un atractivo especial para la prensa. No hay duda de que, si Erla fuera un hombre, no sería tan conocida. En el extranjero, el anonimato es sinónimo de libertad, y Erla puede seguir adelante con su vida sin que nadie se fije en ella. Pero, en Islandia, casi a donde quiera que vaya se la reconoce como la mujer en el epicentro de las desapariciones de Guðmundur y Geirfinnur. Cuando regresa de la cabalgata desmonta de un salto, la cara sonrojada por el viento. Los pastores se marchan, y nosotros volvemos al coche para continuar el viaje hacia el este.

El recuerdo de Sævar sobre su detención es dramático. En una entrevista grabada en 1996 describe lo que recuerda de ese día. Sentado frente al portátil, mientras repaso las copias digitalizadas de las cintas originales, compruebo que me invade una inesperada emoción al oír por fin hablar a Sævar. Viste un jersey rojo y una camisa blanca, y a su melena castaña le falta un dedo para tocarle los hombros.

Su estilo es urgente: habla a ráfagas, como una ametralladora, lo que contrasta con la musicalidad de casi todo el islandés oral. Incapaz de distanciarse de los detalles del caso, Sævar deja que sus pensamientos vaguen libremente y se obsesiona con detalles que parecen superfluos para el argumento que está intentando apuntalar. Sigursteinn Másson, el periodista que llevó a cabo la entrevista, no utilizó apenas esas imágenes en su documental. En las grabaciones sin montar se oye cómo Sigursteinn le pide a Sævar que intente tocar otra vez ciertos temas, porque sus respuestas se han desviado de la pregunta original. En un momento dado, Sigursteinn le dice: «Mira, va-

mos a dejar algo claro: yo hago las preguntas, y tú respondes».
La cabeza de Sævar respinga un poco cuando habla.

SÆVAR: ¿Me veo bien así? Estoy bien, creo.

CÁMARA: Preparado. Rodamos.

SIGURSTEINN: 1975. Diciembre. Estás viviendo con Erla en Kópavogur. Y algo sucede. Una breve descripción de tus impresiones en ese momento. Te das cuenta de que los coches de policía van hacia la casa.

SÆVAR: No, no. No tenía ni idea de que iba a pasar algo..., y de repente llaman a la puerta. Fue durante el almuerzo, y me encuentro con dos policías que no conocía. [*Risas*]. Dos desconocidos que dijeron que eran detectives y me pidieron que los acompañara. Les pregunté si era urgente, y qué hacían allí, y me dijeron que ya me enteraría. Les pregunté si me podía pasar más tarde ese mismo día, porque estaba ocupado y comiendo. Pensé que iban a entrar a saco en casa, así que les exigí ver la orden judicial y cerré la puerta.

Luego no pensé más en el asunto. Me pareció extraño que quisieran hablar conmigo, y miré a Erla, como preguntándole con la mirada si sabía algo, pero luego me desentendí del asunto.

No supe que estaba pasando algo hasta que oí un grito en el pasillo. Para entonces, Erla ya había sacado la basura después de cenar y estaba en el suelo [en el pasillo] y la iban a esposar. Les pregunté que qué pollas estaban haciendo, y una señora mayor llegó del apartamento contiguo y se puso a gritar que quiénes eran esos hombres. Entonces, la soltaron. Les dije que salieran del edificio.

Vivíamos en el tercer piso de un edificio de Kópavogur, y desde el balcón pude ver que la casa estaba rodeada de policías. Había tres coches de policía, y sentí que era como si, pues...

SIGURSTEINN: Vamos a hacer la misma pregunta otra vez.

SÆVAR: Me asomo al balcón. Miro a la calle. Y veo que hay coches de policía rodeando la casa, y me pareció todo muy extraño, me sentí amenazado. Llamé a Jón Oddsson, que es abogado [...], y le dije que tenía dos policías en casa y que habían sido muy groseros y que la casa estaba rodeada por la policía. Me pidió que esperara, y dijo que vendría. Pero nunca vino. Entonces [los dos policías] aparecieron con una orden judicial, y yo no los conocía, no los había visto nunca, podían haber sido cualesquiera. No sabía quiénes eran, pero dijeron que eran detectives. No se comportaban como detectives. Empezaron a buscar y me esposaron y lo revolvieron todo. Se me llevaron todavía esposado. Recuerdo que, por el camino, dijeron algo por radio sobre si debían llevarme al centro o a la otra punta de la ciudad.

[...] Sabía que algo gordo estaba pasando, pero empezaron a insultarme y me llevaron frente a un juez, Örn Höskuldsson, que ordenó que me encerraran por el caso de estafa postal.

Y me quejé del comportamiento de aquellos hombres, de cómo habían agredido a la madre de mi hijo y me habían insultado. Al juez y a los otros les dio la risa, una risa de locos. Y entonces supe que estaba pasando algo. Y supe que no tenía nada que ver con la estafa de correos.

Erla y Sævar fueron conducidos a la prisión de Síðumúli, en Reikiavik, y confinados en celdas individuales a la espera de ser interrogados. Construido originalmente como lavadero de coches para la policía en 1972, Síðumúli se convirtió en centro de detención de sospechosos.

En una esquina de la celda de Erla había una ventana y una luz parpadeante que teñía de verde a intervalos regulares las paredes y el lavabo. El suelo era de hormigón; las paredes, de hormigón; y la cama, de hormigón. El único elemento mínimamente cómodo era un delgado colchón de gomaespuma. La puerta tenía una mirilla a través de la cual la policía podía observarla.

Erla ardía en deseos de saber lo que los investigadores le estarían diciendo a Sævar. Los dos ya habían acordado qué hacer si se les preguntaba sobre la malversación: negarlo todo. Su razonamiento era que había transcurrido demasiado tiempo desde el fraude para que la policía pudiera demostrar nada. Más que nada, pensaba en los piececitos de su bebé.

Al día siguiente, a Erla la llevaron a una sala de interrogatorios de la prisión. Tres investigadores habían sido asignados al caso. Örn Höskuldsson era el representante del juez y el investigador principal. Era un hombre grandullón, con gafas, de cabellos escasos y cabeza aovada. A sus veintisiete años de edad, Sigurbjörn Víðir Eggertson era un poco más joven, y no llevaba más que un par de años en la policía criminal. Tenía mucha mano izquierda, tacto y delicadeza, y solía usar un tono comprensivo que contrarrestaba la brusquedad de Örn. El tercero era Eggert N. Bjarnason, un tipo de físico imponente, de barba negra y bien cuidada y un gran anillo de oro en el dedo corazón de la mano izquierda. Era el mayor de todos: treinta y ocho años. Todos vestían con traje.

El sistema jurídico de Islandia era heredero del danés: el proceso penal no era tanto acusatorio como inquisitorial. En el sistema acusatorio, vigente en el Reino Unido y Estados Unidos, la fiscalía y la defensa reúnen pruebas y llevan su caso a los tribunales para presentarlo ante el juez y al jurado. En el sistema inquisitorial, sin embargo, los jueces participan activamente en la investigación y pueden interrogar a los testigos y reunir pruebas por su cuenta. Cuando a Erla la interrogaba Örn Höskuldsson, la estaba interrogando la persona que tenía el poder de decidir durante cuánto tiempo extender su reclusión. Erla declaró que no sabía nada sobre la estafa. Supuso que la detención se prolongaría durante otras veinticuatro horas, pero se alargó un día más. Y otro. Y otro. Le dijeron que tenían un auto para retenerla por treinta días. Ahí se vino abajo. Pasaron entonces varios días y noches en los que, sola en su celda, se convenció de que tenía que contárselo todo a los investigadores, no solo lo relacionado con el robo, sino todo lo malo que pudiera haber hecho en su vida, para que ella y su bebé pudieran empezar de cero.

El 18 de diciembre de 1975, sexto día de la detención, Erla contó a los investigadores todo lo que sabía sobre la estafa postal en el transcurso de una entrevista que se prolongó durante seis horas y media. En un rincón de la sala, un agente mecanografiaba la declaración solo con los índices, como un niño pequeño tocando el piano. Los investigadores le leyeron la declaración y ella confirmó que era cierta. La firmó el 19 de diciembre.

Erla se sintió renovada y optimista. Los investigadores la habían ayudado. Le dijeron que lo había hecho bien y le dieron palmaditas en la espalda. Después de confesar un delito como el de estafa, los sospechosos solían ser puestos en libertad. Solo con pensar en volver a ver a su bebé podía sentirlo físicamente contra su pecho.

Erla cuenta que, cuando ya iba a por su abrigo, uno de los investigadores la detuvo. «A todo esto, tenemos una pregunta más». Erla se impacientó. Quería volver a casa. «¿Conoces a un tal Guðmundur Einarsson?»

Erla conocía unos cuantos Guðmundur Einarsson. No era un nombre poco habitual. Según ella, la policía le mostró entonces una foto del Guðmundur Einarsson que había sido visto por última vez en la madrugada del 27 de enero de 1974.

Sí lo conocía. Se habían visto un par de veces, la primera de ellas en Reikiavik. Un amigo se había ofrecido a llevarla en coche, y Guðmundur estaba en el vehículo. La segunda vez fue en una fiesta. Lo recordaba de aquella noche porque pensó que podría haber estado interesado en ella. La pregunta de los investigadores no era casual. Un informe policial especificaba que la razón para interrogar a Erla era que los detectives habían oído que el compañero de Erla podría estar involucrado en la desaparición de Guðmundur Einarsson. Kristján Pétursson, un funcionario de aduanas de Keflavík, había declarado que, una semana después de la desaparición de Guðmundur, Sævar le había dicho que tenía información valiosa sobre un crimen de los gordos. Sævar, afirmó Pétursson, se había jactado de que estaba en el ajo de un gran caso, y que Pétursson daría millones de coronas por averiguar lo que Sævar sabía.

A los investigadores les pareció extraño que Erla no hubiera oído hablar de la desaparición de Guðmundur. A Erla, en cambio, no le sorprendió. Si alguien en Islandia podía haberse abstraído a la historia durante los meses invernales, era ella. Bastante esfuerzo le costaba reunir las fuerzas necesarias para salir del apartamento como para, además, interesarse por las noticias locales. Desde la cama observaba cómo su cigarrillo se apagaba en el cenicero, centímetro a centímetro, hasta que solo quedaba un dedito colgante de ceniza. En el piso de arriba podía oír el ir y venir de pasos, y el repiqueteo de las ramas de un árbol contra la ventana.

Cuenta que la presionaron para obtener más información, y que le preguntaron qué había estado haciendo el fin de semana del 26 de enero de 1974. De primeras no fue capaz de dar detalles, pero podía resumir fácilmente aquellos meses. Iba a trabajar, visitaba a su padre en el hospital, se metía en la cama y, luego, volvía a trabajar. Le avergonzaba reconocer que se había sentido sola, pero al final también se lo contó. Le preguntaron por todo: qué había estado comiendo, con quién había hablado por teléfono. Y, por fin, después de horas de interrogatorios, les contó su pesadilla.

La distinción que hace Erla entre una pesadilla y un mal sueño es interesante. Para ella, un mal sueño es cuando te despiertas y te das cuenta de que estabas soñando, pero en una pesadilla te despiertas convencido de que sigue ocurriendo algo terrible.

En la noche de la pesadilla había ido a un club nocturno. No quería ir, pero su amiga había insistido. Después, ambas fueron a una fiesta, y su amiga la llevó de regreso al 11 de Hamarsbraut.

Erla pidió que la dejaran bajarse del coche antes de llegar al piso. Le preocupaba que Sævar se molestara si veía que había salido con gente que él no aprobaba. Pero luego se acordó de que estaba en Dinamarca. Se despidió, y fue a pie hasta su casa.

Era tarde, entre las tres y media y las cuatro de la mañana. Entró en el apartamento. No había nadie en casa. Todo estaba oscuro. Afuera arreciaba una tormenta, y el árbol se sacudía y combaba y arrastraba las ramas contra la ventana. La nieve caía con tanta fuerza que era casi horizontal. El viento hacía crujir las paredes. Se quedó dormida.

En su pesadilla, Erla estaba en la cama, en Hamarsbraut. Todavía tendida, oyó un ruido que provenía del otro lado de la ventana, a dos metros de donde dormía. Se quedó quieta y escuchó. Podía oír susurros. Miró hacia la ventana. Unas siluetas se recortaban contra las persianas. Junto a su habitación, y había gente hablando entre susurros.

Sabía quiénes eran. Sævar y dos de sus amigos, gente violenta. Habían pasado por la casa en otra ocasión, algunas semanas antes de la pesadilla, y Sævar le había advertido de que eran peligrosos. Intentó escuchar con atención.

Por culpa del viento, le llevó algún tiempo comprender lo que estaban susurrando. Y entonces se dio cuenta de lo que era. «¿Está despierta?». Y otra vez: «¿Está despierta?». Erla se despertó. Aquella había sido una pesadilla profundamente inquietante. Y entonces hizo algo que nunca había hecho antes. Se bajó los pantalones del pijama y defecó en la cama. Luego volvió a dormirse.

Cuando se despertó a la mañana siguiente, la vergüenza era insoportable. Fue como la culminación de la depresión que arrastraba desde hacía meses. Quitó las sábanas de la cama, las envolvió cuidadosamente y las sacó a la basura.

En la sala de interrogatorios, Erla se sintió demasiado avergonzada como para hablarle a la policía de su episodio de incontinencia. Pero sí les contó el resto de la historia, incluido el detalle de que, a la mañana siguiente, salió a tirar la basura y encontró una sábana dentro del cubo.

Erla recuerda que a los investigadores les interesó mucho su pesadilla. Según ella, Örn Höskuldsson, el investigador jefe, se inclinó sobre el escritorio para acercar su cara a la de ella, y le dijo: «Aquella noche pasó algo muy malo, y quiero que vuelvas a tu celda para pensar en ello».

Tras el interrogatorio, Erla fue devuelta a su celda. Pensó en lo apática que se había sentido durante ese invierno en el apartamento de Hamarsbraut, y la semilla de la duda comenzó a echar raíces. ¿Y si se estaba ocultando algo a sí misma? Tal vez había presenciado algo horrible. Aquella noche se acostó en su celda verde e intentó recordar lo que había pasado el fin de semana.

Un recuerdo se abrió paso en su mente. El domingo, al día siguiente de la pesadilla, su hermana Helga había pasado a visitarla. Era la misma mañana que había metido la sábana sucia en el cubo de la basura, y la inesperada aparición de su hermana la había hecho sentir incómoda. Helga le preguntó a Erla sobre Sævar, y ella le respondió que estaba en Dinamarca. «Anda, ¿en serio?», le dijo Helga. «¿Cómo va a estar en Dinamarca si acabo de verlo en el centro?». Hubo una pausa. Erla le dijo a Helga que se equivocaba. «No», dijo Helga, «llevaba una chaqueta de cuero y un maletín. Lo vi en la parada del autobús hablando con otro hombre». Erla pudo ver que su hermana no le estaba mintiendo. Esa misma noche, Sævar se presentó en el piso de Hamarsbraut. Dijo que acababa de llegar del aeropuerto. Cuando Erla le preguntó cómo podía estar en Dinamarca y en el centro de Reikiavik al mismo tiempo, él se rio, como hacía siempre que le pillaban en falso. Le explicó que había estado ocupándose de unos asuntos en el centro de la ciudad, y que no había querido hablarle de ellos.

Sola, en su celda de la prisión de Síðumúli, Erla comenzó a preguntarse si quizá la estaban interrogando precisamente sobre lo que él había intentado ocultarle.

Sævar no era un hombre violento, pero algunos de sus amigos podían serlo. Uno de los personajes de la pesadilla de Erla era Kristján Viðar Viðarsson. La de Kristján había sido una infancia complicada. Su padre murió frente a las costas de Terranova en el accidente de un pesquero, cuando Kristján tenía cuatro años, y a los once ya esnifaba aguarrás habitualmente para inducirse alucinaciones. Le expulsaron de la escuela por discutir con los profesores.

Así como Sævar era un tipo menudo, tres centímetros más bajito que Erla, Kristján era fornido y corpulento, de piel pálida, mejillas rollizas y una mata crespa de pelo castaño. Cuando otros niños intentaban abusar de Sævar en la escuela, Kristján intervenía. A veces se juntaban para beber alcohol e inhalar vapores de gasolina. Para Sævar, el límite estaba en esnifar disolvente y pegamento; Kristján no hacía ese distingo.

Físicamente eran la típica pareja de chiquitín y grandullón, al estilo de Astérix y Obélix o, más exactamente, de George y Lennie, los de *De ratones y hombres*. Sævar era el más cerebral de los dos, el que ideaba los planes, y Kristján era su entusiasta compinche, sobre el que su menudo e inteligente amigo podía influir con facilidad.

Un día después de que se la interrogase por primera vez sobre Guðmundur, Erla cuenta que los investigadores se concentraron en su pesadilla. Trataban de determinar si el fin de semana que Sævar había invitado a Kristján y otro amigo al piso de Hamarsbraut y le había advertido a Erla de lo peligrosos que eran había sido, en realidad, la noche del 26 de enero de 1974.

Erla recuerda el interrogatorio como una serie de «posibles». Era posible que hubiese sido el mismo fin de semana. Era posible que hubiera habido gente en el apartamento la noche de su pesadilla. Era posible que hubiera reprimido algo de lo que había presenciado.

El 20 de diciembre de 1975, tras una semana detenida, declaró como testigo implicando a Sævar y Kristján en la desaparición de Guðmundur.

No había luces encendidas. Dentro del piso, la puerta del trastero estaba abierta. Pensé que la había cerrado antes de irme por la mañana. Parecía que alguien había estado en el apartamento. Además, el azúcar que había dejado en mi habitación se había derramado por el suelo.

Estaba cansada, y me fui directa a la cama con la ropa puesta. Cuando me acosté me di cuenta de que faltaba la sábana, y me pareció extraño. Me quedé dormida, pero me volví a despertar porque me pareció oír un ruido frente a la ventana. Luego volví a dormirme.

Entonces oí a alguien dentro de casa. Por el sonido pensé que había más de una persona y que cargaban con algo pesado. Me levanté de la cama y vi que la puerta [del dormitorio] estaba ahora entreabierta; yo la había cerrado al entrar. No encendí la luz ni hice ningún ruido. Me quedé a un lado de la puerta para poder ver el pasillo. Oí que alguien hablaba, no sé si en el cuarto de la lavadora o en el trastero. Estaba segura de que había más de una persona porque podía oírlas hablar. Reconocí dos voces: la de Sævar y la de su amigo Kristján.

Entonces oí una tercera voz, pero no sabía quién era. Las voces venían del trastero, pero no oía lo que decían. Algo estaba pasando. Me acerqué y pude ver a Sævar y Kristján y a una tercera persona que no reconocí en el trastero. Cargaban con algo pesado. Kristján lo sostenía por un extremo, y en el extremo había un nudo, y Sævar estaba del otro lado atando otro nudo.

No vi lo que había en la sábana, pero estaba segura de que era un cuerpo.

No podía moverme. Hice ruido, y Kristján Viðar se dio la vuelta y me vio. Maldijo y me preguntó qué estaba haciendo allí. Sævar levantó la vista y le dijo a Kristján que se calmase. Yo seguía de pie, como clavada en el suelo, sin poder moverme. Tenía frío, pero al mismo tiempo me pareció estar sudando.

Se llevaron el cuerpo: Kristján sostenía un extremo, Sævar, el otro, y el tercero lo aguantaba por el centro. Vinieron hasta la puerta donde estaba yo, la única salida de la habitación. Sævar me apartó de su camino. Caí al suelo y me quedé allí un rato, incapaz de moverme. Más tarde, Sævar me aupó por los brazos y me acostó. Me preguntó si había visto algo, y le dije que iba a negarlo todo. Luego, Sævar se fue.

Creo que me desperté antes de que clareara, pero no me atrevía a salir. Pasé varios días hecha polvo, incapaz de concentrarme. Nunca hablé con Sævar sobre el asunto.

Después de firmar la declaración, Erla recuerda que los investigadores la consolaron y le dijeron lo valiente que había sido. La policía la dejó en casa de Þóra. Cuando vio a su bebé, perfecto y ajeno a todo lo que había pasado, rompió a llorar.

El 22 de diciembre de 1975, dos días después de la confesión de Erla, se le tomó declaración a Sævar. En ella implicó a dos hombres que Erla no había mencionado, Tryggvi Rúnar Leifsson y Albert Klahn Skaftason.

El informe policial recoge que Sævar les contó que Guðmundur Einarsson, Kristján y Tryggvi habían ido al apartamento de Hamarsbraut, que se había producido una pelea y que, de resultas de esta, Guðmundur había muerto. Sævar llamó a su amigo Albert, que se presentó en Hamarsbraut en el coche de su padre. Metieron el cuerpo de Guðmundur en el coche y, luego, lo enterraron en los campos de lava al sur de Hafnarfjörður.

El 23 de diciembre de 1975, el día después de que Sævar prestase declaración, se requirió la presencia de Kristján, Tryggvi y Albert en la prisión de Síðumúli.

Kristján cumplía entonces una condena de seis meses por robo en la prisión más grande de Islandia, Litla-Hraun, situada a unos cincuenta kilómetros al sudeste de Reikiavik, pero fue trasladado a Síðumúli para ser interrogado de inmediato. Negó estar involucrado. Dijo que conocía a Guðmundur Einarsson porque habían ido juntos a la escuela, pero que no sabía nada de su desaparición. Tryggvi dijo igualmente que no sabía nada.

Albert Skaftason, sin embargo, contó una historia diferente. Era un fumador habitual de marihuana, de ojos aletargados, amigo de Sævar desde que eran niños. Podía recordar algo de la noche en cuestión.

El 23 de diciembre se le tomó declaración. Albert recordaba haber estado sentado en el Toyota amarillo de su padre frente al 11 de Hamarsbraut. Sævar salió de la casa, se acercó al coche y le pidió a Albert que abriera el maletero. Sævar regresó a la vivienda, y cuando volvió a salir lo hizo acompañado por Kristján y Tryggvi. Albert los vio acercarse por el espejo retrovisor izquierdo. Los tres cargaban con algo que parecía una bolsa grande. Fuese lo que fuese, lo descargaron en el maletero del Toyota, que se hundió con el peso.

Albert arrancó: Sævar se sentó en el asiento del copiloto y Kristján y Tryggvi en el asiento trasero. Salieron de Hafnarfjörður hacia el sur, dejando atrás la negrura del mar y el cielo más allá del puerto, y continuaron hasta avistar las franjas rojas y blancas de los silos de la fábrica de aluminio de Straumsvik. Sævar le ordenó a Albert que aparcara el coche de forma que nadie pudiera verlo desde la carretera. Sævar, Kristján y Tryggvi sacaron en vilo la bolsa del maletero, y cargaron con ella hacia los campos de lava. Albert se quedó en el vehículo. No se oía nada. Los tres hombres volvieron al coche sin la bolsa. Sævar le dijo a Albert que dentro había habido un cuerpo.

Unos días después, Kristján, el fornido muchachote amigo de Sævar desde los años de colegio, confesó también. El testimonio de Albert había sido como presenciar lo sucedido a través del ojo de una cerradura: el Toyota que sufre con el peso extra, el cuerpo entrevisto a través del retrovisor... Pero el relato de Kristján, pese a sus imprecisiones, sirvió para abrir un poco la puerta. El 28 de diciembre de 1975, se le tomó declaración durante seis horas.

Kristján le contó a la policía que había ido al apartamento de Hamarsbraut con Sævar, Tryggvi y un hombre al que no conocía. Cabía imaginar que este hombre, al que en todo momento dijo no conocer, había sido Guðmundur. Kristján no creía que Erla hubiera estado en casa. Hubo una pelea, pero no podía recordar quién participó en ella: solo podía suponer que había sido entre Tryggvi y el desconocido, porque a Sævar las peleas nunca se le dieron bien. El altercado empezó en el dormitorio. Hubo varios puñetazos, y la pelea se trasladó del dormitorio hasta la sala de estar.

Kristján tenía órdenes del médico de no consumir alcohol, pero esa noche estaba borracho, muy borracho, y tal vez por eso la declaración se percibe tan fragmentada, como si parte de la información vital estuviera ocurriendo en los borrosos márgenes de su recuerdo. La gente aparece y desaparece de improviso, como por azar, y detalles sin interés aparente desvían una y otra vez su atención. De repente, casi en medio de su descripción de la pelea, van conduciendo. En el coche están ellos tres, y el desconocido ya no está con ellos. Dieron varias vueltas por Hafnarfjörður, y, para cuando regresaron, Erla estaba en el apartamento. Sævar y Tryggvi empezaron a «hacer algo» en el lavadero o el trastero, pero Kristján no pudo ver qué. Siguiendo instrucciones de Sævar, Kristján se llevó a Erla de allí.

Lo siguiente que Kristján recuerda es estar en el coche de Albert. Era «amarillo, un sedán pequeño fabricado en Japón». Sævar y Tryggvi metieron algo pesado en el maletero, y luego se pusieron en marcha. Salieron de la ciudad por el sur, pasaron junto a las torres de la fábrica de aluminio y enfilaron un camino lleno de baches. El coche se detuvo, y Sævar y Tryggvi sacaron lo que habían metido en el maletero y se alejaron del coche durante unos quince minutos. En la declaración de Albert, Kristján les acompañó a deshacerse del cuerpo; pero, en la declaración de Kristján, él se presenta a sí mismo como mero espectador. Sævar y Tryggvi volvieron al coche sin la bolsa.

Quedaban todavía muchas lagunas abiertas en la cronología de la noche, especialmente en el tiempo transcurrido desde que Guðmundur salió del club nocturno Alþýðuhúsið hasta que llegó al 11 de Hamarsbraut. Ninguna de las declaraciones explicaba cómo Guðmundur, un chaval sin el menor rastro de un pasado criminal, había acabado en compañía de Sævar, Kristján y Tryggvi. Años más tarde, Kristján diría en una declaración que la pelea en el piso de Hamarsbraut había estallado porque Guðmundur se había referido a ellos como «drogadictos». Se pusieron a discutir sobre el alcohol, y Guðmundur acabó muerto por accidente durante la pelea.

En cuanto terminó el interrogatorio de Kristján lo llevaron a los campos de lava para localizar el cuerpo. Era la 1.42 de la mañana. Regresó a Síðumúli a las 3.00 sin que hubiesen encontrado nada. Los investigadores iban tras la pista de algo muy gordo y querían aprovechar cuanto antes las declaraciones que iban obteniendo. Mientras la gente de toda Islandia empezaba a dejarse llevar por el espíritu navideño, ellos apenas se habían tomado un día libre. Se presentaron en Síðumúli incluso en Nochebuena y los fines de semana trabajaban hasta altas horas de la noche.

El 3 de enero de 1976, Kristján volvió a prestar declaración. En esta ocasión dio una descripción más detallada de cómo pensaba que se había desarrollado la pelea en el piso de Hamarsbraut. Con cada nueva entrevista, la responsabilidad de Kristján en la muerte de Guðmundur parecía ser mayor. En esta ocasión recordó que Sævar estaba perdiendo una pelea con Guðmundur y que pidió ayuda. Kristján acudió al rescate: aferró la pierna de Guðmundur para incapacitarlo, y Sævar empezó a darle patadas en la cabeza hasta que dejó de moverse.

El 9 de enero de 1976, Tryggvi también hizo unas declaraciones que ratificaban su presencia en el apartamento de Hamarsbraut la noche de la desaparición de Guðmundur. Dijo que había reflexionado mucho sobre el caso desde su detención el 23 de diciembre y que ahora podía afirmar que había estado en una casa con Sævar, Kristján y otra persona durante el fin de semana en cuestión.

Tryggvi era cuatro años mayor que los otros. Su adolescencia fue una sucesión de delitos aderezada con el abuso de estupefacientes. Estuvo escolarizado en Reikiavik, pero lo dejó a los catorce años de edad, y a los diecisiete ya estaba robando coches y falsificando cheques. En sus antecedentes consta la sentencia más larga jamás dictada en Islandia contra un menor: nueve meses por robar un coche. Tryggvi y sus amigos tomaban anfetaminas, y podían pasarse días enteros de fiesta dando vueltas en coches robados por los alrededores de Reikiavik. Pequeño y musculoso, el cabello pelirrojo brotaba de su cabeza en nudos tan prietos como los del filamento de una bombilla.

El domingo 11 de enero de 1976, Örn Höskuldsson hizo llevar a los acusados a los tribunales y se entrevistó con ellos individualmente. La orden de detención de Sævar estaba a punto de expirar. Consiguió ampliarla a sesenta días, y ordenó que se le sometiera a una evaluación psiquiátrica. De sus declaraciones se desprendía que aquel grupo de inadaptados (Sævar, el cerebro; Kristján y Tryggvi, los ejecutores; y Albert, el conductor) habían estado a punto de cometer el asesinato perfecto. No habían dejado rastro alguno, y habían conseguido no despertar sospechas durante dos años.

Lo que comenzó como una investigación de estafa se había convertido en una espiral de confesiones relacionadas con la desaparición de un hombre del que pocos pensaban que había sido asesinado.

Tras ser puesta en libertad el 20 de diciembre de 1975, Erla se alojó con su madre en el piso de esta, en el 29 de Stóragerði, en el centro de Reikiavik.

Días más tarde, Erla dice que recibió una llamada telefónica de la policía. Le dijeron que Sævar había ofrecido una declaración cuyos detalles coincidían con los que ella había aportado a propósito de Guðmundur.

Aquí es cuando todo cambió para Erla. Cuando confesó, no estaba convencida de que fuera verdad. Pero, al escuchar lo que él había dicho, tuvo la confirmación de que sí había sucedido. Su pesadilla había sido real.

Empezó a recordar ejemplos de la extraña conducta de Sævar. Se acordó de la vez que volvió a casa disgustado, algo poco habitual en él, con los zapatos y calcetines empapados. Colgaron a secar la ropa mojada en el baño, y Sævar dijo que había estado tomando un atajo a través de un valle cercano cuando alguien le disparó y falló por poco. Había vuelto a casa corriendo, y había tenido que atravesar un riachuelo. Pero ¿y si con aquella historia estaba encubriendo otra cosa? Cuando le quitó los calcetines mojados, ¿se había estado riendo él para sus adentros? Las dudas que ya habían empezado a envenenar su relación con Sævar empezaban a cuajar en una certidumbre insoportable.

Recordó, además, que su hermana había visto a Sævar con un maletín en la ciudad, cuando a ella le había dicho que no estaba en el país. Pensó en las veces que él la había engañado con otras mujeres. Le vinieron a la mente todos los momentos en los que él sostenía en brazos al bebé, o trataba con los amigos de ella, o se tumbaba en el suelo para pintar ¿Era aquel el verdadero Sævar? ¿O acababa de volver de matar a alguien? Lo había tenido al lado en su vida sin conocerlo realmente. Y ahora empezaba a enterarse de quién era.

Su paranoia se agravó cuando comenzó a recibir llamadas anónimas en casa de su madre a mediados de enero de 1976. Cuando Erla contestaba, la persona del otro lado no decía ni palabra. Podía oír su respiración. En una ocasión, la voz le habló para preguntarle si «no había ya suficiente». Le advirtió también de que debía tener cuidado.

La policía se tomó en serio las amenazas. Se encomendó a dos agentes armados, Magnús Magnússon y Haraldur Arnason, la tarea de vigilar el apartamento de su madre. Aunque Sævar estaba a cinco minutos en coche, en la prisión de Síðumúli, era como si estuviera en otro país. En aquellas semanas tan tumultuosas, Erla empezó a confiar en los investigadores. Cuenta que se acercaban a casa de su madre para compartir cigarrillos y tazas de café, y para interrogar a Erla sobre múltiples detalles relacionados con la desaparición de Guðmundur.

Cuenta también que, durante una de esas visitas, la llevaron al piso de Þverbrekka, en Kópavogur, donde ella y Sævar fueron detenidos. El apartamento estaba precintado como escenario de un crimen, pero Erla necesitaba recoger algunos objetos para el bebé. Sigurbjörn Víðir, uno de los investigadores, la acompañó hasta el apartamento porque no le permitieron ir sola. Sigurbjörn era el más joven de los tres investigadores, el de mayor encanto personal, y su simpatía era un consuelo para Erla.

Mientras estaban en el apartamento, la conversación se centró en Geirfinnur Einarsson. Erla le habló a Sigurbjörn Víðir de una conversación que presenció en casa de la madre de Sævar cuando la desaparición de Geirfinnur salió en las noticias. Sævar escuchaba las especulaciones de su madre sobre el caso, pero de repente la interrumpió diciendo: «A ver, es evidente que el tipo se estaba yendo de la lengua y que tendría que haber cerrado el pico». Erla le explicó a Sigurbjörn Víðir que era muy típico de Sævar pretender que sabía más de lo que en realidad sabía. Sigurbjörn Víðir la escuchaba con mucha atención.

Erla dice que, al día siguiente, Örn Höskuldsson (el representante del juez) y Sigurbjörn Víðir se presentaron en su casa y le hicieron más preguntas sobre Geirfinnur. La versión de la policía es diferente. Dicen que solo se entrevistaron con Erla después de que esta denunciara las amenazas telefónicas. Las notas policiales escritas por el investigador Eggert N. Bjarnason el 10 de marzo de 1976 indican que Erla les dijo que tenía miedo de ciertos hombres. Cuando la policía le preguntó a quién se refería, mencionó a su hermanastro, Einar Bollason, y a varias personas vinculadas a los clubes nocturnos en Reikiavik. Dijo que todo guardaba relación con la desaparición de Geirfinnur.

La policía interrogó a Sævar. Le preguntaron qué sabía de Geirfinnur. Los informes policiales indican que a Sævar le dijeron que Erla tenía miedo de algunas personas, pero que no había indicios de quiénes podían ser. Sævar mencionó entonces algunos de los mismos nombres dados por Erla.

Erla dice que la forzaron a dar estos nombres, pero la policía dice que fue ella la que los sacó a la luz. Poco importaba, toda vez que Sævar había confirmado algunos de los nombres. El hombre que se había confesado autor de la muerte de Guðmundur parecía saber algo sobre lo que había ocurrido con Geirfinnur.

El 22 de enero de 1976, Sævar declaró como testigo y confesó haber visto a Geirfinnur la noche de su desaparición. Contó que había salido a dar una vuelta con unos hombres, con la intención de recoger a Geirfinnur en un café y acercarse hasta el dique seco de Keflavík para recoger un alijo. El plan era recoger unos barriles de alcohol que se habían dejado caer a poca distancia de la orilla. Se retrasaron por el camino, y, para cuando llegaron, Geirfinnur ya se había ido. Uno de los hombres fue a una cafetería y llamó por teléfono a Geirfinnur, que volvió a ir a su encuentro antes de ser llevado al dique seco al otro lado de Keflavík.

El dique seco era una gran planicie de grava, de color negro carbón y salpicada de cascotes, que formaba una suave ladera desde la carretera hasta el mar, donde había dos barcos amarrados pendientes de reparación. No se oía nada excepto el repicar metálico de los cables no aflojados de los barcos y el suave batir de las olas. En el suelo había apilados varios montones de maderos podridos. No había farolas, pero, al otro extremo de la bahía, la cima nevada del monte Esja relucía a la luz de la Luna.

Los hombres se adentraron en el mar a bordo de un pequeño bote para recoger el alcohol. En su declaración, Sævar dijo que no fue con ellos, sino que fue a dar una vuelta en coche, pero que, cuando regresó, notó en seguida que algo había salido mal. Había habido un accidente. Geirfinnur había caído al agua y se había ahogado.

Al día siguiente, el 23 de enero de 1976, se le tomó declaración a Erla. Según las declaraciones de Erla y Sævar, ambos habían estado en el dique seco con Kristján aquella noche. Einar Bollason, el hermanastro de Erla, también estuvo presente, al igual que Magnús Leópoldsson, el gerente del Klúbburinn, que guardaba un parecido más que casual con el busto de arcilla.

4

EL CLUB NOCTURNO Y EL POLÍTICO

En 1974, a los residentes de Reikiavik no les estaba permitido tener perros como animales de compañía, ser propietarios de lagartos o ver la televisión los jueves. Pero quizá la prohibición más problemática en todo el país era la que afectaba a la cerveza. El alcohol había sido prohibido en referéndum en Islandia el 1 de enero de 1915. El vino pasó a ser legal en 1922, cuando España amenazó con dejar de comprar bacalao salado si no podían vender su Rioja a Islandia, y en 1935 se legalizaron también los licores de alta graduación, pero la cerveza con un contenido alcohólico superior al 2,25 % siguió estando prohibida.

«Los islandeses», afirmó el político socialista Sigurjón Ólafsson en 1934, «no son capaces de consumir alcohol como la gente civilizada: por naturaleza siguen siendo muy parecidos a los vikingos, y son demasiado impulsivos y brutales». Al negar a los trabajadores el acceso a la cerveza se intentaba impedir que esta sirviese como preludio de licores más fuertes. La prohibición fue también una forma de definir los hábitos de consumo de alcohol en Islandia por oposición a la querencia por la cerveza de la potencia colonial danesa en los años previos a la independencia. Beber cerveza se consideraba antipatriótico. Pero, en la década de 1970, la soberanía islandesa estaba más que establecida, y la demanda de cerveza era tal que los camareros mezclaban vodka con cerveza sin alcohol para crear las llamadas «cervezas fantasma», un mejunje espantoso que solo los beodos más recalcitrantes habrían podido confundir con una cerveza rubia.

Si uno estaba dispuesto a asumir el riesgo, el contrabando podía ser una actividad muy rentable. A los pescadores se les permitía importar de forma legal pequeñas cantidades de cerveza para uso privado, que a veces vendían, y los marinos mercantes introducían en el país grandes cantidades de cerveza arrojando por la borda barriles flotantes atados con cuerdas. Sus compinches salían a su encuentro en lanchas desde distintos puertos de la costa, y barrían la oscuridad de las aguas con sus linternas antes de remolcar el alijo de vuelta a la orilla.

No había muchos clubes nocturnos en Reikiavik. Antes de que ardiera en 1972, el Glaumbær, junto al lago, era el mejor de toda la ciudad; el cercano Glæsibær era un lugar de iluminación mortecina, para una clientela algo entrada en años; y el Röðull, en Skipholt, era donde los marineros y las esposas de los pescadores ausentes iban a beber. La propietaria del Röðull era una anciana que se sentaba a la entrada ataviada de la cabeza a los pies con el traje nacional para vender entradas. Cuando el volumen de alguna de las bandas que tocaba en directo era demasiado alto, se subía al escenario y zurraba al batería con una toalla mojada.

Y luego estaba el Klúbburinn, el club nocturno de Magnús Leópoldsson, que tenía tres pisos y un aforo de un millar de personas y del que se decía que estaba repleto de alcohol de contrabando (rumor común que afectaba a la mayoría de los clubes nocturnos de la ciudad, por otra parte). Los investigadores creían que existía una relación entre Geirfinnur, el contrabando y el Klúbburinn. Con las declaraciones de Sævar y Erla, empezaron a aparecer puntos de contacto entre estas ideas.

Las confesiones sonaban verídicas, no solo porque involucraban a Magnús, cuyo nombre había estado ligado a la desaparición desde el principio, sino también porque Keflavík, donde vivía Geirfinnur, era el punto de entrada en el país de buena parte de las mercancías de contrabando. Si los que trabajaban en el Klúbburinn necesitaban grandes cantidades de alcohol, Keflavík era un buen sitio para colarlo de matute. En Suðurnes, cerca de los muelles de Keflavík, se había descubierto una amplia operación de contrabando de alcohol el mismo mes en que Geirfinnur desapareció. Había tantas cuerdas entrecruzadas en el agua para atrapar los barriles de alcohol que los periodistas locales compararon la escena con una tela de araña gigante.

A los islandeses, el lugar en el que desapareció Geirfinnur les recordaba como ningún otro en qué se había convertido su nación. Desde la Segunda Guerra Mundial, Keflavík, y en concreto la base aérea allí construida, había espoleado las neurosis sobre los cambios que experimentaba el país.

Islandia, perdida en un confín remoto del océano, no da a primera vista la impresión de ser un activo valioso durante un conflicto de alcance mundial. Pero a medida que la probabilidad de una Segunda Guerra Mundial asomaba en el horizonte, tanto las potencias aliadas como el Reich alemán se apresuraron a establecer una presencia en la neutral Islandia a fin de controlar las rutas de navegación a ambos lados de la isla.

Islandia intrigaba a los nazis. En marzo de 1939, Heinrich Himmler envió a la isla expertos en genealogía para calibrar la pureza de la composición racial del país. Hermann Goering estuvo también interesado por la isla, si bien por motivos estratégicos, y en los años previos a la Segunda Guerra Mundial era fácil encontrar a sus hombres deambulando por el paisaje lunar del sur en busca de espacios que pudieran albergar una base militar desde la que vigilar los submarinos enemigos y atacar las vías de suministro de los aliados. Goering encubrió sus intenciones afirmando que sus subordinados estaban en la isla por orden suya para estudiar las rutas de vuelo de los halcones. En 1936, los poetas W. H. Auden y Louis MacNeice se toparon con el hermano de Goering, de aire «más bien académico», durante el desayuno en un albergue de Hólar, cabe imaginar que mientras pretendía seguir el vuelo de las rapaces siguiendo instrucciones de su importantísimo hermano.

Tanto las fuerzas aliadas como el Reich alemán vieron rechazadas sus peticiones de construir una base, pero los británicos persistieron. A las cinco de la mañana del 10 de mayo de 1940, los islandeses se encontraron al despertar con media docena de buques de guerra atracados en el puerto de Reikiavik. La identidad de los recién llegados no se supo hasta que los soldados extranjeros llegaron a tierra y colocaron carteles escritos en islandés macarrónico por todo Reikiavik para informar a la población de que los británicos habían llegado. Tomaron el control de espacios clave en todo el país y arrestaron al cónsul general alemán, Werner Gerlach, en el momento exacto en que su esposa e hijos prendían fuego a sus documentos secretos en la bañera.

El gobierno islandés presentó una queja formal por la presencia de los británicos, pero, de puertas adentro, se aceptó a regañadientes que era mejor tener en casa a los británicos que a los nazis, y se llegó a un acuerdo para mantener a las fuerzas aliadas en Islandia hasta el final del conflicto. El primer ministro tomó las ondas para instar a la nación a que acogiera a los británicos como invitados. Para los aliados, Islandia fue un verdadero regalo estratégico: se dice que Winston Churchill se refería a Islandia como «el portaaviones insumergible». La ocupación de Islandia había comenzado.

Islandia, nación aislada en comparación con el resto de Europa, conoció un antes y un después en su historia con la llegada de los soldados británicos y, un año más tarde, en julio de 1941, con las decenas de miles de tropas estadounidenses. Los norteamericanos construyeron un aeródromo y una gran base militar en Keflavík, desde donde se coordinaban operaciones y donde sus aviones podían repostar. Según se recoge en *Iceland and the Allied Military Presence*, de Thor Whitehead, un repartidor de Keflavík contaba que «antes de la ocupación conocías a todo el mundo, e incluso los coches por el sonido de sus motores. La vida de la ciudad era plácida, sin prisas. Luego llegó el ejército, y todo cambió. Aquellos tiempos pasaron, y nunca volvieron». Para bien o para mal, Islandia se había abierto al resto del mundo.

Tanto Keflavík como la cercana Reikiavik se transformaron con la aparición de las tropas extranjeras, y en particular con la de los estadounidenses. Varios edificios icónicos de Reikiavik, como el Hotel Borg de la plaza Austurvöllur y el imponente Teatro Nacional de Islandia, pasaron a ser improvisados cuarteles generales para las fuerzas de ocupación. Abrieron sus puertas negocios en los que se servían comidas exóticas como perritos calientes y hamburguesas, al gusto de los soldados fuera de servicio, y, en los bares del centro de Reikiavik, los recién llegados enseñaron a los lugareños a bailar el foxtrot. Se inauguró un nuevo cine que estrenaba películas extranjeras, y la recaudación de taquilla se multiplicó por tres. En las tiendas empezó a venderse chicle, y en los frigoríficos de los colmados locales las latas de bebidas gaseosas convivían con productos tradicionales como la morcilla y las cabezas de oveja. Los islandeses probaron la Coca-Cola, y a muchos les gustó el sabor.

Las islandesas se ennoviaron mucho más frecuentemente con los viriles norteamericanos que con los británicos, mucho más estirados. También los regalos que traían los estadounidenses eran mejores. El inhóspito terreno de Islandia hacía de la fruta un bien tan raro como preciado, y algunos soldados entregaban sus raciones como regalo a las muchachas locales con las que habían trabado amistad. Los soldados británicos podían llevar una naranja, o tal vez una manzana. Los *GI* estadounidenses, en cambio, obsequiaban con cestas enteras de frutas variadas, y a eso le añadían una caja de bombones. A menudo, esa seguridad en sí mismos degeneraba en grosería. Muchas mujeres islandesas recuerdan que los soldados las piropeaban por la calle con tanta frecuencia que acabó sirviéndoles para aprender inglés.

La respuesta de las autoridades fue rotunda. A las jóvenes sospechosas de haber confraternizado con soldados extranjeros se las envió en penitencia a granjas de reclusión diseminadas por el país. Además, se las sometió a un examen médico para asegurarse de que no habían contraído enfermedades infecciosas. El principal responsable de sanidad del país declaró que era necesario vigilar las relaciones sexuales entre las fuerzas de ocupación y los islandeses para evitar que la nación «perdiera su identidad».

Después de la Segunda Guerra Mundial, el gobierno estadounidense decidió que, en realidad, le gustaba tener una base tan bien situada, y pidieron permiso para quedarse. Esto puso a las autoridades islandesas en un brete. Le dieron muchas vueltas a su respuesta. Tras siglos de dominio noruego y danés, la independencia de Islandia, que tantos esfuerzos había costado, no se había hecho oficial hasta el 17 de junio de 1944. Naturalmente, el hecho de tener miles de tropas estadounidenses estacionadas en Keflavík no era la situación ideal para un país cuya constitución, recientemente acuñada, tenía por principio central la neutralidad. El embajador de Estados Unidos en Islandia se quejó del «peculiar complejo independentista» del país.

Pero la presencia estadounidense también llevó a Islandia algo que nunca antes había tenido: riqueza. En ese sentido, había sido una buena guerra. Miles de islandeses acudieron en tromba a Keflavík y Reikiavik para trabajar en la industria de servicios, ahora en auge, y los agricultores locales se hicieron de oro vendiendo carne a las tropas hambrientas. La inversión de las fuerzas estadounidenses y las considerables sumas recibidas del Plan Marshall enriquecieron Islandia. Entre 1948 y 1952, los islandeses recibieron más dinero per cápita del Plan Marshall que cualquier otro país, y cada islandés recibió en promedio 209 dólares. El siguiente país en esta comparación, Holanda, que había sufrido daños mucho mayores durante la guerra, recibió el equivalente a 109 dólares por habitante. Los estadounidenses querían mantener su influencia en Islandia, y estaban dispuestos a invertir grandes cantidades de dinero con ese propósito.

Se planteaba así un dilema existencial: mantener la base en Keflavík comportaba la prosperidad, pero también suponía desertar de los valores consagrados en la Constitución. Con la presencia estadounidenses en Keflavík, Islandia dejaba de ser neutral, pero la seguridad económica conduciría quizás a una mayor libertad a largo plazo. Era la independencia, sí, pero con condiciones.

Halldór Laxness, el gran cronista islandés del siglo xx y premio Nobel de Literatura en 1955, plasmó la desconfianza que despertaba la base en su novela *La base atómica*, de 1948. En el libro, el primer ministro rechaza las críticas a su decisión de permitir que los estadounidenses construyan una central eléctrica en el país con estas palabras: «¿Qué es Islandia para los islandeses? Nada. Solo Occidente importa para el Norte. Vivimos por Occidente; morimos por Occidente; un Occidente. Una nación pequeña es polvo. El Este será aniquilado. El dólar se mantendrá en pie». Hasta el último de los ejemplares del libro de Laxness se vendió en el mismo día que salieron a la venta.

En su intento de persuadir al gobierno islandés, los representantes militares estadounidenses insistieron en la posibilidad de una invasión soviética. Su argumento se vio favorecido por el golpe de Estado comunista en Checoslovaquia a finales de febrero de 1948. La única defensa de Islandia contra un posible ataque soviético eran 120 oficiales de policía ligeramente armados. En la primavera de 1948, se avistó una gran flota de pesqueros soviéticos acechando en aguas islandesas. Estaban allí para pescar arenques, pero el momento escogido para arribar por primera vez a las costas islandesas no hizo sino reavivar los temores a un posible ataque.

En marzo de 1949 se presentó al Parlamento el tratado constituyente de la OTAN, y se invitó formalmente a Islandia a adherirse a él. Miles de manifestantes que exigían un referéndum sobre el ingreso en la OTAN se congregaron frente al Alþing y lanzaron huevos y piedras a las ventanas. Mientras los políticos discutían en el Parlamento, sobre ellos llovieron proyectiles y vidrios rotos. El Partido Socialdemócrata se opuso ferozmente a la moción, pero el 30 de marzo de 1949 esta fue aprobada por treinta y siete votos a favor y trece en contra. Posteriormente, las protestas en la calle se recrudecieron hasta tal punto que la policía islandesa usó gas lacrimógeno por primera vez y quince personas precisaron atención médica.

Miles de islandeses recorrieron a pie los cincuenta kilómetros que separan Reikiavik de Keflavík para demostrar su descontento. En su libro *Meltdown Iceland*, Roger Boyes explica que las protestas «no eran solo sobre la guerra, ni sobre la pérdida de la neutralidad, ni sobre el hecho de que una nación orgullosa se viese degradada a simple base militar. Se trataba más bien de los cimientos de la modernidad. ¿Hasta qué punto estaban dispuestos a cambiar? ¿A cuánto de su identidad podrían renunciar? Nadie quería vivir en la Edad Media, ni volver a las chozas de hierba, pero ¿era la americanización el precio del progreso?». En la madrugada del 7 de mayo de 1951, cuando aún no clareaba, los primeros aviones estadounidenses aterrizaron en el aeropuerto de Keflavík, y pronto hubo en Islandia un destacamento de unos cuatro mil soldados estadounidenses, la mayoría estacionados en la nueva base de la OTAN en la ciudad.

La base aérea no solo dio al traste con la neutralidad del país y abrió la posibilidad de que Islandia fuese aniquilada en un conflicto nuclear, sino que, además, abrió las puertas de la cultura estadounidense a una población que, hasta entonces, había vivido mayoritariamente aislada a sus efectos. Tener la base aérea en Keflavík era como tener una Norteamérica en miniatura, con su propia bolera y su Wendy's, junto a una de las ciudades más grandes de Islandia.

Para muchos islandeses, la exposición al estilo de vida estadounidense fue una sensación. Había espacios donde los grupos de música visitantes podían actuar, y el sonido se filtraba más allá del cercado y llegaba hasta la incipiente comunidad roquera de Keflavík. Las estaciones de crecimiento de las plantas en Islandia son especialmente cortas, por lo que el cánnabis tenía que venir del extranjero, y los chavales islandeses de pelo largo y ropas holgadas peregrinaban a Keflavík para conseguir marihuana de los soldados. Se aprobó una ley que permitía beber cerveza dentro del perímetro de la base.

Las organizaciones vinculadas al pasado, como la Sociedad Islandesa de Bailes Folclóricos, fueron perdiendo popularidad, al mismo tiempo que se disparaba el interés por los programas estadounidenses retransmitidos para los soldados. En las ciudades vecinas, la gente captaba la señal de la base doblando las antenas para orientarlas hacia Keflavík. Las heroicidades de las estrellas de la televisión estadounidense fascinaron a una nueva generación de jóvenes, del mismo modo que otrora lo hicieran las historias de valientes vikingos en las lóbregas granjas de la Islandia rural.

Pero los norteamericanos también generaban cierto malestar. Tras la independencia, había llegado el momento de que el país celebrara su propia cultura e historia, y no de que se enamorase de las de los demás. La preocupación por las repercusiones que podría tener el mundo exterior, claro, se sentían de forma más intensa en una isla habitada por apenas un par de cientos de miles de personas. Existía un temor muy real a que la lengua islandesa, que en gran parte no había cambiado desde los tiempos de las sagas, acabase desapareciendo si los islandeses empezaban a abandonar su lengua materna.

Los editoriales de los periódicos hablaban de la importancia de no dejar que se generalizase el uso de las palabras «banana» y «café». Se cuenta que en la pequeña ciudad de Höfn, en el sureste del país, un agricultor escuchó a un imitador de Elvis en la radio desde una estación de Keflavík, y de resultas de ello murió de un ataque al corazón. A los extranjeros solo se les permitía vivir en Islandia si renunciaban a su apellido y adoptaban uno declinable de acuerdo con la gramática islandesa. La norma se mantuvo hasta 1995.

Hace siglos que esta ansiedad existe en Islandia: las invasiones han sido siempre la mayor amenaza para una nación insular. Tanto los piratas que atacaban por la costa oeste como los pesqueros rivales que saqueaban los caladeros islandeses y las dos plagas que en el siglo XV habían aniquilado a miles de personas tenían algo en común: venían de ultramar. Durante el siglo XVIII, los agricultores del norte se encontraron con que, ocasionalmente, tenían que proteger sus tierras de los osos polares que llegaban en bloques de hielo desde Groenlandia. Durante siglos, a los extranjeros ni siquiera se les permitió pasar el invierno en Islandia. Tenían que abandonar la isla en septiembre. Se tomaron medidas para contrarrestar el supuesto avance del influjo estadounidense. Se prohibió a los aviadores la salida de la base aérea para evitar que escandalizasen a la población local con su comportamiento lascivo. Además, el gobierno prohibió el estacionamiento de soldados negros en Islandia, principalmente para que no tuvieran oportunidad de acostarse con mujeres islandesas. Esta política se mantuvo en secreto hasta que la prohibición racial fue revelada públicamente en 1959. Se instauró un concurso anual de canciones islandesas para diluir la presencia de canciones pop en inglés en la radio, una situación que, a los ojos de los organizadores, se había convertido en «peligrosa para nuestros gustos, nuestra lengua materna y nuestra nacionalidad». Que el Estado creara un canal de televisión en 1966, vinculado al ente público de radiodifusión, RÚV, se debió en parte a su interés en disuadir a los islandeses de seguir viendo los programas estadounidenses que se emitían en la base.

Ese malestar encontraba expresión en la cultura popular. La polémica cantante Soffía Karlsdóttir interpretó una canción titulada «Salir con un soldado es un sueño» el mismo día que se celebraba el Día Nacional de Islandia, lo que provocó la condena generalizada de los medios de comunicación del país. Más tarde renunció a su carrera de cantante y quemó la ropa con la que había actuado. En la icónica película islandesa *79 af stöðinni* («Taxi 79 desde la estación»), traducida en Estados Unidos como *The girl gogo* y basada en la novela homónima de 1955 Indriði Guðmundur Þorsteinsson, Ragnar, nacido tierra adentro, en el campo, ve cómo le rompe el corazón una mujer a la que cree fiel, pero que en realidad pasa sus noches en brazos de fornidos soldados estadounidenses.

La respuesta a la creciente exposición de Islandia al mundo exterior fue claramente ambivalente. «La guerra terminó hace años, pero todavía están aquí acosando a nuestras mujeres», dice Grettir, airado y borracho, en *Djöflaeyjan (Devil's island)*, película de 1996 ambientada en los años posteriores a la ocupación estadounidense, mientras ve bailar a un soldado con su esposa. «No me quejo», responde su amigo, «están comprando todas nuestras tierras». Por cada político que vaticinaba la corrupción de la cultura islandesa había una familia en una granja de Keflavík que ganaba más dinero del que jamás habrían creído posible. Por cada manifestante en contra de la OTAN, una banda de rock.

Casi desde el momento mismo de la desaparición de Geirfinnur, el caso y su resultado estuvieron ligados a una narrativa más extensa sobre los cambios que se estaban produciendo en Islandia. Que Geirfinnur desapareciera en Keflavík resultaba apropiado. Era el punto a través del cual el mundo exterior clamaba por entrar: y no solo músicas y gustos extraños del extranjero, no, ahora también crímenes graves. ¿Qué mejor prueba clara de la podredumbre de la sociedad islandesa que la confesión de asesinato ofrecida por un grupo de jóvenes traficantes de drogas?

Para quienes opinaban que aquella malsana influencia infectaría a las nuevas generaciones, los casos tenían un significado que iba más allá de las dos desapariciones. Era lo que sucedía cuando un país pierde sus raíces. Nuestro pequeño país nunca volverá a ser el mismo, proclamaba el periódico *Morgunblaðið* desde su editorial; «los cambios en nuestra sociedad» habían traído aquellos males, escribía otro. Una nación homogénea en la que el crimen era casi inexistente tenía ahora que lidiar con un extraño asesinato doble. «De repente, toda la maldad del mundo llamaba a nuestra puerta», dice el periodista Halldór Reynisson. «¡A nuestra pobre e inocente puertecita!».

«Era la mañana del 26 de enero de 1976, no me olvidaré nunca. Estaba en la cama con mi esposa, profundamente dormido (mis hijas estaban en la habitación de al lado) y me desperté al oír pasos en el jardín. Llamaron a la puerta. Fui a responder, y vi a un montón de gente en la calle. Me llevaron a un edificio que nunca había visto antes. Estaba en una habitación y había más gente a mi alrededor. Me pidieron que me quitara el cinturón. Solo entonces me di cuenta de lo que estaba pasando».

Famoso en Islandia por su ilustre carrera deportiva durante la década de 1960, Einar Bollason, el hermanastro de Erla, fue detenido a las seis de la mañana, y se encontró de improviso en el centro de una investigación por asesinato. «Me sentí paralizado», recuerda. «Por supuesto, había leído las noticias sobre la desaparición de Geirfinnur, como todo el mundo, así que pensé que era una broma. Intenté mantener la calma y seguir diciéndome que había habido un malentendido». Más tarde se daría cuenta de que había estado demasiado tranquilo. Por tratarse de una de las estrellas deportivas más famosas del país, los investigadores supusieron que, si era inocente, les plantaría cara con la misma tenacidad con la que afrontaba las competiciones. En cambio, Einar, a quien los alumnos del centro educativo en el que trabajaba conocían como un gigante bonachón, aceptó mansamente las exigencias de la policía.

Con los setenta años más que cumplidos, Einar conserva la imponente estatura que le delata como exjugador de baloncesto.

La edad ha encorvado ligeramente su cuerpo, y, cuando habla de aquel momento de su vida, un peso parece abatirse sobre él y sus movimientos se vuelven lentos y pesados, en marcado contraste con la cordialidad con la que nos recibió en su casa.

Magnús Leópoldsson, por el contrario, cuenta la mañana de su detención con lo que bien puede describirse como enérgica irritación. Cuanto más habla, más se enciende, al punto de que sus respuestas acaban extendiéndose durante ocho, nueve y a veces diez minutos. Es difícil saber si su visible frustración se debe a estar recuperando una parte de su vida que lo enerva o a que está harto de hablar de algo que ha tratado con los medios de comunicación islandeses casi tanto como Erla.

Paso parte de la entrevista comparando su cara con la del «Leirfinnur» de arcilla. He visto fotos de Magnús antes, pero en persona el parecido es más llamativo: tiene la misma línea firme de la mandíbula y los mismos ojos hundidos del busto.

A las seis de la mañana, a la misma hora en que se procedía a detener a Einar, Magnús se despertó y se encontró con tres policías a los pies de su cama. Su hija, de nueve años, los había dejado entrar porque el timbre de la puerta no lo había despertado. La policía le ordenó que se vistiera y fuera con ellos.

En el coche de camino a la estación, Magnús pudo darse cuenta, por la forma en que los agentes estaban hablando, de que no era el único detenido. Otros dos hombres fueron arrestados tras las declaraciones de Erla y Sævar: Valdimar Olsen, hermano de uno de los amigos de Erla, y, dos semanas más tarde, Sigurbjörn Eiríksson, propietario del Klúbburinn. Aunque Magnús y Sigurbjörn Eiríksson eran los únicos con relación directa con el club nocturno, acabó conociéndoselos a todos ellos como los Cuatro del Klúbburinn.

Sævar, Kristján, Tryggvi y Albert habían cometido delitos menores en el pasado. Encajaban en el perfil de las personas que podrían participar en una agresión violenta. Pero los Cuatro del Klúbburinn eran diferentes: miembros respetables de la sociedad, con empleos a tiempo completo y familias jóvenes. Ómar Ragnarsson, periodista de la radiotelevisión pública RÚV, dice: «Recuerdo el ambiente cuando oímos que Einar Bollason y Magnús habían sido encarcelados. Nos quedamos sentados, diciéndonos unos a otros: "Vaya... ¿Pero qué demonios está pasando?". Einar Bollason era el mejor jugador de baloncesto de nuestro país. Le conocía muy bien. ¿Y ahora era un criminal? ¿Él? ¿Qué él había matado a Geirfinnur?».

El hecho de que Einar Bollason pudiera estar involucrado en actividades de contrabando y en un asesinato daba a entender que la degradación moral de la sociedad islandesa era mucho más profunda que la violencia de unos pocos inadaptados. «Las personas a las que detuvieron eran caballeros», dice el periodista Sigtryggur Sigtryggsson. «Eso es lo que lo hacía escalofriante. Parecía que tu vecino de al lado, alguien en quien confiabas y en cuya casa dejabas jugar a tus hijos, acabase de ser desenmascarado como un asesino».

Desde siempre, los periódicos han tenido una considerable influencia en Islandia. Las hojas editoriales de principios del siglo XIX contribuyeron a despertar la oposición al dominio danés, y las principales cabeceras articularon el debate nacional sobre la base de la OTAN durante décadas. En 1976, el periódico *Morgunblaðið* tenía una circulación equivalente a una quinta parte de la población. Su portada estaba generalmente reservada para noticias del extranjero, pero ahora tenían sobre la mesa una historia de cosecha propia y, además, lo suficientemente madura como para someterla a una cobertura en profundidad.

Todos los periódicos tenían una afiliación política. *Morgunblaðið* era leal al Partido de la Independencia; *Alþýðublaðið* se asociaba con el Partido Socialdemócrata; y el diario *Tíminn* era un órgano del Partido Progresista. *Vísir* era el tabloide preferido de la nación, pero también estaba vinculado al Partido de la Independencia. Había un hueco en el mercado para un tabloide en el que los periodistas pudiesen apuntar contra el poder establecido sin ser llamados a capítulo por no atenerse a la línea del partido. En septiembre de 1975, unos meses antes de que Erla y Sævar fueran arrestados, *Vísir* se escindió en dos tras una disputa publicitaria, y nació un periódico nuevo, *Dagblaðið*.

Al no alinearse con ningún partido político, la existencia de *Dagblaðið* significó que, por primera vez, alguien intentaba hacer un periódico totalmente independiente en Islandia. Para los jóvenes periodistas ansiosos por hacerse un nombre en la profesión, la falta de miramientos con la que el periódico trataba a la élite política era embriagadora.

«Fue una época gloriosa», recuerda Ómar Valdimarsson, antiguo periodista de *Dagblaðið*. «Trabajábamos como animales, y después del trabajo bebíamos como animales. La mayoría de nosotros le dimos todo lo que teníamos al periódico, porque creíamos en la idea de que los medios de comunicación debían estar libres de control político». El lema común entre los redactores era que los únicos intereses del periódico eran los de sus lectores. «La actitud era la de que no pensábamos pasar ni media», dice Ómar, «y nos daba igual si tenías un quiosco en el centro de la ciudad o si eras el primer ministro, la pregunta es la que es, y nos gustaría que la respondieras».

Dagblaðið fue un éxito, y provocó una caída en las ventas de algunos de los periódicos tradicionales, con la notable excepción del derechista *Morgunblaðið*. Tanto Ómar como sus colegas de *Dagblaðið*, y también los periodistas del otro periódico sensacionalista *Vísir*, tenían a menudo la sensación de que iban un paso por detrás de la publicación rival. A Ómar le llevó un tiempo descubrir la forma en que los periodistas de *Morgunblaðið* conseguían adelantársele. «¡Les bastaba con llamar a la policía para conseguir sus noticias! En *Dagblaðið* nunca tuvimos ese privilegio. Llamábamos a comisaría y a menudo descolgaban y tiraban el teléfono contra la pared». Sigtryggur Sigtryggsson, periodista de *Morgunblaðið*, confirma el acuerdo y explica: «No teníamos más que ponernos en contacto con los tribunales de Reikiavik para obtener noticias. Se aseguraban de no darnos nada que pudiera echar por tierra la investigación».

Lo habitual era que *Morgunblaðið* publicase una historia por la mañana y que, luego, los periodistas de los tabloides se colgasen del teléfono para obtener nuevos detalles antes de ir a imprenta por la tarde. Empezaba a definirse la pugna entre el respetable *Morgunblaðið*, el tradicional *Vísir* y el emergente *Dagblaðið* por conseguir las mejores primicias en la mayor historia de Islandia.

El 26 de enero de 1976, la misma tarde en que los Cuatro del Klúbburinn fueron arrestados, un artículo publicado en *Vísir* bajo el título «¿Puede mantenerse en secreto por más tiempo?» puso patas arriba no solo el caso, sino la opinión pública del país.

El artículo había sido escrito por Vilmundur Gylfason, un joven incendiario y provocador que recientemente había concluido sus estudios en la Universidad de Exeter, en el Reino Unido, y volvía con ganas de dinamizar el alicaído Partido Socialdemócrata. En el artículo se hacían dos acusaciones, ambas contra Ólafur Johannesson, un político del rival Partido Progresista, que también era Ministro de Justicia y una de las figuras más conocidas del país. Acompañaba el artículo una caricatura de Ólafur con expresión aviesa, el cuerpo hinchado por la codicia.

La acusación número uno era que Ólafur había interferido en una investigación histórica de presunto fraude en el Klúbburinn. El artículo afirmaba que en octubre de 1972, cuando el Klúbburinn había sido clausurado bajo sospecha de evasión fiscal, Ólafur había ordenado la reapertura del club.

La acusación número dos era más grave. Vilmundur insinuaba que Ólafur había obstaculizado activamente la investigación del caso Geirfinnur.

En enero de 1975, un año antes de que los Cuatro del Klúbburinn fueran detenidos, los detectives de Reikiavik habían llevado a un hombre a comisaría para interrogarlo. Aunque Vilmundur no le ponía nombre, era obvio que se refería a Magnús Leópoldsson. Vilmundur defendía que Ólafur y el Ministerio de Justicia habían enviado una carta ordenando a la policía que cesara la investigación de los hombres del Klúbburinn.

Vilmundur acusaba a Ólafur de haber protegido en dos ocasiones un club nocturno cuyo gerente había sido detenido de nuevo bajo sospecha de haber matado a Geirfinnur.

La televisión estatal transmitió en directo desde el Alþing el momento en el que Sighvatur Björgvinsson, otro joven diputado del mismo partido que Vilmundur, acusó a Ólafur de interferir en la investigación. Duro y franco en su tono, Sighvatur no mostró en ningún momento la deferencia que un personaje de la estatura de Ólafur podría haber esperado, y lo acusó sin ambages de amiguismo. En los balcones sobre la sala principal del Alþing, los espectadores se sentaban con las piernas asomando bajo las barandillas para que tras ellos cupiese más gente que quería presenciar el debate.

Cuando subió al estrado para defenderse, el corpulento Ólafur no se anduvo con chiquitas. En el transcurso de un discurso apasionado, dirigido principalmente hacia la coronilla de Sighvatur mientras el joven parlamentario tomaba notas febrilmente, Ólafur negó categóricamente implicación alguna. Dijo que no había vetado el cierre del Klúbburinn en 1972, que nunca se le había pedido su opinión sobre el asunto y que no había interferido en la investigación de Geirfinnur. En un momento dado, miró airado a Sighvatur y por dos veces declaró: «¡Yo no tengo nada que ver con esto!». *Dagblaðið* informó de que «fue el cruce de declaraciones más intenso que se recuerda, y en la ciudad no se habló de otra cosa después». Ólafur Johannesson, uno de los políticos más destacados de Islandia, había sido acusado de intromisión en una investigación de asesinato para proteger sus propios intereses.

Vilmundur y Sighvatur continuaron poniendo a Ólafur Johannesson en la picota a través de los periódicos. *Tíminn*, el periódico del Partido Progresista, salió en defensa de Ólafur con un artículo en primera plana el 3 de febrero de 1976, insistiendo en que no había nada sospechoso en la intervención del Ministerio de Justicia en los asuntos del Klúbburinn. Ólafur acusó al periódico sensacionalista *Vísir*, en el que se habían publicado varias de las acusaciones, de estar dirigido por hampones que tendrían que rendir cuentas por haberle amenazado públicamente. (Una posterior demanda judicial haría que esta declaración fuese declarada nula.)

Cuando el Ministerio de Justicia hizo pública su correspondencia, sin embargo, algunas de las acusaciones de Vilmundur resultaron ser ciertas. El Ministerio sí había respondido a las quejas formuladas por los hombres del Klúbburinn en relación con la investigación de Geirfinnur. El Ministerio había preguntado a los investigadores si «sería posible buscar otras soluciones» en lugar de continuar presionando a Magnús y a Sigurbjörn Eiríksson.

Aquella era la munición ideal para periodistas sensacionalistas ansiosos por hacerse un nombre. En los casos no solo se combinaba toda la intriga y el pánico moral de una investigación de asesinato, sino que también se habían visto salpicadas algunas de las principales figuras políticas del país. Por primera vez desde los días de las sagas, la política y el asesinato se entrelazaban de manera creíble en una historia periodística islandesa. El caso de unos desaparecidos era ahora político.

La circulación de periódicos aumentó. El 3 de febrero de 1976, día del enfrentamiento entre Sighvatur y Ólafur en el Parlamento, *Vísir* tuvo unas ventas récord de más de 14.000 ejemplares. Entre 1975 y 1976, las ventas de *Dagblaðið* se multiplicaron casi por dos, pasando de 8000 a 14.000 ejemplares, en parte porque se trataba de una publicación nueva, pero también por su amplia cobertura de la desaparición de Geirfinnur. Muchos de los periódicos habían prometido solemnemente en sus editoriales que no harían públicos los nombres de los detenidos hasta que se demostrara su culpabilidad, pero la tentación acabó siendo demasiado fuerte. Sigurbjörn Eiríksson, el propietario del Klúbburinn (que por entonces no había sido siquiera detenido), no tardó en ver que se insinuaba su nombre en la prensa en relación con el caso, y que en algunos casos se mencionaba abiertamente. Espoleados por la competencia, los periódicos le sacaban todo el jugo posible a lo que se estaba convirtiendo en la historia del siglo, sin preocuparse en absoluto por las consecuencias.

La imagen que se tenía del elemento criminal a menudo pintaba a los delincuentes como tipos bonachones pero ineptos. Sirva como ejemplo el conocidísimo caso del ladrón islandés que, mientras robaba en una casa, encontró un libro de poesía de Steinn Steinarr y se enfrascó tanto en él que se quedó dormido en el lugar del crimen y no despertó hasta que la policía acudió a detenerlo. La policía de Reikiavik no necesitaba ser muy meticulosa en sus archivos, porque los delitos graves no se contaban entre los grandes males de la sociedad. Existen detallados registros de las más mínimas variaciones en la climatología y el peso de las capturas de pesca que se remontan décadas y más décadas, pero los datos relativos a las tasas de asesinato en Islandia en los años cincuenta y sesenta del siglo XX son bastante deslavazados. En promedio, el número de asesinatos al año era inferior a uno. En Reikiavik, la gente aún cerraba la puerta de casa sin pestillo.

Pero, por supuesto, toda sociedad, por muy segura que sea, tiene su lado oscuro. Las acusaciones presentadas en el Parlamento sacaron a la luz el reverso negativo de una sociedad perfecta. La comunidad islandesa parecía haber estado albergando una conjura asesina de políticos, contrabandistas y matones. La combinación de política y clubes nocturnos, contrabando y los bajos fondos de Reikiavik parecía anunciar la llegada de un nuevo y preocupante mal social a las costas de Islandia: el crimen organizado.

Los Cuatro del Klúbburinn fueron recluidos en la prisión de Síðumúli. Se les consideraba tan peligrosos que los guardias de la prisión revisaban sus paquetes de alimentos para asegurarse de que no les enviaban armas.

Físicamente, Einar no estaba hecho para verse confinado en una celda como aquella. Con sus casi dos metros de estatura, él podía tocar ambas paredes con la punta de los dedos y, cuando se acostaba, los pies le asomaban por encima del borde de la cama. Agotado por los largos días en prisión, Einar elaboró un sistema para no embotarse. Nunca se había considerado particularmente religioso, pero ahora se encontró a sí mismo rezando todas las noches. Los traslados a los tribunales eran una excursión que acogía con agrado, similar a salir de vacaciones. Se duchaba tantas veces al día como se lo permitían los guardias de la prisión. Tres veces al día hacía 25 flexiones. También abdominales.

La fe que la policía tenía depositada en la participación de Einar y Magnús en el caso parecía fundada en una fuente sólida, pero las hipótesis que les planteaban cambiaban constantemente. Primero, Geirfinnur se habría caído por la borda y se habría ahogado; luego, le habrían agredido en una barca antes de arrojarlo al mar; más tarde, habría sido asesinado en tierra; todo ello con un elenco siempre cambiante de conspiradores: hombres que conocían, hombres que no conocían, hombres que eran corpulentos, o delgados, o que fumaban puros. Los investigadores continuaron buscando pistas. Einar le dijo a la policía que, la noche en que Geirfinnur desapareció, podría haber estado jugando al baloncesto en Irlanda con su equipo, el KR de Reikiavik. Pero, cuando los investigadores intentaron corroborar el detalle descubrieron que el equipo no había viajado a Irlanda hasta el 22 de noviembre, tres días después de la noche en cuestión.

Magnús tampoco tenía a nadie que respondiera por él. La noche que Geirfinnur desapareció, un grupo de estudiantes de enfermería asistió a una fiesta en el Klúbburinn. Cuando los investigadores de Reikiavik se entrevistaron con ellos, dijeron que solo habían visto a Magnús a primera hora de la noche. Del mismo modo, un agente de policía que había estado de servicio en el Klúbburinn aquella noche declaró que pensaba que Magnús había estado ausente. En el momento exacto en que se efectuaba una llamada telefónica en el café Hafnarbúðin de Keflavík, a cuarenta minutos en coche, a Magnús no se le vio por ninguna parte.

El 26 de marzo de 1976, a las tres y media de la tarde, el juez de instrucción Örn Höskuldsson convocó una reunión en los tribunales. Örn llamó a un reportero de cada uno de los principales periódicos para invitarlos a título personal, de modo que no se dieran cuenta de que era una conferencia de prensa hasta que llegaran.

Örn se puso de pie ante los periodistas reunidos y explicó lo que los investigadores habían descubierto en los dos meses transcurridos desde la detención de los Cuatro del Klúbburinn. Habló lenta y pausadamente, y los reporteros solo le interrumpieron en una o dos ocasiones. Se presentaron los testimonios de los tres testigos de la desaparición de Geirfinnur (Erla, Sævar y Kristján) como base para las detenciones.

El juez explicó que, tras la detención de los asesinos de Guðmundur, Erla Bolladóttir había denunciado ser víctima de un asedio en forma de llamadas telefónicas anónimas. La voz al otro lado de la línea la amenazaba por lo que sabía del caso Geirfinnur. Terriblemente asustada, le había revelado a la policía la identidad de los hombres que, según ella, estaban involucrados en el caso.

Cuando se le preguntó a Sævar lo que sabía sobre la desaparición de Geirfinnur, dio los mismos nombres. Posteriormente, Kristján hizo lo propio. Sævar y Kristján le hablaron a la policía de un viaje a Keflavík con Erla y un cuarto hombre que conducía el coche. Ese hombre había sido Magnús Leópoldsson. El propósito del viaje era recoger algo de cerveza casera ilegal para su distribución.

Durante el viaje a Keflavík, Magnús y Sævar hablaron de cierta persona que «no hacía más que causar problemas». Les pareció que lo mejor sería deshacerse de él para siempre.

Condujeron hasta el dique seco de Keflavík, donde esperaban el resto de los Cuatro del Klúbburinn y algunos hom-

bres más. Mientras los hombres se hacían a la mar en una
barca, Erla huyó y se escondió en una casa roja. En el mar
estalló una discusión. Los hombres del Klúbburinn mataron
a golpes a Geirfinnur. Volvieron a tierra con el cadáver. A Sævar
y Kristján les dijeron que si no mantenían la boca cerrada, los
matarían. Por supuesto, los periodistas reunidos quisieron saber lo
fiable de esas afirmaciones. Örn se cuidó de decir que todavía
no se había probado nada, pero que las declaraciones de Erla
eran serias y justificaban que la detención de los Cuatro del
Klúbburinn se prolongase algún tiempo más. Örn se refirió a
ella como la «testigo perfecta».

Los abogados de los Cuatro del Klúbburinn estaban furio-
sos. Al día siguiente de la conferencia de prensa se reunieron a
mediodía para comparar notas y luego publicaron una declaración conjunta, acusando a la unidad de investigación policial de no revelar información clave relativa a los casos. Los
abogados insistieron en que tenían varios testigos que podían
desacreditar los testimonios de Erla, Sævar y Kristján. Acusaron a la policía de incompetencia, alegando que, a pesar de que
habían transcurrido más de dos meses desde la detención de
sus clientes, los investigadores no habían conseguido encontrar prueba alguna.

Las quejas no consiguieron atajar la gran cobertura mediática. Alguien había estado en los muelles esa noche y había visto lo que sucedió: «Presa del pánico, se escondió en una casa
abandonada», rezaba el titular de un artículo en *Alþýðublaðið*
en el que se resumía detalladamente el testimonio de Erla.
Ómar Ragnarsson, el presentador de noticias de la radiotelevisión pública RÚV, lo recuerda así: «Miré a los ojos a todos los
islandeses y les dije: "Así es como sucedió". Mataron a Geirfinnur en Keflavík. Me pareció que por fin le contaba la verdad a

la nación». En todo el país la gente hablaba en voz baja de lo que los hombres del club nocturno habían hecho.

Tres días después de la conferencia de prensa, Einar Bollason fue despedido de su trabajo en el centro educativo de Hafnarfjörður. El Tribunal Supremo confirmó que la prisión preventiva de los Cuatro del Klúbburinn se prorrogaría mientras continuaban los interrogatorios.

Después de casi tres meses en prisión, Einar recordó que la noche de la desaparición de Geirfinnur había estado viendo la televisión.

Los investigadores llevaron a Einar a los estudios de televisión y le mostraron tres breves fragmentos del programa que había visto. «Fue uno de los momentos más felices de mi vida. Me di cuenta de que lo recordaba todo. Les dije allí mismo lo que sucedía en el resto del programa. Era un reportaje sobre unos escoceses que se dedicaban a lanzar unos troncos de árboles enormes».

Mientras Geirfinnur conducía para encontrarse con alguien en una cafetería, Einar estaba en casa viendo un programa sobre los Juegos de las Tierras Altas de Escocia.

La investigación policial reforzó la coartada de Einar. Otros integrantes del equipo de baloncesto KR declararon que Einar les había ayudado a recaudar fondos para el viaje a Irlanda la noche del 19. Einar había contratado a una niñera para sus hijos, y, cuando la policía habló con ella, les mostró a los agentes una entrada en su diario que mencionaba que Einar había regresado a casa alrededor de las diez de la noche.

La esposa de Einar, Sigrún Ingólfsdóttir, había estado en una clase de costura y tenía el recibo de los materiales que había comprado. Volvió a casa a medianoche y tuvo una discusión con Einar sobre por qué había vuelto tan tarde. En las dos horas transcurridas entre el encuentro con la niñera y la llegada de su esposa, Einar había visto la televisión y se había ido a la cama. Magnús también tenía una coartada. Lára Hannesdóttir y Þuríður Gísladóttir trabajaban en guardarropía en el Klúbburinn. Le habían visto en el club la noche que Geirfinnur desapareció. Según Lára y Þuríður, Magnús había estado en el Klúbburinn por lo menos hasta medianoche. Su testimonio era más plausible que el de las estudiantes de enfermería o el del agente de policía: Lára llevaba un registro detallado donde hacía constar los eventos de cada turno.

Aquellas dos coartadas confirmaron lo que los investigadores ya empezaban a sospechar: los Cuatro del Klúbburinn eran inocentes. Era absurdo meterlos en un mismo saco y pretender que eran una asociación criminal cuyos tentáculos llegaban a las más altas esferas de la sociedad: algunos de ellos ni siquiera se conocían entre sí.

Magnús recuerda que Örn Höskuldsson entró en su celda una noche. «Yo estaba sentado en mi banco y Örn de pie a mi lado. Le miré de perfil y el no me devolvió la mirada. Luego me dijo que sabía que era inocente».

Magnús le preguntó si podía irse, a lo que Örn respondió: «¿Y qué les cuento yo a mis superiores?». Magnús dice que Örn le prometió que haría todo lo posible para acortar su tiempo en la cárcel, y que solo había que arreglar algunas formalidades.

Permaneció detenido durante un mes más.

A principios de mayo de 1976, los Cuatro del Klúbburinn fueron puestos en libertad. La prensa hacía guardia frente a la prisión. Los arcenes de la carretera estaban repletos de coches de personas que habían acudido a presenciar su liberación. A las diez de la noche se abrieron las puertas, y Magnús Leópoldsson salió al aire de la noche. «Entrar en ese coche, el acto mismo de abrir la portezuela fue una sensación maravillosa». Le habían dicho que no hablara con los medios de comunicación hasta el mediodía del día siguiente debido a la guerra entre los periódicos: la policía no quería que diarios de la tarde fuesen los primeros en tocar la historia.

A intervalos de treinta minutos, Einar, Sigurbjörn Eiríksson y Valdimar fueron saliendo a la calle. Se les había prohibido hablar con nadie sobre los motivos de su puesta en libertad, y seguían bajo vigilancia policial. Se impusieron restricciones a su libertad de desplazamiento. Aquella noche, los recién liberados hablaron por teléfono entre sí sobre lo que habían tenido que soportar. Luego se sentaron hasta el amanecer con sus familias y vieron salir el sol: tres de ellos, informaba *Dagblaðið*, llevaban desde enero sin hacerlo.

Einar, Magnús y Valdimar habían pasado 105 días en régimen de aislamiento. En un momento dado, Einar dice que estuvo sentado en su celda durante 45 días sin ser interrogado. No se habían encontrado pruebas que relacionasen a ninguno de ellos con la desaparición de Geirfinnur. De hecho, su única conexión con el dique seco de Keflavík eran las declaraciones prestadas por Erla, Sævar y Kristján.

Los mismos reporteros que habían condenado a los Cuatro del Klúbburinn como criminales se convirtieron en sus paladines. Tanto *Morgunblaðið* como *Dagblaðið* se apresuraron a publicar editoriales que hacían hincapié en el derecho de toda persona a la presunción de inocencia hasta que se demostrara su culpabilidad. Desde *Alþýðublaðið*, el editor exigió a la profesión periodística que revisara su posición: se habían destruido reputaciones y se había condenado a personas inocentes. «La opinión pública de este país nunca ha sido tan unánime en tildar de culpables a los cuatro hombres que salieron ayer en libertad», proclamaba un artículo escrito en *Vísir* el 12 de mayo de 1976.

Einar Bollason fue entrevistado en casa por la cadena pública RÚV. Con Sigrún sentada a su lado, relató lo sucedido de forma digna y sin alardes. Le habían despedido de su trabajo. Casi había perdido su casa. Ante las cámaras apareció un buen hombre, un héroe del deporte islandés, que había sido vilipendiado en el tribunal de la opinión pública, y al que el oprobio había causado un enorme perjuicio. Einar le habló al entrevistador de sus esfuerzos por mantener la cordura en prisión, y detalló cómo la ansiedad que sufría le había impedido alimentarse. En todo el país, la gente empezaba a darse cuenta de la enormidad de lo sucedido. El sufrimiento de aquellos hombres había sido en vano.

«Por entonces tendría yo unos cuarenta años», me cuenta Styrmir Gunnarsson, antiguo editor de *Morgunblaðið*, «y nunca había experimentado un ambiente semejante en este pequeño país nuestro. Se dio pábulo a cualquier teoría. La gente se lo creía absolutamente todo». La nación entera parecía presa de la histeria.

Todos se sentían en cierto modo responsables. Los Cuatro del Klúbburinn habían sido sometidos al escarnio de los medios de comunicación, la opinión pública los había declarado culpables y la maquinaria del Estado había terminado de machacarlos. Einar Bollason contenía las lágrimas en un sofá mientras explicaba sereno que casi se había vuelto loco en la cárcel. «Imperan ahora una sospecha y una desconfianza de un tipo que nunca antes habíamos conocido», tronó *Morgunblaðið*.

Örn Höskuldsson les había asegurado a los medios de comunicación del país que las declaraciones que formaban la base de la investigación sobre Geirfinnur eran ciento por ciento exactas. Erla, dijo, era la «testigo perfecta». Pero, si los Cuatro del Klúbburinn eran inocentes, ¿en qué lugar dejaba eso a sus acusadores?

A Magnús y Einar les llevó varias semanas entre rejas comprender de dónde parecía provenir toda la información sobre ellos. Magnús lo recuerda bien. Lo llevaron esposado a los juzgados. Nunca antes lo habían esposado. En el tribunal había abogados y policías y una mujer a la que afirma no haber visto nunca antes. Más tarde supo que era Erla Bolladóttir.

Le preguntaron a Erla sobre un supuesto viaje a Keflavík, y ella lo describió en detalle. Dos coches habían ido a Keflavík y estaba claro quién estaba en cada coche y a qué hora sucedió todo. Contó que Magnús había agarrado a Geirfinnur del brazo para detenerlo y que Kristján se lanzó contra Geirfinnur y lo estranguló hasta la muerte. Magnús recuerda que esta descripción fue tan detallada que duró una hora.

Einar también tuvo una experiencia similar, con el agravante de que las acusaciones provenían de su hermanastra. Aunque él y Erla no tenían una relación muy estrecha y solo se veían en eventos familiares como bodas y fiestas navideñas (y menos aún después de que ella comenzase su relación con Sævar), fue toda una sorpresa comprobar que era una de las personas que lo acusaban. Cuenta que ella intentó convencerle de que estaba con ellos cuando mataron a Geirfinnur y que le pidió que les dijera la verdad a los investigadores. Que sería lo mejor para todos.

Por eso, los hipotéticos acontecimientos que les presentaban a Einar y Magnús cambiaban sin cesar: la supuesta participación de los Cuatro del Klúbburinn carecía de todo fundamento. Todo el asunto había salido de la imaginación de alguien.

«De verdad que es increíble», dice Magnús de Erla, «esa mujer es excepcional y pasará a la historia de nuestra civilización [...]. En aquel momento no me di cuenta exactamente de por qué hacía lo que estaba haciendo, pero creo que era lo suficientemente maduro como para darme cuenta de que la gente no miente a menos que esté ocultando algo. Quiero subrayar que acusar injustamente a alguien es casi como matar a esa persona. Aquello me cambió la vida. Aquí estoy, repasando contigo el asunto, y me acuerdo de ello todos los días».

Einar dedicó mucho tiempo en la cárcel a pensar por qué le estaban haciendo aquello: «En aquel entonces le di muchas vueltas. ¿Qué habré hecho? ¿Qué hice?». Supuso que tendría algo que ver con el apartamento de Hamarsbraut. «Erla y Sævar se quedaron en el piso de mi padre, y él me pidió que lo vendiera. Así que hice que alguien cambiara las cerraduras. Era lo único que se me ocurría que podían tener en mi contra».

No le entraba en la cabeza que hubiera podido acusar a un miembro de su familia. «Aquellos primeros años», dice Einar, «si la hubiera atropellado un autobús, yo no habría derramado ni una lágrima. La odiaba. ¡Pues claro que sí! Somos humanos».

5

EL COMISARIO CENTELLA

Erla avanza con cuidado por el terreno irregular que conduce a las colinas de Rauðhólar, y nosotros seguimos su estela. Dylan carga con la cámara al hombro, y yo voy detrás de él, sujetando como buenamente puedo un paraguas sobre su cabeza para proteger la lente de la nieve.

Rauðhólar es un lugar de aspecto inusual en un país en el que no escasean los lugares inusuales. A los productores de Hollywood les encanta ambientar películas de ciencia ficción en Islandia porque pueden transmitir la idea del espacio exterior sin necesidad de recurrir a efectos especiales: es el inhóspito planeta del personaje Mann en *Interstellar*; la luna alienígena de *Prometheus*; y los infinitos desiertos negros de *Star Trek: en la oscuridad*. Sus formaciones rocosas son tan similares a las de la Luna que la NASA decidió que Neil Armstrong y Buzz Aldrin entrenaran en Islandia antes de las misiones Apolo. La apariencia de Rauðhólar, sin embargo, no es verdaderamente lunar: sus rojizas y polvorientas colinas plagadas de cráteres hacen que se parezca mucho más a la superficie de Marte.

«Hay una sola razón por la que mi hermano y el hermano de mi amigo, Valdimar, se vieron involucrados», dice Erla, «y nunca fue idea mía». Cuenta que la policía ya tenía el argumento en mente y que la presionaron para que colaborara. «Mis hermanas intentaron preguntarme: "¿Qué ha hecho Einar?" y "¿Quieres decir que nuestro hermano estuvo involucrado en la

desaparición de Geirfinnur?"; y yo les tuve que decir que sí».
Así estaban las cosas.

La policía sostiene que aquellas declaraciones fueron presentadas voluntariamente y que con ellas los acusados pretendieron despistar a los investigadores. Los meses que siguieron a la puesta en libertad de los Cuatro del Klúbburinn confirmaron esta teoría. Erla volvió a ser detenida la tarde del 3 de mayo de 1976 y, como ya sucediera en el caso Guðmundur, las declaraciones que hizo sobre Geirfinnur fueron corroboradas por Sævar.

Sævar, Erla y Kristján parecían saber mucho más de la desaparición de Geirfinnur de lo que en primera instancia habían dado a entender.

Con la ventisca aullando a nuestro alrededor, hacemos una entrevista rápida. «Estamos aquí, en Rauðhólar», dice Erla, «un paraje muy conocido de la zona. Aquí se supone que se hizo desaparecer el cuerpo de Geirfinnur».

Hace mucho frío, y Erla vuelve al coche para entrar en calor. Dylan está extasiado con el paisaje nevado, para él es como el paraíso. Yo sigo sosteniendo el paraguas y él sigue grabando hasta que se le forma hielo en la barba y tiene los dedos tan ateridos que apenas puede apretar los botones. Deshacemos lo andado para regresar junto al coche, y vemos que Erla ha bajado las ventanillas para fumar. El vehículo vibra con el ulular de los grandes éxitos de Janis Joplin.

En mayo de 1976, la investigación necesitaba asistencia externa.
El fiasco de los Cuatro del Klúbburinn había puesto a la policía bajo una presión inmensa. Habían dependido en exceso del testimonio de Erla, y habían pretendido cimentarlo con la peor de las fuentes posibles: las personas que habían matado a Guðmundur. Ahora, aquellos testimonios se habían revelado falsos, cuatro

inocentes habían permanecido detenidos durante cien días y los investigadores habían sido públicamente humillados.

Algunos artículos de prensa exigieron que se buscara ayuda en el extranjero. «Puede que sea mejor pedir a alguien de fuera que se haga cargo de la investigación», escribió *Alþýðublaðið*. «Afortunadamente no estamos acostumbrados a tratar con casos como este».

La teoría era que un investigador extranjero tendría más experiencia y, detalle igualmente importante, su distancia respecto de la sociedad islandesa garantizaría la neutralidad en un caso que había adquirido dimensiones políticas. La idea sedujo a Ólafur Johannesson, el ministro de Justicia. La repentina liberación de los Cuatro del Klúbburinn le había beneficiado, por cuanto su intervención en los asuntos del club nocturno parecía ahora menos sospechosa, pero, aun así, quería cerrar el caso en firme, y cuanto antes mejor.

El 11 de mayo de 1976, al día siguiente de la liberación de los Cuatro del Klúbburinn, Ólafur convocó una reunión con los investigadores. Subrayó la voluntad del Ministerio de Justicia de que se acelerase el examen del caso, y afirmó que no se escatimarían medios para lograr ese objetivo.

El deseo de Ólafur de ver el caso resuelto cuanto antes se vio intensificado por lo que al mismo tiempo estaba sucediendo en aguas territoriales islandesas. Mientras las rotativas echaban humo con todas aquellas acusaciones de asesinatos y clubes nocturnos, pesqueros británicos e islandeses cargaban unos contra otros en el Atlántico Norte. Las llamadas «guerras del bacalao», una prolongada disputa entre Gran Bretaña e Islandia por los derechos de pesca frente a las costas islandesas, estaban llegando a su punto álgido.

Cada guerra del bacalao había seguido un guion más o menos idéntico: el gobierno islandés ampliaba legalmente los límites de sus aguas pesqueras, los británicos seguían pescando en esas aguas, estallaban hostilidades entre barcos islandeses y británicos y los británicos acababan por rendirse.

Como sucede en la mayoría de las disputas geopolíticas, el motivo de aquel conflicto había que buscarlo en el dinero y el interés propio. Las fértiles zonas de pesca frente a las costas de Islandia eran muy apreciadas por Gran Bretaña y, aunque su economía no dependía tanto de la pesca como la islandesa, los peces capturados en aguas islandesas representaban alrededor de la mitad de la captura total de la flota pesquera británica de aguas distantes. A esto se sumaba una motivación imperialista. Si Islandia lograba ampliar sus aguas pesqueras exclusivas, animaría a otros países a adoptar medidas similares e impediría que la Marina Real británica ejerciese su poder en todo el mundo.

Islandia se jugaba mucho. Las ventajas económicas eran considerables, al igual que la necesidad de impedir que los barcos extranjeros esquilmasen los caladeros islandeses, pero la guerra del bacalao iba más allá de la pesca: sirvió para probar la nueva condición del país como nación independiente. Los dirigentes de los principales partidos políticos de Islandia apelaron repetidamente al sentimiento nacionalista y, en sus negociaciones con los británicos, actuaron con un talante inflexible y en ocasiones contraproducente, llegando a veces a rechazar acuerdos favorables buscando mayores concesiones. Islandia no había luchado por la independencia durante siglos para verse ahora atropellada en sus aguas territoriales por potencias lejanas.

Esto no impidió que los británicos se comportaran como si fueran los amos de Islandia. Cuando Islandia amplió sus aguas territoriales de diez a veinte kilómetros en 1958, la Marina Real desplegó sus buques para proteger los pesqueros que permanecían en aguas islandesas. Las peticiones de la Guardia Costera Islandesa de que los británicos abandonasen las aguas territoriales fueron recibidas con reproducciones por radio del himno patriótico «Rule, Britannia!». Hubo manifestaciones frente a la embajada británica en Reikiavik, y al embajador Andrew Gilchrist no se le ocurrió nada mejor que subir al máximo el volumen de su gramófono para burlarse de los manifestantes con una serie de solos de gaita y marchas militares. La desdeñosa actitud del Reino Unido en el conflicto enfureció a sus aliados. La ventajosa posición geográfica de Islandia hacía de ella un activo clave durante la guerra fría. En el libro *Cold front: conflict ahead in Arctic waters*, de David Fairhall, se cita a un almirante estadounidense para el que la base aérea de Keflavík era «la propiedad inmobiliaria más valiosa de la OTAN». Perder un enclave de semejante importancia estratégica podría inclinar el equilibrio de poder en el Atlántico Norte a favor de los soviéticos. Al continuar pescando en aguas islandesas, los británicos estaban poniendo en peligro aquel vital puesto estratégico.

El gobierno islandés, por su parte, sabía que la base aérea de Keflavík era un valioso argumento en sus negociaciones. Siempre que los británicos asumían un tono excesivamente beligerante, Islandia amenazaba con salir de la OTAN y expulsar a las fuerzas estadounidenses de Keflavík, a menos que se encontrara una solución adecuada. A Henry Kissinger le fascinaba el conflicto, y en su libro *Years of upheaval* resaltó que «decía mucho sobre el mundo contemporáneo y sobre la tiranía que sobre él pueden ejercer los débiles».

Los soviéticos vieron una oportunidad de ganar influencia. Los británicos habían impuesto una prohibición de descarga en tierra que impedía a Islandia vender pescado (su principal producto de exportación) al Reino Unido (su mayor mercado), y la URSS se apresuró a comprar el pescado no vendido.

Estados Unidos, preocupado por la posibilidad de que no estuviesen comprando lo suficiente, instó a otros países europeos a comprar pescado islandés para contribuir así a combatir el comunismo. Mientras Ólafur se defendía en el Parlamento de las acusaciones de corrupción política, la última guerra del bacalao estaba a punto de concluir. Los pescadores islandeses utilizaron un ingenioso dispositivo para cortar los cables que unían las redes de arrastre a los barcos británicos. Llegaron a intercambiarse disparos. En un incidente en particular, un pescador británico fuera de sí arrojó un hacha contra la Guardia Costera islandesa. En febrero de 1976, Islandia suspendió las relaciones diplomáticas con Gran Bretaña, siendo ese el único caso en que un país ha emprendido una acción de este tipo contra otro miembro de la OTAN.

Hubo ruidosas protestas frente a la base de la OTAN en Keflavík. Las guerras del bacalao se percibieron como otro ejemplo de la intromisión de las potencias extranjeras en los asuntos islandeses. Organizaciones de oposición a la OTAN, como la izquierdista Samtaka Herstöðvarandstæðinga, vieron crecer el número de afiliaciones, mientras que los partidos políticos de la oposición quisieron sacar provecho de la creciente impopularidad de la base prometiendo la salida de la OTAN en su programa electoral. Los líderes del mundo libre seguían con interés los acontecimientos en Islandia.

En una reunión del gabinete de la OTAN, Einar Ágústsson, ministro de Asuntos Exteriores islandés, reveló a sus homólogos que el gobierno islandés estaba al borde del colapso. La guerra del bacalao no tenía visos de amainar, una ruinosa huelga general amenazaba la economía del país, y Ólafur Johannesson, el político encargado de negociar una solución con el Reino Unido, había sido acusado de encubrir un asesinato. Las dificultades internas se entremezclaban con las internacionales.

La prensa británica olió la sangre, y procuró denigrar al negociador islandés, cuya intransigencia estaba provocando una enorme consternación en los puertos pesqueros de Grimsby y Hull. *The Guardian* publicó un artículo el 4 de febrero de 1976 sobre la guerra del bacalao en el que afirmaba que «Johannesson se las ha estado dando de duro de cara a la galería para proteger su posición, tras ser acusado de encubrimiento [...] en un caso relacionado con uno de los poquísimos asesinatos de Islandia». *The Sunday Times*, por su parte, declaró que el partido de Ólafur estaba implicado en «un amplio caso criminal relacionado con el narcotráfico, el asesinato y el fraude».

El colapso del gobierno islandés no era opción. Los líderes de la OTAN no podían arriesgarse a que llegase al poder un partido opositor en cuyo programa electoral se hubiese prometido el cierre de la base aérea. El secretario general de la OTAN, Joseph Luns, y el presidente de Estados Unidos, Gerald Ford, mantuvieron reuniones a puerta cerrada. Los ministros de Asuntos Exteriores de Islandia, Estados Unidos y Alemania Occidental celebraron también reuniones de urgencia.

En el verano de 1976 se produjo una reunión entre el embajador islandés Pétur Eggerz y el director del Ministerio del Interior de Alemania Occidental. Hablaron sobre la desaparición de Geirfinnur y la presión a la que estaba sometido el gobierno para encontrar una solución. La Policía Criminal de Alemania Occidental no podía investigar en el extranjero, pero sí recomendar a alguien. La persona que tenían en mente se había retirado del servicio secreto de Alemania Occidental pocos meses antes con la intención de dedicar los inviernos a esquiar y los veranos a navegar, pero se había mostrado dispuesto a retrasar su jubilación para hacerse cargo de los casos en calidad de consultor. Ólafur Johannesson se encargó de organizar y confirmar su nombramiento. Aparece así en escena Karl Schütz.

Conocido en su país natal como *Kommisar Kugelblitz* («el comisario centella»), Karl Schütz pasó una semana en Islandia en junio de 1976 para familiarizarse con el caso Geirfinnur, y regresó el 2 de agosto para establecer un grupo de trabajo formado por doce personas. El protocolo de investigación en Islandia fue más reducido y desorganizado de lo que Schütz estaba acostumbrado en Alemania Occidental, y el grupo de trabajo nunca llegó a tener un nombre fijo: en sus informes consta con varios nombres, como, entre ellos, Comité de Investigación de Reikiavik, Comité Investigador de Reikiavik y Comité de Investigación en Reikiavik.

Schütz había sido agente de la policía secreta de Alemania Occidental, y sus credenciales eran imponentes. Cuando *Der Spiegel*, la principal revista política de Alemania, fue acusada de traición, Karl Schütz fue quien reventó las puertas de sus oficinas para arrestar a periodistas y confiscar documentos. Cuando la banda Baader-Meinhof, un grupo terrorista de extrema izquierda, empezó a incendiar grandes almacenes, Schütz fue uno de los investgadores que diseñaron la estrategia policial para su captura. Cuando Willy Brandt, canciller de la República Federal de Alemania, fue acusado de simpatizar con el comunismo, Schütz se movió entre bastidores para provocar su dimisión. Había acumulado una enorme experiencia en la supervisión de investigaciones de alto voltaje político: era exactamente lo que el gobierno islandés había estado buscando.

Al poco de tocar tierra en Islandia, Schütz resolvió un asesinato. Una limpiadora había sido asesinada en Miklabraut, en el centro de Reikiavik, y a los pocos días Schütz había detenido al asesino. La limpiadora había sorprendido con las manos en la masa a Ásgeir Ingólfsson, conocido rostro televisivo, mientras este robaba diversas joyas y una valiosa colección de sellos. Ásgeir la golpeó con una barra de hierro y huyó, pero no sin antes darse un porrazo en la escalera y dejar en ella sin saberlo algunos cabellos. Schütz recurrió a un laboratorio alemán para examinar las pruebas forenses y Ásgeir fue detenido. Quiso la casualidad que Ásgeir hablase alemán, y por eso quiso confesar ante Schütz, y solo ante Schütz, porque la policía islandesa le merecía muy poco respeto.

El mes anterior a la llegada de Schütz, los periódicos se habían desecho en elogios sobre la experiencia que iba a aportar el policía de Alemania Occidental traído por Ólafur Johannesson, y ahí lo tenían ya, desentrañando incluso misterios distintos a los que se le había pedido que resolviera.

Schütz dirigió su grupo de trabajo con autoridad absoluta. Era un hombre de corta estatura, regordete, de ojos azules y pelo gris muy corto, y su mesura en el trato imponía respeto. Schütz tenía opiniones muy definidas tanto sobre el caso como sobre el subdesarrollo de la policía islandesa, y en más de una ocasión declaró a los medios de comunicación que el Ministerio de Justicia debería invertir en más tecnología, tanto en beneficio de sus agentes como para ponerse a la altura de otros países europeos. Pese a que apenas conocía algunas palabras de islandés, reprendía a su traductor si creía que le estaban malinterpretando. En el bolsillo de la pechera de su chaqueta de *tweed* llevaba siempre enganchados tres bolígrafos.

Se le asignó una oficina en los tribunales de Borgartún, en el centro de la ciudad, y desde ella desplegó sus actividades. Mapas aéreos de Keflavík cubrieron la pared trasera de la sala. Sobre una mesa alargada había un cenicero circular, dos jarras plateadas y el «Leirfinnur». Los teléfonos sonaban sin cesar, con la redacción de *Morgunblaðið* buscando detalles para las ediciones de la mañana, y las de *Dagblaðið* y *Vísir*, para las de la tarde. La energía era frenética.

Schütz adoptó un enfoque sistemático. Cada agente tenía una tarea individual de la que debía rendir cuentas ante Schütz una vez completada: nada indicaba que se hubiese hecho algo parecido en los primeros compases de la investigación. Asignó diferentes miembros del grupo de trabajo a cada sospechoso, e introdujo un sistema de fichas para cotejar la información. Por primera vez en la historia de Islandia se utilizó un ordenador para ayudar a los detectives en su trabajo.

La inquebrantable confianza que mostraba en sus dotes investigativas hacía de él un policía muy distinto a los agentes islandeses, ninguno de los cuales había trabajado nunca en un caso de semejante complejidad o magnitud. Los miembros del grupo le trataban con un respeto próximo a la admiración.

La poderosa personalidad de Schütz no se limitaba a sus relaciones con el grupo de trabajo. En una entrevista con *Alþýðublaðið* puede verse cómo trataba con la prensa. Un recuadro oscuro ocupaba el espacio central en la página donde normalmente se habría insertado una foto. En él podía leerse:

> Durante la entrevista con Karl Schütz, este pidió que no se le hicieran fotos. Así lo hicimos, pero añadió que, si sus investigaciones llegaban a buen puerto, se avendría a dejarse fotografiar si la prensa así lo deseaba.

Antes de la llegada de Schütz, la prensa se había burlado de los investigadores por no hacer bien su trabajo, y sus nombres y rostros adornaban las primeras planas en artículos que denunciaban su incompetencia. Pero Schütz cambió aquella dinámica: no se tomaría foto alguna de él sin su expreso consentimiento. La admiración no era exclusiva del grupo de trabajo, sino que se extendía también a parte de los medios de comunicación. Aquellos eran «sus casos».

En el mismo artículo podía leerse: «Hubo un momento en el que notamos que Schütz consultaba el reloj cada vez con más frecuencia, así que pusimos fin a la entrevista». ¿Obstinado? Tal vez. ¿Impaciente? Desde luego. Pero Schütz parecía ofrecer una verdadera oportunidad de poner punto final a los casos.

Se realizaron varias evaluaciones psiquiátricas. Con la detención de Erla a principios de mayo, ya eran tres los sospechosos de haber participado en la desaparición de Geirfinnur bajo custodia: Sævar, Kristján y Erla. Tryggvi seguía preso, bajo sospecha de haber matado a Guðmundur, y Albert, que había confesado haber transportado el cuerpo de Guðmundur, había sido puesto en libertad el 19 de marzo.

Sævar, escribió el psicólogo Gylfi Ásmundsson, era capaz de relacionarse con otras personas a un nivel superficial, aunque no de establecer vínculos más profundos. La evaluación da cuenta de cómo «constantemente trataba de manipular [al psicólogo]: es bastante hablador, intenta evitar que se lo someta a pruebas psicológicas y recurre a un tono manipulador o amenaza con medidas legales. Su comportamiento y reacciones son propios de una personalidad psicopática». El dictamen concuerda con las conclusiones a las que había llegado el psiquiatra juvenil cuando Sævar estuvo recluido en el hogar de Breiðavík. Creían que tras su encanto y su labia se ocultaba algo mucho más tétrico.

Sævar no consumía drogas, y rara vez bebía. A los investigadores, esa templanza se les hacía siniestra. Así como Kristján y Tryggvi les parecían dos violentos matones que sin saber muy bien cómo se habían visto envueltos en una pelea de borrachos con Guðmundur, Sævar era un tipo lúcido al que impulsaban compulsiones diferentes. Tenía un férreo control sobre sí mismo y sobre los otros dos. La evaluación psicológica de Erla indicaba que también ella estaba bajo el influjo de Sævar. Según Gylfi Ásmundsson, las respuestas que había dado en la prueba no se correspondían con la realidad y giraban siempre en torno a ella: sus experiencias distorsionaban su testimonio. Se la describe como una persona dócil hasta el masoquismo.

La evaluación apuntaba que ese carácter susceptible a la manipulación de una personalidad más poderosa hacía de Erla la cómplice ideal. Sævar era un pequeño Svengali, amoral y con extraños poderes, o un Charles Manson, y Erla era la novia obediente dispuesta a acatar todas sus órdenes.

«No podemos bajar la guardia en ningún momento», alertó Schütz durante una rueda de prensa convocada por él mismo, «porque Kristján, Sævar y Erla han intentado despistarnos en numerosas ocasiones». Schütz los describió como personajes «astutos» que intentaban desconcertar a los investigadores con declaraciones contradictorias.

En junio de 1976, pocas semanas antes de la llegada de Schütz, la prensa descubrió que Sævar y un preso de diecisiete años de edad habían estado intercambiando cartas durante su internamiento. Escribían con pasta de dientes sobre tiras de papel de aluminio que luego doblaban alrededor de un peine, y se pasaban las notas de un extremo a otro de los pasillos de Síðumúli con la ayuda de cordeles. Sævar le había pedido que hiciese llegar sus cartas al Ministerio de Justicia, pero su nuevo corresponsal se fue con las cartas a la prensa e intentó vender ocho de ellas por 100.000 coronas. Finalmente pactó con *Samuel*, una revista de cotilleos: 40.000 coronas por las cartas. Pero la policía intervino antes de que los mensajes se hicieran públicos. La mayoría fueron confiscados.

Los periódicos deploraron la permeabilidad del sistema de vigilancia de Síðumúli. Jón Oddsson, el abogado de Sævar, declaró a *Alþýðublaðið* que no creía que los prisioneros estuviesen en completo aislamiento, y que era posible pasar mensajes entre celdas. Se suponía que era la mejor prisión preventiva del país y, sin embargo, los detenidos no tenían problema para comunicarse entre sí.

Lo que se estaba dando a entender con esto era que los sospechosos habían coordinado sus mentiras a través de mensajes secretos. No habían conseguido cargar el muerto a los Cuatro del Klúbburinn, y ahora solo les quedaba una sola opción: enturbiar la investigación con datos falsos. Se retractaban continuamente de sus declaraciones y, cuando confesaban, sus historias eran extremadamente contradictorias: en una, Geirfinnur fue asesinado con un rifle; en otra, se ahogó; y en otra, fue agredido con un tablón. En Síðumúli se modificaron los umbrales de las celdas para impedir que se deslizasen mensajes por debajo de las puertas.

En opinión de Schütz, había suficientes similitudes en las confesiones de los sospechosos como para empezar a concretar la historia. A pesar de la maraña de detalles contradictorios, parte de lo que habían declarado podría corroborarse de forma independiente. Schütz encargó informes comparativos a su grupo de trabajo con la intención de identificar coherencias en los testimonios. A partir de estos informes descubrió algunos puntos fijos, y con estos pudo empezar a reconstruir la noche de la desaparición de Geirfinnur.

Aquella noche, Erla y Sævar habían estado en el cine Kjarvalsstaðir de Reikiavik viendo *Eldur í Heimaey*, un documental

sobre la erupción volcánica en las islas Vestman en 1973. Vilhjálmur Knudsen, el documentalista que años atrás había aco-
gido a Sævar en su casa para enseñarle técnicas cinematográ-
ficas, contactó con la policía para declarar que, tras la
proyección, había oído a Sævar decir que iba a ir en coche a
Keflavík. Se encontró a otro testigo que dijo que había visto
a Kristján dirigirse a Vatnsstígur, una calle en el centro de Reikiavik, a una hora que podría haber permitido a Erla y Sævar
encontrarse allí con Kristján, recogerlo y conducir hasta Keflavík a tiempo para llamar a Geirfinnur a las diez y cuarto.

Todos los sospechosos mencionaron a un conductor de
«aspecto extranjero» que los acompañaba aquella noche. Kristján dijo que aquel hombre le había dado a Sævar un papelito
con el nombre y número de Geirfinnur, y que Sævar se lo había dado luego a Kristján. Kristján confesó que fue él quien se
acercó al café a hacer la llamada. Dijo que un niño había con-
testado el teléfono y gritó «papá, papá» antes de pasarle el apa-
rato a su padre. En una declaración hecha esa misma semana,
Sævar confirmó que le había dicho a Kristján que fuera al café
y llamara a Geirfinnur. Sævar recordaba que el número de
Geirfinnur incluía los dígitos «31». La policía investigó ese dato
y comprobó que era cierto.

Recogieron a Geirfinnur en el café y lo llevaron al dique
seco. Estalló una pelea a causa del precio del alcohol, y Geirfinnur cayó derribado al suelo. «Kristján lo tocó», declararía
más tarde Sævar, «se volvió hacia mí y negó con la cabeza».
Luego arrastraron el cuerpo de Geirfinnur hasta cargarlo en
una furgoneta, conducida por otro hombre, para poder deshacerse de él.

De repente se dieron cuenta de que Erla había desaparecido. Pasaron algún tiempo buscándola, pero no dieron con ella.
Había trepado por la pista de grava negra, alejándose del mar,

y se había refugiado en un edificio abandonado. Allí permaneció a oscuras durante varias horas.

Al día siguiente, Erla volvió a casa en autostop con dos coches distintos. Se localizó a ambos conductores: uno y otro creían recordar que la habían llevado a su casa la mañana siguiente a la desaparición de Geirfinnur. Uno de ellos dijo que pensaba que había recogido a Erla cerca de Grindavík y la había llevado parte del camino. No tuvo problemas para identificarla en una ronda de reconocimiento.

Schütz necesitaba que cuadrasen dos detalles más. Para empezar, quería encontrar un cadáver.

Peinar un territorio tan vasto era una tarea titánica. Schütz tomó la inusual decisión de autorizar a los guardias de la prisión a abandonar sus puestos y unirse a la operación. En varias ocasiones, los investigadores se desplazaron desde Síðumúli para buscar el cuerpo de Geirfinnur, a menudo acompañados por Sævar, Kristján o Erla. Pertrechados con gorros de piel de estilo ruso y gafas tintadas para desviar el resplandor de la nieve, sus largos abrigos negros ondeaban al viento.

Examinaron los campos de lava próximos a Grafningur, en el punto donde Sævar decía que había escondido el cuerpo en una grieta. Registraron el lago de Thingvellir, cerca de la sede del primer parlamento de Islandia. Buscaron en un campo de fútbol. Fueron hasta una playa de Alftanes, contrataron una excavadora y, luego, desenterraron la arena hasta que toparon con roca.

También intentaron encontrar el cuerpo de Guðmundur. Los investigadores buscaron en los campos de lava al sur de Hafnarfjörður y cerca de la planta de aluminio de Straumsvík. A principios de octubre de 1976 se dirigieron al cementerio de

Fossvogur, y Sævar señaló el lugar al que podrían haber trasladado el cuerpo de Guðmundur. Cuando el responsable del cementerio cotejó datos comprobó que en la zona en cuestión no se había tocado la tierra.

El detective alemán estaba cada vez más seguro de que el cuerpo de Geirfinnur estaba escondido en el paisaje marciano de Rauðhólar. Una y otra vez llevó a los sospechosos a las polvorientas colinas rojas. Los investigadores estudiaron imágenes aéreas, con la esperanza de identificar cualquier alteración obvia en la topografía. Erla señaló un lugar a cincuenta metros de otro punto identificado también por Sævar, pero de la excavación subsiguiente no salió más que tierra roja. Con las primeras heladas hubo que renunciar a las excavadoras. Schütz no había encontrado su cadáver. En cambio, tuvo más éxito con su segundo deseo: descubrir la identidad del hombre «de aspecto extranjero» que había llevado el coche hasta Keflavík. Para Schütz se había convertido en una obsesión. Un informe policial escrito por él mismo nos lo muestra rondando la identidad del hombre durante el interrogatorio al que sometió a Erla el 30 de octubre de 1976:

> Calló de nuevo, empezó a llorar y se tapó la cara con las manos. Finalmente dijo que le tenía miedo. Se le dijo que su testimonio era estrictamente confidencial y que sería tratado como tal. Sin embargo, no quiso decir nada más, excepto que era un hombre muy peligroso. Era rico, y eso lo explicaba todo. Era alguien que ya había hecho algo parecido en el pasado y que volvería a hacerlo sin dudarlo.

Dio el nombre de un tal Guðjón Skarphéðinsson, corroborando lo que los investigadores ya habían escuchado de labios de Kristján en mayo de 1976 y de Sævar el 27 de octubre. Aunque no era exactamente de «aspecto extranjero», su porte espigado y su pulcro bigote de herradura le daban un aspecto llamativo. Llevaba una cadena de oro fino alrededor del cuello. En su declaración, Sævar dijo que Guðjón le había ayudado a él y a Kristján a matar a golpes a Geirfinnur.

Antes de llegar, yo había llamado a Guðjón para recordarle mi visita, pero, cuando llego a su portal le oigo desconcertado. Su voz me llega débil a través del interfono: «¿Quién eres?». Se lo explico. «Bueno, sube entonces».

Llego al último piso y me quito los zapatos, y Guðjón me da la bienvenida a su casa. Con los setenta años ya cumplidos, deambula por su apartamento en zapatillas y bata y me prepara un té afrutado. Los extremos de sus cejas se arquean de forma que parece perplejo por todo cuanto oye.

Su compañía resulta curiosa. Al principio me parece percibir cierto desdén, bien en el modo en que ignora mis preguntas o en el poco interés con el que les da respuesta, y de su expresión cabe entender que le aburre sobremanera volver a hablar de algo acontecido décadas atrás. Es un contraste notable con la actitud de Magnús, por ejemplo, que sigue indignándose cada vez que habla del asunto. A lo largo de la tarde, sin embargo, y en visitas posteriores me doy cuenta de que estaba equivocado, y que lo que interpreté como displicencia era en realidad una socarronería tan extrema que se me había escapado por completo. Sin cambio alguno en su expresión o en su voz, tilda a Schütz de «viejo nazi» con voz lánguida y monótona, y se le escapa una media sonrisa cuando comprueba que su exagerada pullita ha dado en el clavo.

En su día, Guðjón había sido maestro de Sævar. Sus caminos se cruzaron por vez primera en la escuela Reykjanes, en los fiordos occidentales del noroeste de Islandia, en el otoño de 1971. Aquella relación estudiante-profesor solo duró un par de meses, porque Sævar no tardó en ser expulsado. En 1975, Guðjón se encontró de nuevo con Sævar por casualidad en un ferri. Sævar quería pasar de contrabando cánnabis de Holanda a Islandia en el coche de Guðjón. Le prometió a Guðjón que pagaría el transporte del coche y le entregaría otras 100.000 coronas una vez que se hubiera vendido el cánnabis. Guðjón descubrió que no era capaz de decir que no. Metieron 3,7 kilos de cánnabis en las puertas del Citroën marrón de Guðjón. Cuando llegaron a Islandia, la policía los estaba esperando en el muelle.

Después de que Sævar confesara en los casos de Guðmundur y Geirfinnur, la policía se entrevistó con Guðjón. Querían que hiciera una evaluación del carácter de su antiguo alumno. El 10 de febrero de 1976, Guðjón les dijo a los agentes que Sævar le había hablado de lo fácil que era matar gente en Islandia, porque se podían eliminar los cadáveres sin que nadie supiese nunca más de ellos. Sævar le dijo a Guðjón que sabía mucho sobre el caso Geirfinnur, pero no ofreció más detalles.

El 12 de noviembre de 1976 detuvieron a Guðjón en el apartamento de su madre. En su habitación se encontró un maletín con un diario. En él había notas sobre el caso, tomadas de las crónicas aparecidas en los diarios en los días posteriores a la desaparición de Geirfinnur. En la primera página del diario de Guðjón se leía: «Escrito en el n.º 28 de Laugavegur, el 6 de junio, con la nueva pluma de Sævar».

El vínculo entre Guðjón y Sævar era más fuerte de lo que los investigadores habían pensado al principio. Guðjón no solo usaba los útiles de escribir de Sævar para tomar nota de lo que los medios de comunicación sabían sobre la desaparición de Geirfinnur, sino que también parecía existir una interesante dinámica de poder entre los dos hombres que daba a entender que Guðjón podría haber sido la figura dominante en el grupo que viajó a Keflavík.

En una declaración hecha después de la detención de Guðjón, Sævar le dijo a la policía que la razón por la que no había abierto inmediatamente la puerta cuando la policía había acudido a detenerle a su departamento en Kópavogur era que había tenido que llamar a Guðjón. Con los investigadores en la puerta y los coches patrulla frente al edificio, Guðjón le dijo a Sævar que no dijera ni mu sobre la desaparición de Geirfinnur.

La policía había estado convencida de que Sævar era el cabecilla, el estratega que manipulaba a los demás, pero de las palabras de Sævar cabía entender que el verdadero control lo ejercía Guðjón. La dinámica de la relación previa entre Guðjón y Sævar invitaba a establecer una comparación tentadora: ¿y si Sævar era el alumno y Guðjón el maestro?

Para Schütz, lo más importante era que Guðjón tenía una credibilidad de la que carecían los demás. La prensa ya había puesto en la picota a los investigadores por hacer caso de los dudosos testimonios de Erla, Sævar y Kristján, y por meter entre rejas a cuatro inocentes. Guðjón les sacaba más de diez años a todos, había recibido una mejor educación, apenas tenía antecedentes y, lo que era más importante, no parecía estar tratando de engañar a la policía. Según los guardias de la prisión de Síðumúli, se comportaba como un joven profesor universitario.

Karl Schütz fue el confesor de Guðjón. Durante las primeras tres semanas que Guðjón pasó detenido, negó toda participación. Schütz, sin embargo, empezó a centrar sus preguntas en su persona, y los dos mantenían largas conversaciones en alemán.

Guðjón le dijo a Schütz que apenas conocía a las personas involucradas y que nunca había coincidido con Kristján. Pero en una ronda de identificación a finales de noviembre de 1976, Kristján identificó a Guðjón en un grupo de ocho hombres. Kristján les dijo a los investigadores que estaba «bastante seguro» de que Guðjón era el otro hombre que había estado en el dique seco aquella noche. Dos semanas más tarde, Guðjón le confesó a Schütz que entre los tres habían matado a golpes a Geirfinnur.

Cuando le preguntaron por qué no había confesado antes, les dijo a los investigadores que en 1974 había caído en una profunda depresión, y que había situaciones de las que no guardaba ningún recuerdo. De otras sí. Podía recordar un viaje a Keflavík. Podía recordar que Sævar y Kristján habían estado presentes. Y podía recordar que, cuando los llevó de vuelta a Reikiavik, Sævar le había dado un puñetazo amistoso en el hombro y le había dicho: «¡Ahora eres cómplice de asesinato!».

Schütz había encontrado al último culpable.

La mayoría de las familias en Islandia mantienen hoy las mismas tradiciones de fin de año que en 1976. Para empezar, se enciende una hoguera; después se celebra una gran cena con familiares y amigos; y, luego, justo antes de que los fuegos artificiales iluminen el cielo a medianoche, todo el mundo se reúne frente al televisor para ver un programa de humor llamado *Áramótaskaupið*. El programa, emitido por primera vez en 1966, parodia a las personas y acontecimientos más famosos del año, y cada año cosecha cuotas de audiencia que rondan el 90 % de la población.

Mientras el reloj se acercaba a la última medianoche de un año particularmente tumultuoso para el país, el humorista Flosi Eiríksson cantó una canción sobre los casos. Vestía uniforme de policía, y cantaba con acento alemán: solo podía estar haciéndose pasar por una persona.

A los compases de una alegre melodía, el falso Schütz se contonea ante la cámara mientras juguetea con su porra y canta:

Y ahora tenemos criminales locos que intentan engañar a la policía.
Capturamos en un santiamén
a todos los sospechosos de este crimen.
Y los traemos aquí, a este fétido agujero.
¡Para que confiesen!
¡Para que confiesen!

En segundo plano, un grupo de presos malhumorados están de pie en sus celdas, aporreando los barrotes con tazas, mientras tres mujeres armadas con porras bailan al compás de la música y subrayan cada verso con un coro de *«¡ja, ja, ja!»* (es decir, «¡sí, sí, sí!»).

Cuando Flosi pone acento alemán, distorsiona la cara y farfulla los versos por la comisura de la boca:

Confesar le sienta bien al alma.
La policía se apresura a arrancar confesiones.
Conseguimos que todos confiesen antes de Año Nuevo.
(¡Sí, sí, sí, sí!)
Conseguimos que todos confiesen antes de Año Nuevo.
(¡Sí, sí, sí, sí!)
Aquí moran las personas que han luchado con el sistema.
Aunque si buscamos con cuidado veremos que algo falta.
Necesitamos un especialista en este agujero negro.
(¡Sí, sí, sí, sí!)
¡Necesitamos un especialista en este agujero negro!

Aunque el *sketch* tenía más bien poca gracia para los implicados en el caso, resumía en pocas palabras lo que Schütz, el «especialista», había conseguido. Durante sus seis meses en Islandia había dado con el último sospechoso y había conseguido acompasar las distintas confesiones y declaraciones de los testigos. Había capturado a los «criminales locos». Para entonces, Erla ya estaba en libertad. Cuando salió de la cárcel no podía creer lo incomprensiblemente grande que se le hacía el mundo. Si descontamos las salidas para buscar los cuerpos, no había pisado la calle en casi ocho meses. El horizonte parecía muy lejano, y se dio cuenta de que no era capaz de ver nada a lo lejos. Se le hacía borroso. Al principio pensó que sus ojos necesitaban ajustarse al brillo del exterior, pero más tarde supo que su vista se había deteriorado permanentemente al no tener nada en lo que concentrarse en su celda.

Había hecho y retractado múltiples declaraciones diciendo que había sido testigo del ataque sufrido por Geirfinnur, pero, a estas alturas, estaba claro que no había participado activamente en él. Hacía casi exactamente un año que la habían detenido por primera vez por estafa postal.

La culpa de Erla no estaba tanto en su vinculación con el asesinato de Geirfinnur como en haber acusado a los Cuatro del Klúbburinn. Este último detalle era el que más molestaba a la gente. Así como Sævar era un personaje inescrutable, al que la gente podía categorizar como un monstruo, algo había en los actos de Erla que ofendía más la sensibilidad de la gente, más incluso que el asesinato.

¿Era porque no compartía la otredad de Sævar? Sí, había pasado unos años en Estados Unidos cuando era niña; sí, en su adolescencia se había vestido como una *hippie* y consumido drogas: pero también era hija de dos islandeses y hermanastra de una de las estrellas del deporte más queridas del país. Eran muchas las razones de la inquina que despertaba su persona, y quizá la mayor era que los nombres parecían haber salido en primer lugar de sus labios. Pero también estaba la sensación de que la traición se había consumado desde dentro. Había traicionado a su familia. Había traicionado a la comunidad. Su padre, Bolli, con el que siempre había tenido una relación más próxima, la llamó «Judas» a la cara.

El 2 de febrero de 1977, Karl Schütz convocó una rueda de prensa. Vestido con traje de *tweed* marrón y flanqueado por sus traductores, presentó sus conclusiones. En un tablero a sus espaldas se había colgado una foto de la cafetería Hafnarbúðin y una maqueta del coche conducido hasta el dique seco. Frente a él estaba la estatuilla, el «Leirfinnur».

A lo largo de una hora, Schütz presentó a los periodistas allí reunidos el relato de los hechos. Hablaba a ráfagas, para que su intérprete pudiera seguirle el ritmo. «En una reunión histórica con la prensa», informaba *Dagblaðið* el 3 de febrero, «se reveló finalmente la solución al misterioso caso criminal». Todo había sido un malentendido: un pacto entre contrabandistas que se había torcido.

Los motivos del encuentro en Keflavík se habían apalabrado en el Klúbburinn dos días antes. Sævar y Kristján estaban allí para robar carteras a los parroquianos borrachos. Sævar se presentó a Geirfinnur como Magnús Leópoldsson, y los dos hombres negociaron la posible compra de cierta cantidad de alcohol de contrabando. Sin embargo, Sævar nunca tuvo la intención de comprar el alcohol, sino de robarlo una vez que Geirfinnur le hubiese mostrado su ubicación.

Dos días después tuvo lugar una enrevesada visita a Keflavík. Dos de los investigadores, Sigurbjörn Víðir Eggertsson e

Ívar Hannesson, habían medido minuciosamente el viaje con la mayor precisión posible en un Volvo propiedad de la policía.

La madre de Sævar, Erla y Sævar fueron al cine a ver el documental sobre la erupción volcánica en el cine Kjarvalssta-ðir, en el centro de Reikiavik, en uno de los cuatro pases consecutivos de aquella noche, y a las 20.40 horas regresaron al Land Rover de Erla. Se dirigieron primero al domicilio de la madre de Sævar: era diabética y necesitaba llegar a casa para poder cenar en condiciones.

Condujeron luego hasta casa de Erla, donde cambiaron de coche y se subieron a un Volkswagen azul claro que habían alquilado en Geysir Car Rental el día anterior. No se firmó ningún contrato de alquiler, explicó Schütz, pero el empleado recibió 5.000 coronas, junto con la promesa de que Erla limpiaría su apartamento como parte del pago. El 21 de diciembre de 1976 se entrevistó a un antiguo empleado de Geysir Car Rental que recordaba haber alquilado un coche a Erla y Sævar sin contrato.

A las 20.58 horas, Erla y Sævar pusieron rumbo a la casa de Guðjón en la calle Ásvallagata, a la que llegaron a las 21.08 horas, pero no estaba en casa. Lo encontraron con unos amigos en el Lambhóll de Starhagi, en otro barrio de Reikiavik, a las 21.15 horas. Guðjón llevó entonces a Erla y Sævar a Vatnsstígur para encontrarse con Kristján. Sigurður Óttar Hreinsson, primo de Kristján, llegó en una camioneta. Iba a ayudarles con el contrabando. Partieron en convoy hacia Keflavík a las 21.32 horas. Sigurður Óttar confirmó en una declaración tomada el 14 de diciembre de 1976 que así había ocurrido, y lo reiteró bajo juramento seis meses después.

Conducía Guðjón, con Sævar sentado a su lado. Kristján y Erla iban detrás. Sævar dijo que le pareció que Geirfinnur no las tenía todas consigo, y que quizá tendrían que «trabajárselo» un poco si no llevaba lo que había prometido. Llegaron a Keflavík a las 22.07 horas, más tarde de lo previsto. Geirfinnur no estaba allí. Ya había pasado por la cafetería y volvía a estar en su casa. Sævar fue a un quiosco para llamar a Geirfinnur, pero luego desechó la idea. Había gente saliendo de un cine cercano y temió que lo reconocieran, así que Kristján hizo la llamada desde la cafetería Hafnarbúðin. El hijo de Geirfinnur se puso al teléfono y oyó una voz que no reconoció. Se lo pasó a su padre: «Ya estuve. Está bien, voy para allá», y entonces Geirfinnur salió a la calle sin hacer caso a su hijo, que quería acompañarle.

Recogieron a Geirfinnur en la cafetería y se dirigieron al dique seco. Estaba oscuro, llovía y la única luz era el foco solitario que colgaba sobre el dique seco. Esta fue una de las razones de los múltiples cambios en las declaraciones: era difícil ver algo con nitidez. Sævar le pidió a Geirfinnur que les diera la cerveza, pero Geirfinnur había entendido mal: pensó que era él quien les compraba el alcohol. Sævar sacó 70.000 coronas para animar a Geirfinnur a que sacase la mercancía.

En ese momento, Geirfinnur intentó marcharse, pero, antes de que pudiera escapar, Guðjón lo agarró. Estalló una pelea y Geirfinnur cayó al suelo a causa de los golpes. «Kristján pegó la oreja a su pecho, buscando un latido, mientras Sævar le tomaba el pulso», según *Morgunblaðið*, «y el veredicto fue unánime: Geirfinnur estaba muerto».

No había alcohol que transportar, así que Sigurður Óttar regresó a Reikiavik en su furgoneta. Sævar, Kristján y Guðjón metieron el cuerpo de Geirfinnur en la parte trasera del Volkswagen azul (del lado izquierdo, para poder recostarlo contra la ventanilla) y le envolvieron la cabeza con un abrigo. Volvieron al centro de Reikiavik y guardaron el cadáver en casa de la abuela de Kristján, en el 82 de Grettisgata. Lo pusieron en un banco de madera y lo envolvieron en polipiel. Erla, entretanto, se había escondido en un almacén de Keflavík, y a la mañana siguiente regresó a casa en autostop.

Dos noches más tarde, Erla, Kristján y Sævar llevaron el cuerpo a las colinas rojas de Rauðhólar. Por el camino compraron un bidón de gasolina de cinco litros. Cavaron una tumba poco profunda y metieron en ella el cuerpo de Geirfinnur antes de prenderle fuego.

Aunque no se había encontrado un cadáver, explicó Schütz, de los testimonios se desprendía claramente que fue enterrado en Rauðhólar. Declaró que los investigadores habían examinado buena parte del terreno, pero que la congelación del suelo les había impedido realizar una búsqueda más exhaustiva. El 95 % de las pruebas, señaló, estaba en las confesiones. Concluyó diciendo: «Como nos gusta decir a los investigadores criminales, el caso está más allá de toda duda razonable». Por último, elogió a la policía islandesa: «Nunca he conocido un cuerpo policial tan diligente, ¡y tampoco ninguno al que se le pague tan poco!».

Había sido una de las investigaciones criminales más extensas jamás realizadas en Islandia, y también una de las más costosas. El secretario de Estado no quiso confirmar cifra alguna, más allá de afirmar que se habían gastado varios millones de coronas. Al día siguiente, los periódicos invitaban a los lectores a comparar las dos imágenes de portada: la cara de Kristján y la cabeza de arcilla.

En Islandia, los juicios transcurren sin jurado, por lo que no había peligro de predisponer a sus posibles miembros del jurado antes de la celebración de la vista. Pero, tal fue el poder que ejerció Schütz durante sus seis meses en Islandia que, mucho antes de que los sospechosos fueran siquiera procesados, los declaró culpables ante los medios de comunicación. Regresó a Alemania tres días más tarde.

El 16 de marzo de 1977 se presentaron los cargos contra los acusados en el caso Geirfinnur. Los cargos en el caso Guðmundur ya se habían presentado el 8 de diciembre de 1976. Tres jueces –Gunnlaugur Briem, Ármann Kristinsson y Haraldur Henrysson– se hicieron cargo del proceso, que comenzó el lunes 3 de octubre de 1977 a las 9.30 horas. Kristján entró en la sala del tribunal con gafas de aviador y camisa de piloto, con un jersey blanco de cuello de cisne colgado de un hombro.

El tribunal ya había tomado declaración a los testigos antes de que comenzara la vista. Se había hecho venir desde su casa de Torremolinos a Gunnar Jónsson, un tipo de pelo desgreñado y gafas, para testificar que había estado en el 11 de Hamarsbraut y que había visto una pelea en la que alguien cayó sobre una mesa. Dijo que este hombre podría haber sido Guðmundur.

Elínborg Rafnsdóttir y Sigríður Magnusdóttir, las dos mujeres que salían de Hafnarfjörður cuando vieron a Guðmundur, también fueron citadas a prestar declaración. En una ronda de reconocimiento policial identificaron a Kristján como el hombre que tropezó borracho con Guðmundur en el camino. Una y otra indicaron que no estaban completamente seguras, pero que se parecía al hombre que habían visto. Eso significaba que Kristján se había encontrado con Guðmundur cerca del club de Hafnarfjörður y lo había llevado consigo al piso de Hamarsbraut. Él era el hombre de la camisa amarilla.

Sobre Sævar, Kristján y Guðjón recayó la acusación de haber matado a Geirfinnur. Se había llamado a múltiples testigos que confirmaron diferentes partes de la historia: el hombre que vio a Sævar en el cine y le oyó decir que iba a Keflavík, el testimonio anterior de Sigurður Óttar (el conductor de la camioneta), y los conductores que llevaron a Erla a casa a la mañana siguiente.

La vista se prolongó durante un total de veintinueve horas y concluyó a las 20.30 horas del viernes 7 de octubre. El 19 de diciembre de 1977 se dictaron las sentencias. Los seis fueron declarados culpables. Sævar y Kristján fueron condenados a cadena perpetua por el asesinato de Guðmundur y Geirfinnur; Tryggvi fue condenado a dieciséis años por el asesinato de Guðmundur; Guðjón fue condenado a doce años por el asesinato de Geirfinnur; Erla fue condenada a tres años por haber calumniado a los Cuatro del Klúbburinn; y Albert fue condenado a quince meses por obstrucción a la justicia. Hubo también una serie de cargos adicionales, entre ellos los de incendio provocado y robo y, en el caso de Sævar y Kristján, también de calumnia.

Tryggvi, vestido con un traje a rayas y una camisa con estampado de flores abierta hasta el ombligo, sonrió radiante a los reporteros mientras los investigadores lo conducían esposado a su celda.

En Alemania Occidental, el segundo titular del *Abendpost-Nachtausgabe* de Fráncfort decía así: «El cazador de espías alemán salva al gobierno islandés». Schütz había resuelto los crímenes que amenazaban con hundir al país. El Ministerio de Justicia de Islandia declaró que la pesadilla de la nación había terminado.

En más de un sentido, no había hecho más que empezar.

INTERLUDIO

El conjunto de la población carcelaria de Islandia oscila en torno a los 150 presos. Sería posible meter a todos y cada uno de los reclusos en dos autobuses de dos pisos. El sistema penitenciario de Islandia es tan diminuto que los condenados suelen quedarse en sus casas hasta que se libera una celda. Algunos de ellos esperan durante un lustro.

Sævar, Kristján y Tryggvi fueron encarcelados en Litla-Hraun, la prisión de mayor seguridad de Islandia, situada a cincuenta kilómetros al sudeste de Reikiavik. Se encuentra a pocos kilómetros al sur de Selfoss, donde Sævar y Erla realizaron una estafa postal en 1974.

Originalmente construido como hospital regional en 1926, Litla-Hraun cambió de función en 1929, lo que enfureció a los habitantes de las aldeas pesqueras vecinas, que se habían ofrecido voluntariamente a ayudar en su construcción porque pensaban que su trabajo beneficiaría a inválidos, y no a presidiarios.

Escalar la verja que rodeaba la prisión no era difícil, pero la posibilidad de que alguien huyera era muy remota. No habrían tenido a dónde ir. Cada vez que alguien saltaba la valla acababa siendo capturado pasados uno o dos días. Los reclusos pasaban las jornadas trabajando en el recinto y fabricando matrículas para los coches.

Aunque las celdas de Litla-Hraun están reservadas para los peores delincuentes de Islandia, las posibilidades de recreo eran muchas. La prisión contaba con una mesa de billar, una sala de televisión y un patio donde los reclusos podían jugar al fútbol. Diversos músicos se acercaban por allí para tocar ante los presos, y uno de ellos, Tryggvi Hubner, le prestó su guitarra a Sævar. Sævar y su compañero de prisión Rúnar Þór Péturs-son formaron una banda mientras cumplían condena: la llamaron Fjötrum, que significa «grilletes». Se les dio permiso para grabar un disco, *Iron Bar Rock*, en los estudios de grabación Glora. A pesar de estas concesiones, a Sævar seguían tratándolo como al recluso más peligroso de Litla-Hraun. Cuando una compañía de teatro visitó la prisión para representar una obra, Sævar fue llevado a su asiento por tres guardias y se le segregó del resto de prisioneros. Los guardias no le quitaron el ojo de encima durante toda la obra, para asegurarse de que no provocara problemas.

Guðjón recibió mejor trato. En lugar de cumplir condena en Litla-Hraun, se le envió a casi doscientos kilómetros al norte de Reikiavik, a la prisión de Kvíabryggja. Los reclusos de Kvíabryggja no solían ser reincidentes. Establecida en 1954 para quienes no pagaban la manutención de sus hijos, la cárcel carecía de rejas en las ventanas, y la cerca que la rodeaba era lo suficientemente baja como para que los reclusos pudieran superarla tomando algo de carrerilla y saltando por encima de ella. Por la noche, las celdas no se cerraban con llave.

La cárcel estaba rodeada de tierras cultivables, y el alcaide vestía y hablaba como un hombre de campo. Creía en la importancia de que los prisioneros trabajasen la tierra a jornada completa. Guðjón dice que disfrutó de su tiempo allí. Él y la otra docena de reclusos trabajaban durante el día, procesando pescado para la exportación o realizando tareas manuales en la granja, y por las tardes podía leer sus libros.

Tras su puesta en libertad, Guðjón se mudó a Copenhague para estudiar teología. Cuando regresó a Islandia decidió ordenarse sacerdote. Visitó las ochenta casas de la parroquia para conocer a sus feligreses, y en cada una de ellas se tomó tres tazas de café. Le dieron el puesto. Los residentes de Snaefellsnes, en el noroeste del país, empezaron a acercarse a su iglesia, roja como un buzón, para recibir la eucaristía.

No había cárcel de mujeres en la que Erla pudiera cumplir su condena, por lo que fue enviada a Akureyri, la segunda ciudad más grande de Islandia, en el norte. Erla se trasladó hasta allí por su cuenta; la policía la estaba esperando en el aeropuerto. La llevaron a una serie de calabozos contiguos a la comisaría que podían albergar hasta nueve prisioneros. Su celda daba a la carretera, y a veces los habitantes de Akureyri le gritaban desde la calle.

Erla salió en libertad el 9 de agosto de 1981. No pensaba en otra cosa que en subirse al avión. Su hija la esperaba a su llegada. Se había preparado durante días para decir lo correcto y llevar el regalo adecuado. Cuando el avión aterrizó en Keflavík, Erla salió corriendo hacia la terminal y allí encontró a Julia, de cinco años de edad, que la esperaba con un ramo de flores.

Su vida en Islandia siguió siendo difícil. Cuando no despertaba curiosidad entre la gente, debía sufrir su desprecio. Hizo lo que pudo para encontrar trabajo. Los amigos de antes no le dirigían la palabra. Un día, en la calle, una mujer elegantemente vestida se le acercó y le escupió en la cara, para luego seguir caminando sin mediar palabra. Erla se trasladó a Hawái.

Tras ser puestos en libertad, Kristján, Tryggvi y Albert continuaron con sus vidas. Albert trabajó en la construcción, Tryggvi encontró trabajo en un astillero y Kristján fue encadenando empleos temporales, hasta que finalmente regresó a la cárcel durante cinco años por agredir a su esposa. Ninguno de los sospechosos habló públicamente sobre los casos. Excepto uno. En varios artículos periodísticos escritos después de su liberación, Sævar clamó exigiendo que se reabriesen los casos. Según él, se había engañado a la sociedad islandesa. En 1983, los Cuatro del Klúbburinn habían recibido sustanciales indemnizaciones del Estado, estimadas en 200.000 coronas para cada uno, y Sævar reclamaba una compensación similar. Pocos le prestaron atención. No es nada fuera de lo común que una persona culpable proclame su inocencia. Cuando se quejó de la brutalidad de los métodos policiales, le respondieron que las cosas habían cambiado desde la década de 1970. Si alguien merecía que se le tratase con la dureza que denunciaba era la persona responsable de dos muertes.

Para quienes vieron sus vidas destruidas por el caso, las moralistas proclamas de inocencia de Sævar eran exasperantes. Los otros condenados se habían reinsertado en la sociedad, o habían buscado nuevos horizontes para rehacer su vida. Sævar no era capaz de olvidarse de los casos. Una y otra vez arrancaba la costra y exponía la herida al aire.

Lo mismo había hecho ante los jueces. Antes de que se dictara sentencia, Sævar subió al estrado para defenderse. Fue algo muy poco habitual. El veredicto ya había sido dictado, y no ganaba nada plantándose ante los jueces. Muchos lo percibieron como un agravio más para quienes más habían sufrido: el gesto impenitente de alguien que había perdido el derecho a ejercer su voluntad con tanta desfachatez.

Sævar subió al estrado vestido con un traje de terciopelo negro, camisa blanca recién planchada crujiente y botas blancas. Siete jueces le observaban desde detrás de sus gafas. Los fotógrafos de los principales periódicos se alineaban en los laterales de la sala.

Sævar se dio un instante para ganar compostura. Desplegó un trozo de papel arrugado que llevaba en el bolsillo de la chaqueta y explicó por qué creía que el tribunal había llegado a una conclusión equivocada. Terminó con una cita de Sócrates. «Llega la hora de partir, y cada uno sigue su camino: yo para morir y tú para vivir. Solo Dios sabe cuál de los dos es mejor». Luego, volvió a tomar asiento.

Alrededor de la sala se desató un sinfín de chasquidos y destellos de flashes.

6

AHOGAR A LA RATA

La idea de ahogarse frente a la costa es algo que durante mucho tiempo ha estado presente en el imaginario popular islandés. A medida que la pesca ganaba en importancia hacia finales del siglo xix y a lo largo del siglo xx, las muertes en el mar se hicieron más frecuentes, y en algunos años llegaron a sumar hasta dos tercios del total de muertes fortuitas. Desde tierra firme, la única indicación de que se había producido un desastre eran los cuerpos que llegaban a la costa con la marea.

Abundaban las historias que atestiguaban la importancia de aprender a nadar. En la década de 1930, el bote que transportaba a cuatro granjeros y una vaca peleona volcó en un fiordo, y el único sobreviviente fue el granjero al que se le había enseñado a chapotear para llegar a la orilla. La enseñanza de la natación se hizo obligatoria en 1940, y, poco después, por toda Islandia empezaron a aparecer piscinas, saunas y jacuzzis, que se climatizaron aprovechando las aguas termales del núcleo geotérmico del país. En los países cálidos, uno va a la piscina a refrescarse; en Islandia, en cambio, a la piscina se va a entrar en calor. Su popularidad es inmensa.

El alma de Reikiavik son sus piscinas. Hay dos cerca del centro de la ciudad, y unas cuantas más desperdigadas en las afueras: la más antigua es Sundhöllin, una hermosa piscina cubierta de preguerra que conserva el azulejo de los vestuarios originales todavía intacto; la más moderna es Vesturbæjarlaug, situada en el lado oeste de la ciudad; pero la mejor es Laugar-dalslaug, una de las más grandes de Islandia, que cuenta con dos grandes piscinas al aire libre, un tobogán de agua y una hilera de siete jacuzzis. En un país sin parques municipales, plazas o bares, la piscina es el lugar donde la gente va a socializar. Algunos entusiastas se ponen gorros de natación y hacen largos, pero para la mayoría de los islandeses es un lugar para reunirse con los amigos después del trabajo, para discutir con extraños sobre política o para sumergirse en el agua caliente y pensar en las musarañas. Lo de meterse en una bañera con gente a la que uno no conoce puede ser muy agradable. Desvestida y desprovista de todo indicio de su estatus social, la gente se muestra a un mismo nivel. Cuando los políticos quieren recabar votos o escuchar las preocupaciones de sus electores se acercan a las piscinas. Podría parecer que, de entrada, sentarse en traje de baño frente a frente con un desconocido resultaría incómodo, pero nada más lejos de la realidad: nadie siente el menor atisbo de vergüenza. Acercarse de esta manera a la gente humaniza.

En la primavera de 2017, el rodaje del documental había terminado, y yo me había trasladado a vivir a Islandia para continuar mi investigación, y durante algún tiempo me alojé en una casa de huéspedes del centro de la ciudad antes de mudarme con un amigo al lado oeste de Reikiavik.

Una resplandeciente tarde de un sábado de abril entro en Laugardalslaug y me la encuentro abarrotada. Docenas de personas ocupan las piscinas. Aunque se respeta la privacidad, las piscinas también obligan a tratar con la gente. Entrar en el agua peldaño a peldaño mientras el resto de bañistas se mueven para hacer hueco genera la sensación de estar entrando en el cuarto de estar de alguien.

En un corrillo, un adolescente tatuado cuenta a sus amigos que ha oído que el rapero islandés Emmsje Gauti presentará un *set* secreto esa noche en Hurra, un bar popular del centro de la ciudad. En otro, un concurrido grupo de ancianos habla animadamente sobre si debería haber un impuesto para los turistas que llegan al país. El grupo, bullicioso y bienhumorado, va creciendo en número a medida que la gente llama a otros conocidos para que participen en el debate. Alguien me pregunta qué me ha llevado a la ciudad, y, cuando respondo, la piscina entera empieza a discutir la desaparición de Geirfinnur.

Reikiavik es una ciudad cosmopolita, artística y siempre inquieta, pero en cierto modo sigue siendo el mismo pueblo de pescadores chismosos que en la década de 1970. Suele decirse aquí que «cuando tres personas saben algo, todo el mundo lo sabe». A veces, cuando llamo a la gente para solicitar una entrevista, ya saben que estoy en la ciudad. Perfectos desconocidos contactan conmigo por correo electrónico con sugerencias sobre los casos. Me llegan mensajes de texto de la hermana de Sævar: «¿Has hablado con Haukur Guðmundsson? Él sabe que Sævar no estaba en Keflavík»; y «Deberíais andaros con ojo. No me gustaría que os pasara nada»; y «Sævar me lo contó todo».

Cuanto más tiempo paso investigando los casos, más tengo la sensación que debieron de sentir los investigadores antes de que llegara Schütz: la de estar dando palos de ciego. Por la noche, en mi habitación, leo y leo sobre las desapariciones hasta que me da vueltas la cabeza. En artículos de noticias previos a la investigación veo que se repiten los mismos nombres de políticos y agentes de policía, y de repente me convenzo de que podría unir todos los puntos para desvelar un plan general mucho más vasto, una línea argumental en la que todo está conectado; a la mañana siguiente, cuando reviso mis confusas notas, me doy cuenta de que estoy fabulando conspiraciones a partir de coincidencias. Si la historia hubiera terminado con las condenas, pocos motivos habría para seguir investigando los casos. El hecho de que las desapariciones de Guðmundur y Geirfinnur sigan siendo objeto de debate en los periódicos, en programas de entrevistas, en el Parlamento y, por supuesto, en las piscinas de Islandia se debe a lo que fue descubriéndose en años posteriores.

En la piscina, el vapor se eleva desde la superficie mientras las conversaciones continúan entre bañera y bañera y yo pienso en algo, algo que uno de los abogados de Sævar dijo una vez: «Encuentra dónde empiezan los rumores, ahí es donde empieza todo». Hundo la cabeza en el agua y me evado del humo.

«En enero de 1996 tenía veintiocho años y recibí la llamada de un tipo que se presentó como Sævar Ciesielski», dice Sigursteinn Másson. «Y, por supuesto, todos en este país conocemos ese nombre. El nombre de por sí ya da mala espina». Lo primero que le llamó la atención a Sigursteinn al conocer a Sævar fue lo pequeño y delgado que era para ser un asesino.

He quedado en encontrarme con Sigursteinn en su lugar de trabajo en la antigua zona portuaria en Reikiavik. Amenaza tormenta, y las velas de los balleneros amarrados en el muelle flamean con el viento. Las gaviotas groenlandesas planean en diagonal sobre mi cabeza. En el centro de una hilera de casetas oscuras que anuncian excursiones en barco para ver frailecillos y la aurora boreal, veo una que aún no ha cerrado. Junto a la puerta han pegado el dibujo de una ballena, y sobre ella un bocadillo que dice: «¡Ven a vernos, no a comernos!».

Antiguo periodista de televisión en Stöð 2 (Canal 2), la primera cadena privada de televisión en Islandia, Sigursteinn es ahora uno de los principales activistas contra la caza de ballenas del país. Se le ve fibroso y bronceado, y me da la bienvenida a su oficina con un fuerte apretón de manos. Dentro está todo oscuro, excepto una pequeña zona de asientos al fondo; una lámpara de escritorio ilumina los papeles y libros esparcidos sobre una mesa. El viento silba contra las paredes de la caseta.

Sigursteinn habla de los casos con un intenso fervor que, sin embargo, parece tener bajo control. Aunque en más de una ocasión se emociona y golpea la mesa con el dedo para subrayar lo que dice, nunca pierde de vista los detalles de su discurso. En una ocasión, la segunda vez que nos reunimos, dice algo sobre plantarle cara (en el terreno periodístico o jurídico) a quienquiera que tergiverse la verdad de lo que sucedió, y no me cabe duda de que, aunque estemos hablando hipotéticamente, ninguna inexactitud por mi parte pasará desapercibida.

Su trabajo se ha centrado en causas complicadas: la igualdad en la salud mental, los derechos de los discapacitados, la oposición a la poderosa industria ballenera islandesa. Y, cuando Sævar se puso en contacto con él en 1996, mucho antes de que comenzara su carrera como activista, Sigursteinn era, en muchos sentidos, el tipo de periodista que el país llevaba esperando desde que dos hombres desaparecieron en circunstancias misteriosas en 1974.

Cuando Sigursteinn era niño, su madre le mostraba con el dedo las colinas rojas de Rauðhólar y le decía que el cuerpo de Geirfinnur estaba allí escondido. La historia de Guðmundur y Geirfinnur estaba tan profundamente arraigada en la conciencia colectiva que, al igual que los mitos de los trolls y los pueblos ocultos, era ahora indisociable de las colinas islandesas. Para alguien que no era más que un niño durante la investigación, la idea de descubrir algo nuevo era absurda.

En un primer momento, Sigursteinn se mostró reticente a examinar los casos, pero Sævar insistió, y se presentó en casa de Sigursteinn con cientos de páginas de documentos del veredicto del Tribunal Supremo. La longitud de las sentencias hizo que se apelaran automáticamente ante el Tribunal Supremo en 1980. La mayoría de ellas fueron acortadas. El Tribunal Supremo dictaminó que no hubo intención de matar ni a Geirfinnur ni a Guðmundur. En ambos casos se trató de ataques brutales con resultado de muerte, pero ni uno ni otro podían considerarse asesinatos. La cadena perpetua de Sævar quedó reducida a diecisiete años. Aun así, la suya siguió siendo la condena más larga de la historia legal islandesa.

El interés de Sigursteinn se despertó cuando empezó a leer los documentos que Sævar le había llevado. Por lo visto, había una disparidad entre la información recogida en los informes redactados por la policía durante la investigación y la historia presentada al Tribunal Supremo, de la que se omitieron muchos detalles. Sigursteinn se avino a colaborar, y comenzó a trabajar en un documental.

En el verano de 1996, después de más de seis meses de investigación con Kristján Guy Burgess, coguionista del documental, Sigursteinn se enteró de que iba a demolerse la prisión de Síðumúli, el centro en el que los acusados en los casos de Guðmundur y Geirfinnur estuvieron recluidos desde su detención hasta ser condenados.

Sin muchas esperanzas, Sigursteinn se puso en contacto con el Ministerio de Justicia para preguntar si podían filmar algunas escenas dramatizadas para el documental en Síðumúli. Para su sorpresa, el permiso les fue concedido. Hacía una semana que la prisión había cerrado, y cuando llegaron se estaban llevando al último interno. Sigursteinn, el director Einar Magnússon y un reparto de dobles cuidadosamente seleccio-

AHOGAR A LA RATA 155

nados por su parecido con los condenados, muchos de los cuales trabajaron gratis, pusieron manos a la obra. Einar Magnússon vendió su coche para ayudar a financiar el proyecto. El primer paso fue encerrar a los actores. Las celdas eran diminutas y no había nada en ellas excepto una cama, una mesa y una silla de madera atornillada al suelo. La ausencia de ventanas hacía difícil saber si era de día o de noche. «Los jóvenes actores quedaron conmocionados», dice Einar Magnússon. «Me siento fatal cuando recuerdo lo que les hicimos pasar». Los dejaron allí durante tres horas. Algunos lloraron y aporrearon las puertas de sus celdas. Al final imploraban que les dejaran salir.

En el tercer día de rodaje, Sævar acudió a ayudar con la reconstrucción. Recién afeitado, con el pelo castaño hasta los hombros, resultaba evidente que no le había sido fácil regresar a Síðumúli. Todo era tal y como lo recordaba (hasta el guardia que acompañaba al equipo mientras caminaban por la prisión), y dentro de su antigua celda Sævar encontró aún las marcas en la pared en las que tantas veces se había fijado como recluso. Se las señaló al actor de pelo largo que interpretaba al Sævar de veinte años atrás.

Síðumúli sigue muy presente en las mentes de quienes cumplieron allí condena. Los antiguos reclusos recuerdan que, privados de estímulos visuales, el oído desarrollaba una hipersensibilidad a los sonidos que salían de las celdas vecinas: la inhalación y exhalación rítmica de un recluso haciendo flexiones; el lejano murmullo de los guardias conversando en la sala común; el gutural arrastrar de grilletes de un preso castigado por su mal comportamiento. A lo largo de 1976, a medida que aumentaba la presión para encontrar una solución, los estrechos pasillos verdes de la prisión incubaron una atmósfera particularmente febril.

Hlynur Þór Magnússon, un cortés guardia de prisión que trabajaba en Síðumúli y que ahora vive en una pequeña residencia de ancianos en la pintoresca región de los fiordos occidentales, describe cómo, durante la investigación, Síðumúli era un mundo aparte. «Había mucha tensión, como al principio de un partido de fútbol». Guðsteinn Þengilsson, el médico de la prisión, va más allá, y recuerda que, durante la reclusión de Sævar y Erla, la sensación imperante en el recinto era similar a una ola de terror.

En los meses previos al rodaje en Síðumúli, Sigursteinn y sus colegas se estuvieron informando sobre el trato recibido por los sospechosos durante su detención. Por eso les sorprendió que el Ministerio de Justicia les permitiese rodar en aquel escenario. «No creo que las autoridades se dieran cuenta de la información que habíamos recopilado durante nuestros meses de investigación», dice Sigursteinn. «Ni el tipo de reconstrucción que queríamos rodar».

Al día siguiente de la visita de Sævar a Síðumúli, Sigursteinn y Einar Magnússon comenzaron a rodar las escenas de abusos. En sus escritos publicados en prensa tras salir a la calle, Sævar había sostenido que fue torturado, algo difícil de probar, ya que poca gente estaba dispuesta a corroborar lo que contaba. Según Sævar, uno de los métodos de castigo era el llamado «estiramiento». Le esposaban las manos a la silla y los pies a la cama, y luego lo estiraban tirado en el suelo.

Cuando el actor que interpretaba a Sævar empezó a gritar y retorcerse en el suelo, el guardia de la prisión se acercó y les dijo: «No, no, no lo hacíamos así» y procedió a demostrar al atónito equipo de rodaje el método real que se había utilizado; un método, en todo caso, más brutal todavía.

Durante una pausa entre escenas, Sigursteinn y el guardia de la prisión se acercaron a la habitación que separaba las instalaciones de los guardias de las celdas. En lo alto de unos estantes, en un rincón, Sigursteinn se fijó en algunos libros viejos. En ese momento entró Einar Magnússon, el director, y de la significativa mirada que cruzó con Sigursteinn dedujo que había que distraer al guardia. Einar fingió que necesitaba ayuda en una de las celdas y salió de allí con el guardia, lo que permitió a Sigursteinn acercar una silla al estante y hojear los libros. En el lomo de cada uno de ellos constaba un año diferente. Eran los registros de incidencias de la prisión. Dentro de cada uno constaban los acontecimientos cotidianos de la prisión de Síðumúli. A juzgar por su aspecto, algunos no se habían abierto en décadas.

Casi inmediatamente, Sigursteinn pudo ver que las anotaciones corroboraban muchas de las afirmaciones de Sævar. Había muchísimos detalles que no había sido posible confirmar. Los registros de incidencias de la prisión lo cambiaban todo. «Marcaron un antes y un después», dice Einar Magnússon. «Todo lo que nos había contado Sævar se hizo realidad. Fue como si alguien que hubiese estado coqueteando con el cristianismo hubiese visto de repente a Jesucristo caminar sobre las aguas».

La lectura de aquellos archivos pone de manifiesto el desprecio generalizado que inspiraba Sævar. Una entrada, escrita el 26 de abril de 1976, señala que se podía oír a Sævar llorando a gritos en su celda. Alguien se pasará pronto, escribía Gunnar Guðmundsson, el guardia jefe de la prisión, para «volver a apretarle las tuercas a ese cabrón otra vez». Durante julio de 1976, Jón B. Sveinsson, otro de los guardias, consigna que Sævar se negó a tomar un medicamento debido a una dolencia cardíaca: «Nos ha dicho un médico que a su corazón no le pasa nada [...]. Lo que yo opino, y otros comparten esa opinión, es que Sævar Marino Ciesielski no tiene corazón».

En otros pasajes se describe a Sævar como un «sinvergüen-za», y como alguien al que «hay que quitarle las tonterías».

Vistas por separado, podrían desecharse las anotaciones negativas sobre Sævar como invectivas desafortunadas; comprensibles, que no excusables, en el contexto de los horribles crímenes que había confesado. Pero tomadas en su conjunto, contribuyen a la sensación de que la atmósfera en Síðumúli era irrespirable. «Me trataron peor que a un animal», dijo Sævar una vez a propósito del tiempo que pasó allí encerrado. Era como si se le hubiese estado deshumanizando para justificar las medidas utilizadas en su contra.

Sævar parecía despertar reacciones particularmente fuertes en sus inquisidores. Era respondón y menudo, y le consideraban el cabecilla del grupo. Hlynur Þór Magnússon recuerda cómo sus colegas «sentían un desprecio absoluto» por Sævar, y que sus declaraciones, contradictorias e imprecisas, no hacían sino exacerbar su irritación. En comparación con los reclusos habituales en Síðumúli, cuyas faltas podían comprenderse desde la clara causalidad que las había motivado (el consumo de drogas, un arranque de ira, ansia de lucro), la aversión que despertaba Sævar estaba ligada a su aparente distanciamiento de los hechos: sus crímenes resultaban tanto más escalofriantes por cuanto no parecían estar relacionados con motivo discernible alguno. A los guardias les parecía que estaba jugando con ellos.

Hlynur recuerda la transformación entre sus colegas, hombres y mujeres con los que llevaba años trabajando y a los que conocía como gente de buen corazón. Gunnar Guðmundsson, el director de la prisión, le había parecido siempre un anciano encantador, pero, durante el período de la investigación, se convirtió en una persona diferente.

La primera habitación a la derecha cuando se entraba en Síðumúli era la sala de interrogatorios. No había más luz que la de una lámpara colgada sobre la mesa y las dos sillas del centro de la habitación. Kjartan Kjartansson, otro guardia de Síðumúli, recuerda haber estado en el pasillo fuera de la sala de interrogatorios cuando, de repente, Gunnar Guðmundsson pasó a su lado y entró en la habitación. Cerró la puerta tras él. Dentro se oía mucho ruido. Kjartan intercambió miradas con los demás guardias. ¿Por qué nadie abría la puerta para ver lo que estaba pasando? Él sí la abrió. Dentro vio a Gunnar y Sævar. Gunnar parecía relajado: sin embargo, Sævar estaba visiblemente aterrorizado. Gunnar le ordenó a Kjartan que cerrara la puerta de la celda inmediatamente. Sævar había estado gritando: «¡Cálmate, Gunnar, cálmate!».

El sueño era un arma más en la guerra que cada mañana libraban contra Sævar cuando este intentaba descansar algunos instantes. Los diarios escritos por Sævar durante su paso por Síðumúli describen un período de dos meses en el que las luces de su celda permanecieron encendidas a todas horas, extremo que más tarde confirmaría otro guardia de la prisión, que había trabajado como electricista y se había encargado de trastear con los cables para que el interruptor de la luz no funcionase. Cuando Sævar quiso cubrir la bombilla con un gorro de punto se lo impidieron.

Junto a su celda estaba la sala común, y a veces, por la noche, sabiendo que las semanas de aislamiento habían agudizado su oído, los guardias golpeaban piedras contra las paredes para mantenerlo despierto. Uno de los guardias de la prisión contó en 1979 que uno de sus colegas se había empeñado en que Sævar no pudiese ir al baño a menos que estuviera desnudo, y que otro guardia «le había dado una lección a Sævar» poniéndolo cabeza abajo y zarandeándolo.

Todos los guardias sabían que Sævar le tenía miedo al agua. En notas que Sævar escribió en 1977 recuerda cómo, una noche del verano de 1976, dos guardias llegaron a su celda y anunciaron que, si no los acompañaba, lo sacarían a la fuerza. Cuenta que le llevaron al cuartito donde se lavaban los prisioneros. En una de las paredes había un lavabo de acero. Cuando Sævar se dio cuenta de lo que estaba a punto de suceder, forcejeó para liberarse, pero los guardias lo agarraron por el cuello de la camisa y pusieron un trapo en el fondo del lavabo para bloquear el desagüe mientras se llenaba de agua. Levantaron a Sævar por las piernas, le metieron boca abajo en el lavabo y lo mantuvieron sumergido hasta casi ahogarlo antes de sacarlo de un tirón. ¿Dónde había llevado a Guðmundur? ¿Quién más había ido a Keflavík a ver a Geirfinnur?

Skúli Steinsson y Gunnar Marinosson, dos de los guardias de la prisión que estaban de servicio esa noche, afirmaron no saber nada del incidente. Cuando Skúli fue interrogado en el tribunal en marzo de 1977, calificó de absurdo el relato de Sævar. Dijo que en una ocasión Sævar se negó a ducharse y Skúli lo llevó por la fuerza al baño, pero que a partir de ahí Sævar había cerrado la puerta y se había duchado, y que ahí había terminado el incidente.

Sin embargo, Hlynur Þór Magnússon, aunque no estaba de servicio esa noche, reveló posteriormente que había oído a sus colegas hablar de cómo habían empleado esa táctica para quebrar a Sævar. Lo hicieron en beneficio propio y de la nación. «Los guardias que lo hacían», dice Hlynur, «lo disfrutaban. Estaban orgullosos de ello. Hablaban en broma de ahogar a la rata».

Los registros de incidencias de la prisión confirmaron que todos y cada uno de los guardias nombrados por Sævar estaban de servicio la noche en cuestión. Fue la única vez que lo hicieron ese mes.

Esa brutalidad concuerda con lo que Jón Bjarman, el sacerdote de la prisión, presenció en la sala de interrogatorios la noche del 4 de mayo de 1976, el día después de que Erla fuera detenida por segunda vez. En una serie de cartas escritas al Ministerio de Justicia a finales de la década de 1970, Jón Bjarman describe cómo la detención de Sævar y Erla había generado una situación anómala en la prisión, y que se había mantenido a los sospechosos en un constante estado de amedrentamiento. Cuando Sævar se negó a comportarse como querían los investigadores, cuenta Bjarman, fue agredido físicamente:

> Eggert [N. Bjarnason] lo agarró del pelo, lo zarandeó hasta casi tirarlo al suelo y lo intimidó. Más tarde, cuando Sævar protestó, Gunnar, el guardia jefe de la prisión, se acercó a él y le dio una bofetada. La entrevista terminó en caos cuando Erla se puso histérica y empezó a gritar; luego, llamaron a dos guardias de la prisión, que arrastraron a Sævar a su celda.

La mayoría de los guardias e investigadores presentes en la sala negaron inicialmente tener conocimiento alguno del incidente. Años más tarde, admitieron que sí se había producido, y lo justificaron por lo «reprochable» del comportamiento de Sævar. El incidente provocó tal escandalera que, al día siguiente, Magnús Leópoldsson preguntó a los guardias si se había colado algún borracho en Síðumúli. Por la noche había oído gritos a través de las paredes de su celda.

Sævar denunció estos y otros incidentes ante el Tribunal Supremo en 1980. Entre los veintiséis cuadernos de anotaciones para el tribunal, había uno dedicado a las acusaciones de abusos. Aunque los jueces reconocieron que Sævar había sufrido un «maltrato ilícito», no aceptaron que este hubiera podido afectar al veredicto, en parte porque las confesiones clave se habían producido antes de estos incidentes, y también por la imprecisión de los testimonios.

Los jueces del Tribunal Supremo dictaminaron que los guardias se habían extralimitado, pero que esa circunstancia no había afectado ni en la forma ni en el fondo a lo confesado. Estaban decididos a resolver aquellos casos que tanto habían perturbado a la nación entera.

Þórdís Hauksdóttir conoció al hombre que se convertiría en el padre de sus hijos el 17 de junio de 1988, después de una noche de fiesta. El baile había terminado y llovía. Mientras Þórdís se aprestaba a enfrentarse a los elementos, a su lado apareció un hombre pequeño y moreno. Le tendió algo para guarecerse de la lluvia y se ofreció a llevarla en coche a casa. Ella aceptó, y en los días posteriores él llamó varias veces para intentar pasar algo de tiempo con ella. Al principio no le interesó, pero él perseveraba: averiguó a qué hora terminaba de trabajar y se presentaba ante ella al final de su turno para charlar y conocerse mejor. Aquel verano empezaron a salir juntos.

Su relación avanzó con rapidez. Pese a tener solo veinticuatro años, siempre se había llevado mejor con personas de mayor edad, y su nueva pareja parecía un espíritu viejo, marcado por la vida de forma muy distinta a otros jóvenes que conocía. Había entre ellos una afinidad natural, y, como el roce hace el cariño, ella llegó a apreciar algunas de sus rarezas, como la de llevar siempre encima cuadernos llenos de sus pensamientos y frases favoritas. A veces reorganizaba todos los muebles de su apartamento para cambiar el ambiente.

Þórdís recuerda la primera vez que oyó el apellido de su novio. Llevaban ya algunas semanas de relación, y estaban sentados en un restaurante cuando una mujer lo señaló y gritó: «¡Ese es Sævar Ciesielski! ¡Es Sævar Ciesielski!», como si quisiera llamar la atención de la gente sobre un animal salvaje. Þórdís sabía que se llamaba Sævar, pero él había procurado mantener en secreto su apellido.

Aquella noche, en el restaurante, Sævar le explicó que era una de las personas que habían sido condenadas por los asesinatos de Guðmundur y Geirfinnur. Þórdís era diez años más joven que Sævar, y era solo una niña cuando los casos ocuparon las noticias: no se había dado cuenta de que el hombre con el que había empezado a salir era el criminal más conocido de toda Islandia.

Los exabruptos espontáneos de desconocidos en los restaurantes de Reikiavik eran de por sí desagradables, pero más difícil le resultó tragar con la insistencia de su madre de que se lo pensara mucho antes de formalizar su relación con Sævar. La vida, de eso no cabía duda, sería más difícil. Aunque Þórdís solía hacer caso a las opiniones de su madre, en esta ocasión optó por no seguir su consejo: estaba preparada para afrontar las consecuencias de mantener una relación con él.

En los años posteriores a su puesta en libertad en 1984, Sævar era a ojos de todos ni más ni menos que la encarnación del mal. Dondequiera que pedía trabajo le rechazaban, por lo general sin explicación alguna, aunque algunos de los posibles empleadores le decían que habría perjudicado el negocio. Nadie quería a un asesino convicto reparando sus tuberías. Encontrar alojamiento estable fue igual de complicado que dar con un empleo, e incluso después de que Þórdís y Sævar tuvieran a su primer hijo, Hafþór, en 1989, acabaron desahuciados y en la calle.

Tales eran los inconvenientes obvios de ser un paria en una comunidad tan pequeña. Peor era la traicionera sensación de estar constantemente expuesto a la vista de todos. Evidentemente, no nos puede extrañar que muchos se sintieran incó-

modos al ver a Sævar caminar libremente por las calles de Reikiavik. A veces, Sævar decidía aprovecharlo para divertirse, y
anunciaba en voz alta su llegada al entrar en una cafetería, ade-
lantándose a los susurros de «¡es Sævar Ciesielski!», que conseguían silenciar hasta los espacios más abarrotados.

Por la noche, Þórdís se despertaba a veces porque Sævar se
agitaba y musitaba en sueños, reviviendo las noches pasadas
en Síðumúli. Ella lo calmaba, lo tranquilizaba diciéndole que
ya no estaba en prisión. A veces se despertaba con un sobresal-
to, la cara congestionada, los ojos desorbitados, convencido
por un instante de que estaba de vuelta en la celda sin ventanas, donde la bombilla inmisericorde hacía que las noches fueran iguales que los días y las paredes retumbaban con el resta-
llar de las piedras.

En 1993, Sævar y Þórdís decidieron abandonar Islandia
junto con sus dos hijos: Hafþór, de cuatro años, y Sigurþór, de
dos. La vida en el país resultaba extenuante. Además, Sævar
había empezado a beber. Antes de ser detenido en 1975 no tocaba el alcohol, pero durante su tiempo en prisión le cogió
gusto a evadirse de los casos durante algunas horas con un par
de tragos.

Cuando salió en libertad encadenó varios intentos por
mantenerse sobrio, pero ninguno duraba más de uno o dos
años. A veces se escapaba a los lóbregos bares del centro de
Reikiavik sin avisar de cuándo volvería. En cada uno de esos
incidentes, Þórdís se sentía traicionada. Le preguntaba entonces cómo podía hacerle eso a ella, cuando ella era la que
siempre le había sido leal. Él respondía que necesitaba conocer gente para demostrar que no era quien ellos creían, pero,
para Þórdís, esta justificación, aunque sincera, no era más
que una excusa con la que cubrir su creciente lucha contra el
alcoholismo.

Pusieron rumbo a Boulder (Colorado). Fue una oportunidad para empezar de nuevo, para criar a sus hijos y ser una familia normal. Se sentían capaces de ser ellos mismos. La gente era amistosa, los paisajes amplios y espaciosos, y daban largos paseos por las Montañas Rocosas. Los niños aprendieron inglés y jugaban tranquilos en la calle. No había mucha animación nocturna en la zona, con lo que cualquier tentación que Sævar pudiera haber tenido de salir a beber se frustró; además, al dejar Islandia a sus espaldas, los casos empezaron a parecerles muy distantes. Sævar encontró empleo como instalador de parqués, y Þórdís lo llevaba a trabajar en un destartalado Cadillac blanco que habían comprado a muy bajo precio.

Por la noche, a veces el teléfono sonaba y amenazaba su nuevo santuario. Un reportero de un periódico de Islandia había conseguido localizar su paradero, y la diferencia horaria entre los dos países significaba que las llamadas a menudo llegaban a altas horas de la madrugada. Sævar se retiraba al rincón más apartado de la casa y, mientras rebuscaba en los rincones de su memoria, bebía.

Pasado un año, sus visados expiraron, y la familia regresó a Islandia. Para Þórdís, la vida en Colorado le había permitido ver cómo podían ser sus vidas lejos de los problemas que encontrarían en Islandia. Quiso quedarse. Pero esa misma experiencia le había hecho pensar a Sævar en cómo debería ser la vida en Islandia, y se sintió más decidido que nunca a probar su inocencia. Su empeño por limpiar su nombre era ahora absoluto. Þórdís sabía que si se sumergía de nuevo en los casos sería el fin de la relación.

Sævar comenzó a trabajar para solicitar oficialmente un nuevo juicio. Asistió a rehabilitación para reducir su consumo de alcohol y dedicó su tiempo a reunir pruebas para presentarlas ante el Tribunal Supremo. Þórdís le ayudó con su petición, corrigiendo los errores de ortografía causados por su dislexia hasta que consiguió que el texto fuese fluido. Hafþór, su hijo, recuerda a sus padres trabajando juntos en la mesa de la cocina, con montones de documentos esparcidos frente a ellos. No recuerda que sus padres le hablasen en un momento determinado de los casos, pero siempre supo que a su padre le había pasado algo «muy grave». Era como si hubiera nacido sabiéndolo.

El 23 de noviembre de 1994, Sævar se presentó en el Ministerio de Justicia y pidió que se le declarara inocente de cualquier implicación en los casos Guðmundur y Geirfinnur. Aportó un expediente de 120 páginas en el que criticaba la investigación que había culminado en su condena. En 1995, su solicitud fue rechazada. «No podía creerlo», dice Þórdís. «Creo que ambos sufrimos una crisis nerviosa. Habíamos puesto muchísimas esperanzas en ello: las de tener un futuro, las de ser gente normal como cualquier otra persona».

Þórdís se acercó a pie hasta la casa del primer ministro, en el centro de Reikiavik. Era de madrugada. Llamó a la puerta y la dejaron entrar. Habló con Davíð Oddsson, el primer ministro, hasta altas horas de la madrugada sobre la posibilidad de que el Estado pagase un abogado que representase a Sævar en otra demanda.

Pero la premonición de Þórdís sobre el fin de su relación con Sævar resultó correcta. Al día siguiente de la denegación, Sævar empezó a beber. Þórdís no creía que pudiera salvarse de su batalla contra el sistema, y no quería que los casos la arrastraran a ella y a los niños con él.

Þórdís se llevó a los niños a vivir con sus padres. Al principio, Sævar no pareció darse cuenta de que hablaba en serio. Le dijo a Þórdís que ya habían faltado de casa bastante tiempo, y que era hora de que regresaran. Siempre había dicho que no se casaría con Þórdís hasta que hubiese limpiado su nombre, pero ahora iban a separarse antes de que tuviera oportunidad de ello. Conservaron una relación cordial, y Þórdís continuó apoyando su lucha, pero nunca regresó a su lado.

En 1996, cuando Sævar se plantó en la puerta de Sigursteinn cargado con miles de páginas de documentos judiciales, su vida entera giraba en torno a los casos. «Si vivo para algo», dijo en una entrevista con Sigursteinn, «es para que se reconsideren estos casos».

El 30 de enero de 1996, el mismo mes en que Sævar se ponía en contacto con el periodista Sigursteinn Másson, se designó a Ragnar Aðalsteinsson para que ayudase a Sævar en su segunda solicitud de un nuevo juicio. Ragnar era uno de los abogados de derechos humanos más respetados del país, de voz ronca, gafas rectangulares sin montura y trato amable. Ragnar, Sævar y el equipo del documental trabajaron juntos para reunir más información sobre los casos.

Cuanto más leía Ragnar, más constataba que las sentencias de los casos Guðmundur y Geirfinnur estaban plagadas de contradicciones e incoherencias.

Sirvan como ejemplo las dos jóvenes que habían pasado por delante de Guðmundur y el hombre de camisa amarilla.

La narración presentada al tribunal fue que Kristján, supuestamente el individuo de camisa amarilla, había llevado a Guðmundur de vuelta al piso de Hamarsbraut. Pero, cuando Ragnar leyó las declaraciones de Elínborg Rafnsdóttir y Sigríður Magnusdóttir, vio que en realidad habían dicho lo contrario: Guðmundur y el hombre de la camisa caminaban en dirección opuesta a Hamarsbraut.

Sigursteinn y Kristján Guy Burgess localizaron a las dos mujeres y grabaron una entrevista con ellas. Rubias y bien vestidas las dos, hablando con aire preocupado como si temieran una regañina, ambas explicaron que si habían señalado a Kristján en la ronda de reconocimiento había sido en parte porque habían visto fotos suyas en los periódicos. Sus recuerdos de aquella noche eran confusos, y la suya había sido la única cara que reconocieron.

El tipo de la camisa amarilla era enjuto y considerablemente más bajo que Guðmundur. Kristján, en cambio, era un hombre grande, que le sacaba algunos centímetros a Guðmundur, y de constitución robusta. Cuando Elínborg y Sigríður declararon a la policía que Kristján era mucho más corpulento que el hombre que habían visto acompañando a Guðmundur, se les dijo que Kristján había aumentado de peso debido a las comidas que recibía con regularidad en prisión.

Independientemente de este detalle, sus declaraciones ya eran muy cuestionables. Eran incapaces de ponerse de acuerdo sobre quién iba al volante, qué habían visto o a dónde se dirigían. La declaración de Sveinn Vilhjálmsson, según la cual un Guðmundur ebrio había resbalado en el camino, parecía desacreditar la idea de que el hombre de camisa amarilla hubiera permanecido siquiera junto a Guðmundur después de que Elínborg y Sigríður se marchasen.

Ragnar recibió una llamada telefónica de Kristrún Jónína Steindórsdóttir y Þórður Örn Marteinsson, la pareja que regentaba el Alþýðuhúsið, el club nocturno en el que Guðmundur había estado la noche que desapareció. Por casualidad, vivían en el 40 de Suðurgata, en Hafnarfjörður, a la vuelta de la esquina del 11 de Hamarsbraut.

Después de que el último de los juerguistas saliera del local, Kristrún y Þórður estuvieron limpiando durante una hora antes de volver a casa para actualizar la contabilidad. En las calles colindantes no se movía nada. Era la misma tierra de nadie por la que Erla deambulaba durante su depresión. Llevaban años viviendo en aquel domicilio, y eran capaces de llevar la cuenta del tiempo a partir del sonido de los coches al pasar. Cuando oían una avalancha de vehículos significaba que había terminado un turno en el hospital próximo a Suðurgata. Como muchos hacen en las regiones de Islandia que se benefician de una calefacción geotérmica barata y respetuosa con el medio ambiente, aquella noche trabajaban con los radiadores encendidos y las ventanas abiertas.

Kristrún le dijo a Ragnar que si aquella noche hubiera pasado algo, se habrían dado cuenta. Tanto Kristrún como Þórður afirmaron sin dudar que no oyeron nada fuera de lo común: ni un coche que se acercase a Hamarsbraut ni un alboroto en las calles, y desde luego no el estruendo que habría sido normal cuando en una reyerta de borrachos alguien acaba muerto a golpes.

Lo mismo ocurría con el matrimonio que vivía en el piso de arriba de Erla y Sævar. Las paredes y los pisos eran muy finos (Erla podía oír sus pasos), y sin embargo declararon que nunca oyeron ruidos que pudieran corresponderse con los eventos que supuestamente se produjeron en el piso de abajo. La familia que vivía enfrente, en el número 12, testificó en el mismo sentido.

Gunnar Jónsson, el testigo de la muerte de Guðmundur, voló desde España para entrevistarse con Sigursteinn. Casi dos décadas después de su testimonio ante el tribunal, Gunnar relató una historia muy diferente.

Según Gunnar, cuando alegó no saber nada sobre Guðmundur Einarsson la policía no aceptó sus palabras. Cuando insistió en que no tenía ni idea de lo que le decían, le orientaron en su testimonio. Gran parte de este se obtuvo en una reunión corroborativa con Albert, en la que este último describió lo que había sucedido y Gunnar se limitó a asentir. La única razón por la que pudo describir el 11 de Hamarsbraut fue porque, apenas llegado de España, lo llevaron hasta allí para familiarizarse con el apartamento.

Cuando Gunnar Jónsson compareció ante los jueces, de entrada fue incapaz de reconocer a las personas a las que supuestamente había visto durante la muerte de Guðmundur. En un momento particularmente chusco de aquella farsa, relatado por Hílmar Ingimundarson, el abogado de Tryggvi, a un periodista de *Morgunblaðið*, el juez presidente ordenó: «¡Que entre Tryggvi Rúnar!». Tryggvi apareció acompañado por los alguaciles. El juez se volvió hacia Gunnar Jónsson y le preguntó: «¿Quién es este hombre?», a lo que Gunnar contestó, titubeante: «Eh..., ¿Tryggvi Rúnar?».

Gunnar le dijo a Sigursteinn, frente a las cámaras, que estaba seguro de no haber presenciado un asesinato.

Aun así, el mejor golpe de efecto de Ragnar llegó cuando descubrió la notita del taxista que estaba de servicio en Hafnarfjörður aquella noche. La presencia de esa nota entre los archivos de la policía fue aparentemente accidental. El 26 de febrero de 1977, el agente de policía Hellert Jóhannsson llamó a un servicio de taxis de Hafnarfjörður para interrogar a dos de sus chóferes. Hellert quería saber si recordaban haber conducido hasta el 11 de Hamarsbraut la noche de la desaparición de Guðmundur.

La naturaleza y los detalles de la historia de Guðmundur hacían probable que los taxistas pudieran recordar la noche en cuestión. Se había visto a Guðmundur borracho intentando volver a casa. Cuando más tarde se supo de su desaparición, los conductores que habían estado trabajando esa noche se preguntaron si se habrían cruzado con el muchacho durante la nevada sin parar a recogerlo.

Ninguno de los conductores recordaba haber ido al 11 de Hamarsbraut. Sin embargo, uno de ellos dijo que ni él ni sus compañeros habían estado en la calle durante el último tramo de la noche, porque había demasiada nieve en las calles. La gran tormenta que azotaba el suroeste aquella noche había dejado más de medio metro de nieve en los alrededores de Hafnarfjörður.

Los taxis en Islandia no son como los de casi ningún otro país. En Inglaterra, una nevada fuerte obliga a casi todos los vehículos a salirse de la carretera, pero, en Islandia, donde las tormentas de nieve son frecuentes, los taxis están equipados con neumáticos de invierno y parachoques de nieve para hacer frente a las impredecibles condiciones meteorológicas. Para los taxistas islandeses, su trabajo depende de poder conducir en condiciones adversas. Hace falta una tormenta de proporciones colosales para detenerlos.

Si los taxis no podían circular por las carreteras aquella noche, era muy poco probable que Albert hubiera podido conducir hasta los campos de lava por semiocultos caminos de tierra cubiertos de nieve mientras transportaba a tres adultos y un cadáver en su baqueteado Volkswagen. No solo era poco probable; era absurdo.

El relato del Tribunal Supremo sobre el asesinato de Geirfinnur también parecía salpicado de errores.

En el caso Geirfinnur, se dio por sentado que Kristján era «Leirfinnur». Pero durante el modelado de la cabeza de arcilla no se contó con la persona que mejor ocasión había tenido de verlo, una mujer tímida, de mediana edad y pelo rubio y rizado llamada Guðlaug Jónasdóttir. Ningún testigo ocular corroboró la presencia de Kristján; por el contrario, Guðlaug afirmó que no era el hombre que había visto en la cafetería aquella noche. Conocía a Kristján, y lo habría reconocido.

Cuando el 25 de octubre de 1976 se citó a Guðlaug en comisaría, la llevaron a una ronda de reconocimiento. Kristján se colocó frente a ella, acompañado por varios estudiantes de la academia de policía de edades y estaturas similares. Guðlaug dijo que ninguno de ellos se parecía al hombre que había visto entrar al café. Ásta Grétarsdóttir, la joven que había visto de refilón a la persona que llamó por teléfono, dijo lo mismo. Aunque Guðlaug afirmó que no había sido Kristján, los jueces del tribunal interpretaron su testimonio de manera diferente. «Kristján Viðar pudo haber acudido a hacer una llamada telefónica esa noche», razonaron los jueces, «sin que [Guðlaug] se percatara, ya que a muchas personas se les permitió hacer llamadas telefónicas esa noche». Esta conclusión, sin embargo, no tiene sentido. Los jueces parecían estar sugiriendo que Kristján podría haberse colado antes en el café, a una hora que no coincide con el momento en que Geirfinnur recibió la llamada en casa, y que había hecho una llamada diferente a Geirfinnur. Eso socavaba toda la narrativa utilizada para condenar a los sospechosos.

Uno a uno, los testigos retiraron sus testimonios: los conductores que habían transportado a Erla; el testigo que había visto a Kristján caminando de regreso a Vatnsstígur; Sigurður Óttar, que había conducido la camioneta hasta Keflavík. Algunos de ellos parecían haberse confundido por el tiempo transcurrido entre las desapariciones y la investigación: uno de los conductores había llevado a Erla, pero había sido en una noche diferente. Otros, como Sigurður Óttar, habían sido sometidos a presiones, al parecer, para que hicieran sus declaraciones. Su abogado, Róbert Árni Hreiðarsson, dijo que, cuando intentó retirar el testimonio de su cliente, le dijeron que no era posible. Sigurður se retractó de su confesión ante el tribunal el 13 de octubre de 1977, pese a lo cual se utilizó su declaración original. En el edificio abandonado en el que Erla se había colado, poco o nada indicaba que alguien hubiese forzado la entrada o hubiese pernoctado allí.

Luego estaba el asunto del enrevesado viaje a Keflavík. Sigurbjörn Víðir, uno de los dos investigadores que reconstruyeron el trayecto en un Volvo de la policía, testificó ante el tribunal que, cuando él e Ívar Hannesson realizaron la reconstrucción, el suelo había estado seco y sin nieve. Pero, en la noche del 19 de noviembre de 1974, cuando Geirfinnur desapareció, las carreteras se encontraban en un estado muy diferente. El hielo las había vuelto resbaladizas.

El Volvo en el que la policía había realizado la prueba tenía el doble de caballos de fuerza que el Volkswagen supuestamente conducido por los sospechosos. Sigursteinn y su cámara se metieron en un Volkswagen y reconstruyeron la ruta por su cuenta. Rápidamente se hizo evidente que, incluso obviando las diferencias de velocidad entre uno y otro coche, la cronología que manejaban los investigadores para el viaje de Reikiavik a Keflavík era absurda.

Los investigadores no solo no habían calculado el tiempo suficiente para caminar desde el documental del volcán hasta el coche, o para esperar a salir del cine, sino que la ejecución de cada paso del trayecto habría tenido que ser improbablemente perfecta. La única manera de que Erla y Sævar pudieran haber salido de la película con la madre de Sævar, la hubiesen dejado en casa, hubiesen cambiado el Land Rover por un Volkswagen alquilado, se hubiesen reunido con Guðjón y Kristján y hubiesen llegado a Keflavík a tiempo para llamar a Geirfinnur antes de las diez y media habría sido tirando a la madre de Sævar de un coche en movimiento y teletransportándose entre vehículos.

Erla y Sævar supuestamente se habían presentado en Geysir Car Rental y habían alquilado un Volkswagen sin firmar contrato. La alegación era plausible: Geysir Car Rental había despedido a uno de sus empleados a principios de 1976 por alquilar coches sin completar la documentación necesaria y embolsarse el dinero del alquiler. Sin embargo, cuando el empleado compareció ante el tribunal el 20 de junio de 1977, afirmó que no había comenzado esa práctica fraudulenta hasta 1975, el año siguiente a la desaparición de Geirfinnur.

Los jueces del primer juicio reconocieron este escollo y tomaron nota de que el testigo no podía afirmar con seguridad que hubiese alquilado un coche de Geysir Car Rental a Erla y Sævar; sin embargo, tanto su veredicto como el del Tribunal Supremo se valieron del testimonio del empleado de Geysir para apuntalar la narrativa de la noche. La conclusión, para empezar, era bastante extraña. Erla había adquirido recientemente un Land Rover. El Land Rover estaba en buenas condiciones: lo había comprado de segunda mano cinco días antes de que desapareciera Geirfinnur. ¿Por qué tomarse la molestia de alquilar otro vehículo?

Al igual que en el caso Guðmundur, el clima islandés aportó la refutación más satisfactoria de las conclusiones del tribunal. En la noche de la desaparición de Geirfinnur, la temperatura era de −4 °C. A la noche siguiente había bajado a −4,7 °C. Y el 21 de noviembre, cuando supuestamente enterraron el cuerpo en Rauðhólar, el termómetro marcaba −10 °C. La nieve helada del suelo estaba tan dura que habrían necesitado un taladro neumático para atravesar la capa superior. La historia que flotaba sobre las colinas rojas de Rauðhólar era pura mitología.

«No sabía lo que había pasado con Guðmundur y Geirfinnur», dice Ragnar, «pero muy pronto llegué a la conclusión de que las cosas no habían sido como decía el Tribunal Supremo».

Cuando los jueces se hicieron cargo de los casos sobre la base de una narrativa en la que los sospechosos ocultaron el cuerpo de Guðmundur en los campos de lava y enterraron a Geirfinnur en Rauðhólar, la policía seguía levantando jardines en Reikiavik en busca de un cadáver.

Durante el otoño de 1996, Sigursteinn Másson, el periodista que trabajaba en el documental, comenzó a sospechar que alguien le seguía. «Se me disparó la imaginación», dice. «Empecé a preguntarme hasta dónde estaban dispuestos a llegar Me estaba dando cuenta de lo escandaloso que era este caso, de lo mucho que había servido a los intereses de los poderosos. Y por eso entendí que estaban dispuestos a cualquier cosa para pararme los pies. Y habría sido idiota de no pensar así». En el espejo retrovisor podía ver que el mismo coche le iba siguiendo.

En una ocasión decidió enfrentarse a sus perseguidores. Se detuvo en el cruce frente al supermercado Melabúðin, en el oeste de Reikiavik. El coche que iba detrás de él se detuvo pegado al vehículo de Sigursteinn, de forma que no pudiese ver la matrícula. Sigursteinn miró el retrovisor. Los ocupantes de los asientos delanteros se cubrían la cara con las manos. En otras circunstancias, a Sigursteinn le habría parecido divertido. Pero estaba empezando a temer por su seguridad.

Despidieron a Sigursteinn de su trabajo. «La redacción de [la cadena de televisión] Stöð 2, en pie de guerra por el despido de Sigursteinn Másson», pudo leerse en el titular de portada de *Alþýðublaðið* del 26 de septiembre de 1996. «Esto es una farsa». En el artículo se citaba a uno de los colegas de Sigursteinn diciendo que se le había despedido sin ninguna advertencia o razón válida. Sigursteinn pensaba que sí sabía el porqué, y en declaraciones a la prensa dijo que podría deberse a que el director de programación de la cadena de televisión

Stöð 2 era también yerno del fiscal Hallvarður Einvarðsson, que había tenido un papel destacado en la investigación de los casos.

Paranoico y exhausto, Sigursteinn sufrió una crisis nerviosa. Fue ingresado en un hospital psiquiátrico durante un mes y medio, y más tarde pasó seis semanas en Texas. A su regreso a Islandia, en enero de 1997, le habían diagnosticado una psicosis maníaco-depresiva. Sin embargo, en lugar de frustrar la finalización del proyecto, Sigursteinn afirma que su trastorno les permitió a él y a sus colegas pasar desapercibidos y terminar la película.

Según Sigursteinn, la cadena de televisión Stöð 2 le ofreció una considerable cantidad de dinero a cambio de pasar la película por un canal que apenas emitía un par de horas de programación al día y que no podía verse más que en Reikiavik. Era como si estuvieran intentando enterrar el documental. En lugar de ello, lo llevó a RÚV, la cadena pública.

La película *Aðför að lögum* («Ejecutado por ley») se retransmitió en dos partes durante las noches consecutivas del 28 y el 29 de abril de 1997. La policía informó de que en las calles se hizo el silencio durante la emisión de los capítulos. Fue noticia de primera plana en toda Islandia, y Sigursteinn debatió en RÚV con periodistas y con Hallvarður Einvarðsson las cuestiones planteadas por el documental. Þórdís telefoneó a Sigursteinn, un hombre al que no conocía de nada, para decirle: «*Eg elska thig*»; que es una expresión islandesa que significa algo más profundo que una declaración de amor. Eran las únicas palabras que podían expresar la profundidad de su gratitud.

Ya no era posible fingir que nada en la investigación se había torcido. *Aðför að lögum* era el alegato más completo hasta la fecha contra los errores cometidos por el Tribunal Supremo. A la semana siguiente se publicó una encuesta Gallup que indicaba que la desconfianza hacia los tribunales y la policía era mayor que nunca.

Antes de que se pronunciara el veredicto, Sævar le había dicho a un reportero de RÚV: «Se hizo todo lo posible para que me sintiera culpable, no sé por qué. Tal vez porque mi nombre es extranjero. Me trataron como a un animal. Quiero recuperar el respeto, e insisto en que seré absuelto y el caso será juzgado de nuevo». Cuando habla, la cabeza parece temblarle. Se muestra feroz, enérgico, concentrado. El reportero pregunta: «¿Confías en que habrá un nuevo juicio?» y Sævar responde: «Si no ahora, más adelante».

El 15 de julio de 1997, los siete magistrados del Tribunal Supremo decidieron que no se cumplían las condiciones para la reapertura de las causas.

Los jueces reconocieron, como ya lo había reconocido el Tribunal Supremo, que Sævar había sido maltratado en prisión, y que el alcaide y los guardias le habían dedicado comentarios impropios. Pero esto había sucedido después de que Sævar confesara su complicidad en la desaparición de Guðmundur Einarsson, y después de que implicara a otros cuatro hombres en la desaparición de Geirfinnur Einarsson, por lo que no había justificación para reabrir los casos.

Ragnar argumentó que los registros de incidencias de la prisión deberían haber bastado por sí solos para justificar la reapertura de los casos, por no mencionar los múltiples y flagrantes fallos en la investigación, pero los jueces no estuvieron de acuerdo. Solo una «minoría» de los argumentos propuestos por Ragnar cumplía las condiciones necesarias para la reapertura de las causas. Había que recordar, escribieron los jueces, que el Tribunal Supremo constató algunas deficiencias

graves en la investigación de 1980, pero que no había considerado que esas deficiencias hubiesen sido un impedimento para
el proceso o su veredicto. Se trababa de cuestiones que ya habían sido examinadas.

Los jueces declararon en su informe que la responsabilidad
de probar que el fallo del Tribunal Supremo era incorrecto re-
caía en Sævar. Frente al edificio del tribunal, Ragnar, vestido
con un traje azul y gris, el cansancio dibujado en la cara, declaró a los medios de comunicación allí reunidos que se trataba
de una mala interpretación de la ley. Fue una demanda presentada por el Tribunal Supremo sin autorización legal. Los jueces
consideraban que era tan importante mantener el mito de la
infalibilidad del sistema judicial que estaban dispuestos a ir
muy lejos para interpretar la ley en contra del individuo y a
favor del sistema judicial.

Para los creadores del documental, la falta de respuesta fue
exasperante. «No pasó nada», recuerda Einar Magnússon, el
director. «Todo el mundo calló. Pese a que todos aceptaban
como cierto lo que mostramos en el documental, nadie dio
un paso al frente para decir: "¡Esto está mal!"». Davíð Oddsson, el primer ministro, pronunció un discurso vehemente en
el Alþing sobre los casos, pero tampoco eso bastó para rea-
brirlos. Sævar organizó un mitin en la plaza Austurvöllur al
que asistieron cientos de personas. El diputado de izquierda
Svavar Gestsson pronunció un discurso, y el humorista Steinn
Ármann contó chistes, pero, tras el revés, Sævar se mostró
muy alicaído.

En una entrevista con RÚV en julio de 1997, Sævar aparece
sentado en un vistoso jardín, y, con los ojos entrecerrados para
protegerse del sol, le cuenta al entrevistador que se lo había
jugado todo a la celebración de un nuevo juicio. A pesar de que
el Estado se había hecho cargo de las costas procesales de Rag-

nar, el esfuerzo de conseguir que se reabriesen los casos había sido demasiado para él.

«Sævar no era más que un pobre diablo», dice Siddo Stefánsson, amigo de Sævar. «No tenía dinero, ni conexiones, ni poder, ni nada. Cuando no tienes nada y te enfrentas a alguien muy poderoso es como topar con roca, no te queda más que armarte con tu cucharilla y rascar y rascar. Eso fue lo que hizo Sævar. Y si sigues rascando, antes o después quebrarás la roca».

A los ojos de los investigadores y de los tribunales, Sævar era Charles Manson y Rasputin todo en uno, el asesino *hippie* que traficaba con drogas y extrañas ideas, venido a esta Tierra para encandilar a las hijas de Islandia y asesinar a sus hijos. Era la encarnación de todos los miedos relacionados con las drogas y la amoralidad. Pero buena parte de la imagen pública de Sævar se había distorsionado a partir de un supuesto carácter maquiavélico que, lisa y llanamente, no había existido nunca.

Cierto es que le atraía la idea de vivir al margen de las normas de la sociedad y, en ocasiones, fuera de la ley. En realidad le seducía la idea de ser un criminal. Se paseaba por Reikiavik con un maletín negro y se decía fascinado por Al Capone. Le gustaba alardear de que sabía más de lo que en realidad sabía, especialmente ante personas que ocupaban puestos de autoridad, y lo que consiguió fue que los investigadores pensasen que era más peligroso de lo que era en realidad.

Lo cierto es que sus aspiraciones criminales eran las de un adolescente ingenuo. Quería meter LSD en el suministro de agua y robar bancos a caballo. Eran los planes concebidos en las comunas como una forma de burlar el orden establecido. Antes de ser detenido por estafa postal y contrabando de drogas, su crimen más destacado había sido robar un enorme pescado y luego pasearlo por el puerto de Reikiavik para regocijo de sus amigos.

Considerado en el contexto de su supuesta psicopatía, el hecho de que Sævar fuese abstemio apuntaba a un carácter calculador, un arma con la que ejercer su control sobre los demás. Sin embargo, quienes le conocieron dicen que simplemente no le gustaba el alcohol y que le gustaba mantener la mente despejada para pensar y pintar. Ni siquiera le gustaba la cafeína. Muy pocos países consumen tanto café por persona como Islandia, pero Sævar no lo probaba nunca. Prefería la leche.

Sævar había ido por el mal camino desde niño. Muchos años más tarde, un psiquiatra danés le diagnosticaría trastorno por déficit de atención e hiperactividad (TDAH), pero en su infancia, el desinterés que mostraba en clase y su actitud desafiante hacia los profesores se interpretaron como síntomas de una posible psicopatía. Tuvo dificultades de aprendizaje, en parte causadas por las complicaciones de una operación; pero, en lugar de recibir la ayuda que podría haber obtenido de haber nacido en épocas más recientes, fue dando bandazos por seis escuelas diferentes, se le diagnosticó una posible psicopatía y acabó en Breiðavík.

La necesidad de plantar cara a quienes intentaban tumbarlo se la instiló su padre, la perfeccionó en la escuela y acabó confirmándola en una institución abusiva. Para cuando fue recluido en Síðumúli el suyo era ya el tipo de carácter que no cede fácilmente y que reacciona vivamente cuando detecta negatividad dirigida hacia él.

Los libros de registro de la prisión dan cuenta del empeño que pusieron guardias e investigadores en conseguir que Sævar confesase. «Los guardias de la prisión estaban absolutamente convencidos de que los prisioneros eran culpables», dice Hlynur Þór Magnússon, «y también que Sævar era el cerebro de los crímenes y de que eran todos asesinos». Sævar, sin embargo, tenía un espíritu particularmente recio. Había algo indómito en su personalidad que le impedía dar su brazo a torcer. Plantó cara a los investigadores y a los guardias de la prisión de principio a fin, y con eso consiguió que lo odiaran aún más.

Los investigadores, convencidos de que era un criminal consumado, veían en su astucia una prueba más de que estaba ocultando algo. Dieron por supuesto que se estaba burlando de ellos y, a veces, tenían razón, pero quizá no por los motivos que imaginaban. Cansado de que se negasen en redondo a aceptar sus protestas, los enviaba a perseguir pistas inexistentes. Llevó a los investigadores hasta una colina que había visto en sueños, y la destrozaron con maquinaria pesada. Dragaron el lago de Thingvellir después de que él les contara que Geirfinnur estaba allí enterrado, pese a que sabía perfectamente que no era cierto. Era una forma de recuperar siquiera un mínimo de control sobre una situación cada vez más absurda.

Sævar mantuvo una fe incólume en el sistema judicial islandés. Dio el paso poco habitual de subir al estrado en el tribunal de Reikiavik y, de nuevo, ante el Tribunal Supremo para convencer a los jueces de su inocencia. Durante el período de detención, intentó enviar varias cartas al Ministerio de Justicia, que fueron desestimadas por falsas y se interpretaron como una prueba más de que los prisioneros se estaban comunicando entre sí. En las cartas, Sævar intentó llamar la atención del gobierno sobre lo que estaba ocurriendo en Síðumúli. No eran engaños. Eran gritos de socorro.

La misma fuerza de voluntad que enfurecía a quienes lo interrogaban en Síðumúli lo llevó a defender una y otra vez su inocencia al recuperar la libertad. Fundamentalmente incomprendido, pero también subestimado, su negativa a rendirse fue a un tiempo su condena y lo que mantuvo viva su esperanza.

Sævar hizo campaña a favor de otro nuevo juicio en 1999, pero para entonces ya estaba empezando a perder su batalla contra el alcohol. Aún tenía momentos de sobriedad en los que trabajaba en los casos (a menudo con la ayuda y el apoyo de Soley, su nueva compañera), pero, con el paso del tiempo, la botella pudo con él y acabó en la calle. Todos le conocían, así que le resultaba fácil conseguir que le invitaran a beber. Ragnar constató que, en las pocas ocasiones en que Sævar fue a visitarlo, estaba intoxicado.

Hafþór, el hijo mayor de Sævar, dice que lo más difícil fue asistir a todo el proceso a cámara lenta. Aunque Sævar ya no podía luchar contra el sistema de forma constructiva, porque vivía en la calle, tampoco era capaz de olvidarse de los casos. Mantenía la voluntad de siempre, pero su energía se había disipado. Tal como había predicho Þórdís, los casos estaban acabando con él. Los años dedicados a reclamar justicia sin obtener concesión alguna del Estado lo estaban destrozando.

«Soy muy conocido, y algunas personas me tienen miedo», dijo Sævar en una entrevista. «Es malo ser un hombre marcado: la mancha no se lava sin más. Al final, la vida consiste en vivir una buena vida, y siento que no me lo han permitido. Estos casos siempre me lo han impedido. Por eso padezco un cierto síndrome».

Sævar se convirtió en un personaje habitual de los bancos de la plaza Austurvöllur y los bares del centro de Reikiavik. Una vez más, al igual que a principios de la década de 1970, era difícil pasar por el centro de la ciudad sin toparse con Sævar Ciesielski.

Solía sentarse borracho en un rincón de los bares e importunaba a todos los políticos, policías o jueces que cometían la imprudencia de ponérsele a tiro. En varias ocasiones le partieron la nariz, y su cuerpo, hasta entonces delgado y ágil, comenzó a encorvarse. La cara, hinchada por el alcohol y desgastada por la exposición a los elementos, tenía una apariencia casi monstruosa. Era como si estuviera asumiendo el aspecto físico que, en opinión de la gente, siempre había merecido por sus crímenes.

Aunque la mayoría de la gente ya no le guardaba la inquina de otros tiempos, sobre él flotaba todavía el espectro de los casos. Victor, uno de los hijos de Sævar con Soley, tuvo que cambiar de escuela después de que un maestro la tomara con él por culpa de su padre. Victor y su hermana Lilja se vieron obligados a utilizar el apellido materno para evitar nuevos abusos. Þórdís se cruzaba a veces con Sævar por la calle, y él le decía que nunca deberían haberse ido de Colorado.

Un vídeo grabado en 2008 muestra a Sævar en conversación con una sala llena de periodistas. Viste una chaqueta azul y un gorro de pescador, y luce bigote y perilla. Basta un vistazo para comprobar que en la última década no lo ha pasado bien. Siempre había sido un hombre esbelto, pero se le ve entrado en carnes y aparenta más de sus cincuenta y tantos años. Ya no es apuesto: el pelo le cuelga lacio y tiene la cara hinchada por la bebida.

Los periodistas se recuestan contra las paredes, y la expresión de sus rostros oscila entre la incomodidad y el regocijo. Sævar pasea la mirada por la sala. «¿Quién coño creéis que sois?», dice, mientras los señala con el índice de la mano derecha. «Yo sufrí por vosotros». Uno de los periodistas masculinos responde con una media sonrisa, y la mujer que está a su lado agacha la mirada.

Algo atrae la atención de Sævar, que ahora mira hacia un punto situado detrás de la cámara y permite al espectador ver su maltrecha cara con más claridad. La barba es espesa y áspera, y la nariz hinchada y retorcida. Está furioso.

«Una cosa os voy a contar», dice. «La vida no es fácil. ¿Por qué me atacasteis de aquella forma cuando era joven?». Se señala con fuerza con los pulgares y vuelve a bramar con voz ronca: «¿Por qué me atacasteis?».

Unos meses más tarde se mudó a Copenhague, de vuelta a Christiania, el mismo sitio al que huyó con Erla apenas alcanzada la mayoría de edad.

En el otoño de 1984, más o menos cuando Sævar salió de prisión, Milton Friedman, el gurú de la economía de libre mercado cuyas ideas ya estaban siendo llevadas a la práctica con entusiasmo por Margaret Thatcher, en el Reino Unido, y Ronald Reagan, en Estados Unidos, visitó Reikiavik para participar en un debate con tres profesores de economía islandeses.

En su comparecencia, que osciló entre el desprecio y la incredulidad, Friedman atacó los valores igualitarios que defendían sus contertulios. Cuando un académico de pelo lacio le preguntó si estaba en contra de la educación gratuita de los niños, Friedman hizo ademán de responder, pero, luego, irritado por la premisa misma de la pregunta, se interrumpió y gruñó: «No hay una educación "gratuita". ¿Qué es eso de "gratuita"? ¿Qué pasa, que nadie paga por ella?».

La defensa que hizo Friedman de la libertad de elección por encima de cualquier otra consideración, expresada con su característica brusquedad, no les sentó bien a los académicos sentados frente a él, pero al menos había una persona entre los espectadores para la que la forma de pensar de Friedman suponía un cambio muy bienvenido. Davíð Oddsson, a la sazón alcalde de Reikiavik, y que una década más tarde franquearía a Þórdís el acceso a su residencia oficial, pensaba que el gobierno islandés estaba fuera de onda, y que el Estado conservaba un estilo tan paternalista como trasnochado: ¿en qué otro país europeo se restringía el consumo de cerveza y se prohibía la televisión los jueves? Tanto él como los votantes del Partido de la Independencia, de tendencia derechista, creían que la intervención del gobierno debía reducirse y que el poder debía volver a manos del individuo. Para Oddsson –el hombre que definiría la política islandesa durante las dos décadas siguientes–, el furibundo rechazo de Friedman de los valores del país era exactamente lo que este necesitaba: era hora de que Islandia se mirara en el espejo del libre mercado para obtener una mayor prosperidad e independencia.

Carismático, decidido y apoyado por un grupo de leales discípulos, Oddsson se convirtió en primer ministro el 30 de abril de 1991 y revolucionó la economía islandesa. A lo largo de sus catorce años de mandato, Oddsson se propuso emancipar el sistema económico de Islandia y combatir la inflación que había asolado el país durante décadas, fomentando a su vez el tipo de individualismo radical que acabó convirtiendo Islandia en un eje de las finanzas internacionales. Los pocos ratos libres que encontraba los viernes por la tarde los dedicaba a escribir historias cortas.

Se redujeron las regulaciones. Bancos nacionales como Landsbanki, la institución establecida para ayudar a financiar las primeras operaciones pesqueras de Islandia, fueron privatizados sin dilación, y se redujo a la mitad el impuesto sobre sociedades. El país que había comenzado el siglo como uno de los más pobres de Europa se convirtió, al final del mandato de Oddsson en 2004, en un peso pesado en el mercado internacional, aupado a ese puesto por los «vikingos del capital riesgo» saludados con entusiasmo por los medios de comunicación tanto nacionales como extranjeros.

Los ambiciosos inversores islandeses adquirirían todo tipo de acciones, desde proveedores rusos de *alcopops* hasta cadenas de supermercados británicas, y muchos de ellos se valían del imaginario de las sagas para asociar el espíritu de sus actividades a las agresivas maniobras de sus antecesores vikingos. Su repentina irrupción en los mercados extranjeros fue descrita como «*utras*», término que en las sagas describía un ataque rápido, mientras que algunos financieros afirmaban haberse lanzado al «*strandhogg*», es decir, a una incursión en la costa. Las estatuas gigantescas de guerreros nórdicos, los jets privados adornados con el martillo de Thor y yates con nombres como *Thee Viking* y *Mars* eran los nuevos trofeos de los empresarios islandeses que supieron aprovechar la reciente liberalización de la economía para hacerse colosalmente ricos. Era la era de las sagas rediviva, el nacionalismo romántico 2.0, la audacia de Ingólfur Arnarson y los primeros colonos triunfalmente encauzada hacia el capitalismo de riesgo.

También Islandia se enriqueció: el patrimonio personal de las familias islandesas se triplicó entre 2003 y 2006. Una red de grúas se extendió por todo Reikiavik. Para los *brokers* de todo el mundo, acostumbrados a hacer negocios en Nueva York y Londres, la opción de poder trabajar en Reikiavik supuso un cambio muy seductor. Viajaban en avión a la capital islandesa para alojarse en los lujosos hoteles recién construidos y hablar de negocios en las piscinas geotérmicas. El éxito de una negociación se celebraba con paseos privados en helicóptero sobre los campos de lava iluminados por el sol de medianoche.

Millones de ciudadanos del Reino Unido metieron su dinero en cuentas de ahorro islandesas, atraídos por los generosos intereses y la impresión de que el sector financiero de Islandia era moderno, flexible y, por si fuera poco, bendecido por un detalle importantísimo: la fiabilidad nórdica. Pero la riqueza de Islandia era una ilusión. En un país en el que las exportaciones de pescado iban a menos y carente de industria, excepto la de la fundición de aluminio, el rápido crecimiento del país se estaba financiando a base de deuda: la opulencia era prestada.

A principios de 2008, cuando las cotizaciones en bolsa cayeron y la corona islandesa se devaluó, las voces que pedían precaución se perdieron entre las loas del milagro económico de Islandia. Ólafur Ragnar Grímsson, el académico de pelo lacio que había debatido ante las cámaras con Milton Friedman, era ahora presidente de la nación, pero en lugar de defender sus antiguas creencias socialistas apoyó abiertamente la revolución económica del país. En esa transformación quedó caracterizado el cambio en el panorama político de la nación; incluso los antiguos profesores izquierdistas se habían convertido en palmeros entusiastas del sector financiero de Islandia.

Muchos de quienes ocupaban cargos de responsabilidad eran conscientes de que la economía de Islandia estaba al borde del colapso. Pero la persona que desde 2005 había estado al frente del Banco Central de Islandia, el responsable último de denunciar la expansión descontrolada era... Davíð Oddsson. Si llamaba la atención sobre la enorme burbuja financiera, no solo mermaría la confianza de los inversores, sino que socavaría gran parte de la labor desarrollada durante su mandato como primer ministro.

Por supuesto, no sería justo echarle la culpa a una persona en particular. Oddsson criticó públicamente la forma en que las instituciones financieras se habían convertido en máquinas de hacer dinero para los empresarios, y asegura que advirtió al gobierno en repetidas ocasiones de las dificultades que se avecinaban para los bancos islandeses. Pero nadie quería hacer caso de las advertencias de un colapso inminente, cegados por la euforia de la pujante economía del país.

Era un sistema del que todo el mundo era cómplice. El sector financiero era infalible. «Durante los dos o tres años previos a la crisis, imperaba en Islandia un ambiente en el que no se podía criticar a los banqueros», recuerda el exeditor de *Morgunblaðið*, Styrmir Gunnarsson. «La crítica se interpretaba como fruto de la envidia o de una maniobra política». El único período comparable en la historia moderna de Islandia, dice Styrmir, era la histeria que había rodeado el caso Geirfinnur: «No se sabe muy bien cómo, nos lavaron el cerebro a toda la nación».

El 6 de octubre de 2008 estalló la burbuja. Los activos bancarios habían crecido hasta casi decuplicar el PIB del país. Los tres bancos más importantes (Landsbanki, KaupÞing y Glitnir, este último llamado así por la cámara de oro y plata propiedad del dios nórdico de la ley y la justicia) sumaban deudas por valor de más de catorce billones de coronas. Los bancos de Islandia habían pedido prestados más de 250.000 dólares por ciudadano islandés.

Oddsson compareció en las noticias de la noche y, con tono severo y paternal, aseguró a sus conciudadanos que no se les obligaría a pagar. Sí se les obligó. El Banco Central de Islandia dejó de cumplir sus obligaciones, los bancos se hundieron y el gobierno islandés se vio obligado a pedir prestados miles de millones de dólares al Fondo Monetario Internacional para rescatar al país. Muchas familias descubrieron que de la noche a la mañana todos sus ahorros se habían desvanecido.

La patraña de los «vikingos del capital riesgo» había quedado al descubierto. Los manifestantes entraron a la fuerza en casa del banquero que había adornado su avión privado con el martillo de Thor e instalaron una pancarta en la fachada: «NADIE NOS ELIGIÓ PARA OCUPAR PUESTO ALGUNO, PERO LO CONTROLÁBAMOS TODO». En el balcón se colgaron también efigies de vikingos.

La gente se echó a la calle en Reikiavik, y cada semana se concentraban en la plaza frente al Parlamento para organizar las caceroladas de lo que luego sería conocida como «revolución de las ollas y sartenes». Los manifestantes bombardearon el Alþing con *skyr*, el yogur islandés, hasta que sus paredes de piedra gris se volvieron blancas. En un *sketch* de *Áramótaskaupið*, el programa de televisión de Nochevieja, el comediante Jón Gnarr acuñó la frase «*helvitis fokking fokk*» (aproximadamente, «pero qué mierda, coño, joder») y el eslogan apareció pronto en carteles y camisetas frente al Parlamento. Por primera vez desde las protestas contra la OTAN en 1949 se utilizaron gases lacrimógenos para dispersar a los manifestantes. A principios de 2010, el desempleo había aumentado del 2 al 8 %.

El gobierno británico atrajo sobre sí muchas críticas al incluir a Islandia en su lista de terroristas, a fin de congelar los depósitos realizados por ciudadanos británicos en Landsbanki, pero las iras más feroces se concentraron en el Partido de la Independencia. Enfurecidos, los manifestantes reclamaban nuevas elecciones y zarandeaban a los políticos a medida que estos entraban en el Parlamento. En las protestas se repartieron coronas falsas que no valían nada decoradas con la cabeza de Oddsson; un Oddsson, por cierto, que tenía que moverse acompañado de guardaespaldas.

En estas protestas había un elemento adicional, una rabia que se fue agudizando a medida que la ciudadanía fue tomando conciencia de la aterradora magnitud de la crisis financiera. Aunque los islandeses están acostumbrados a ciclos de bonanza y carestía (su economía tradicionalmente se ha basado en los ritmos de las temporadas de pesca y estaba sujeta a los caprichos de devastadores procesos geológicos), aquel había sido un desastre de un cariz muy diferente. Era artificial. El pueblo islandés se había visto traicionado por un gobierno poco menos que hostil y que ahora, además, se negaba a asumir su responsabilidad.

Desde Copenhague, Sævar seguía con disgusto los acontecimientos en Islandia. Árni Hallgrímsson, un turista de visita en Copenhague, paseaba por Christiania cuando le preguntó a uno de sus acompañantes: «¿Por qué viene la gente aquí?». Inesperadamente, de lo alto le llegó una voz ronca que respondió en islandés: «Yo te lo cuento». Entre las ramas de un árbol, Árni pudo ver los dedos de los pies de alguien, retorcidos e hinchados por haber estado a la intemperie. Dos manos separaron las ramas, y tras ellas apareció el rostro inconfundible de Sævar Ciesielski.

Sævar le dijo a Árni: «Puedo decirte que Dinamarca es una sociedad mucho mejor que Islandia». Árni le dijo: «Islandia se hunde»; y Sævar respondió: «Islandia ya está hundida». Árni le ofreció algo de dinero y le preguntó si se sentiría insultado por una pequeña donación. Sævar dijo: «No, seguramente no», en un tono, según Árni, lleno de «ironía, pesar y desespero». Se dieron la mano y se despidieron.

En Copenhague vivía bien. Nadie sabía quién era. Se alojaba en una vivienda social y tenía una habitación con una cama y un escritorio. Tenía también donde poder ducharse.

En un soleado día de principios de julio de 2011, Sævar pasó por un puesto de periódicos cercano a Christiania. Al salir del establecimiento tropezó. Llevaba varios días bebiendo, y cayó pesadamente, golpeándose la cabeza contra el asfalto. Le trasladaron a un hospital, y el 12 de julio de 2011, seis días después de haber cumplido cincuenta y seis años, falleció.

En Islandia, Hafþór, el hijo de Sævar, recuerda que le llamaron por teléfono para darle la noticia. «Fue un trago difícil, pero también hubo una cierta sensación de liberación. Antes del accidente ya estaba en muy mal estado. Sabía que algo así acabaría pasando de una forma u otra, y aun así fue un mal trago. Me acuerdo de que puse a Eric Clapton y algunas de las canciones que escuchábamos juntos».

El funeral de Sævar Ciesielski se celebró en la catedral de Reikiavik el 2 de agosto de 2011. Asistieron diputados, artistas y músicos, y en los pasillos de la iglesia se agolparon también miembros de la comunidad sin techo de Reikiavik. Erla, Þórdís y Soley, las antiguas parejas de Sævar, se sentaron en el mismo banco en primera fila. Rúnar Thor, el músico con el que Sævar coincidió en Litla-Hraun, interpretó «So long, Marianne», de Leonard Cohen. El sacerdote Örn Bárður Jónsson recitó un pasaje de *La campana de Islandia*, la novela histórica clásica de Halldór Laxness, en la que el protagonista de la primera parte del libro, Jón Hregviðsson, escapa a Dinamarca tras ser acusado injustamente de asesinato por las autoridades islandesas.

En las noticias, la cobertura de su muerte se caracterizó por el arrepentimiento, y resultó totalmente inapropiada para alguien acusado de matar a dos hombres.

La muerte de Sævar llegó en medio de un feroz sentimiento antisistema en los años posteriores a la crisis económica. Un giro electoral a la izquierda marcó el fin del extenso dominio que el Partido de la Independencia había ejercido sobre la política parlamentaria. Jón Gnarr, el humorista cuyo eslogan había hecho fortuna entre los manifestantes congregados ante el Parlamento, ganó las elecciones a la alcaldía de Reikiavik gracias a una campaña cuyas promesas centrales incluían un oso polar para el zoológico, toallas gratis en las piscinas y «de todo para los menos afortunados». Los banqueros responsables en mayor o menor medida de la bancarrota de Islandia fueron enviados a la prisión de Kvíabryggja, la misma en la que Guðjón había cumplido su sentencia. Se establecieron comités para examinar las denuncias de abusos históricos en centros como el de Breiðavík. Las víctimas de los malos tratos sistematizados descubrieron que sus acusaciones estaban siendo reexaminadas.

Había llegado el momento de evaluar con ojo más crítico algunas cuestiones pendientes de resolución. Era hora por fin de reconsiderar los casos. Y si los tribunales no lo hacían, habría que encontrar otra forma.

7

EN CASA DE PAPÁ

El bebé de Kristín nació prematuro, y su diminuto cuerpo, coronado por un desorden de pelo negro y unos rasgos diminutos, cabe sin problemas en el cuenco de las manos. Cuando duerme, el aire entra y sale por su boca con tanta delicadeza que es difícil saber si aún respira o no. Pero, cuando despierta, con los ojos marrones alertas e inescrutables, encandila de inmediato a todos los presentes.

Colocamos luces en la sala de estar, y montamos la cámara. Kristín, como cabría esperar, está algo distraída. Charla y nos trae café, pero su mirada se posa continuamente en el cochecito, para asegurarse de que su bebé sigue dormido. Su compañero lo contempla todo desde la puerta. Parece exhausto.

Kristín se pone en posición para la entrevista, y el cámara enfoca su cara. Rubia y de constitución fuerte, habla un inglés impecable. No se anda con tonterías cuando toca temas personales, y así va presentando los hechos de su vida ante nosotros como si le hubieran ocurrido a otra persona. Esto es lo que ocurrió, parece decirnos, haced con ello lo que queráis. Solo más adelante, ya totalmente absorta en la narración de sus recuerdos, se hace patente la tensión en la línea de su mandíbula cuando aprieta los dientes para evitar que su rostro traicione las emociones que siente. Esa apariencia distante no es sinónimo de desinterés. Es su última línea de defensa contra las emociones que despierta en ella hablar de la vida de su padre.

Justo antes de que el cámara empiece a grabar, Kristín lleva a su bebé al balcón y la deja en el cochecito para que duerma la siesta.

El primer recuerdo que tiene Kristín de su padre es el de ir a visitarlo a su «casa» cuando tenía cinco años. Ella habla de «la casa de papá». Iban allí los domingos por la mañana, ella y su madre, y el autobús que tomaban para llegar hasta la casa serpenteaba entre los desvaídos marrones y verdes del suroeste del país hasta que el agua de mar comenzaba a salpicar las ventanas del autobús y la blanca inmensidad de Litla-Hraun aparecía en el horizonte.

Allí todo el mundo conocía a Kristín. «¿Cómo estás?, le preguntaban, «¿vas a terminar el dibujo que hiciste la última vez que estuviste aquí?». La única regla que Kristín tenía que seguir era la de no deambular nunca sola por el edificio sin el permiso de su padre.

En el cuarto de Tryggvi había una cama, un equipo de música y una nevera. Las paredes estaban adornadas con imágenes de sonrientes culturistas en diversas poses. Había tapado las ventanas con bolsas de basura: cuando ella le preguntó por qué, él contestó que no quería que ella viera los barrotes.

A Kristín no le parecía una prisión. Los guardias siempre fueron amables, y ella disfrutaba viendo a su papá. Le dejaban jugar con otros niños que estaban también de visita. Se tiraban platos voladores unos a otros por los largos pasillos. Más tarde, cuando sus padres se casaron, celebraron allí el convite.

Cada domingo por la tarde, cuando terminaba el horario de visitas y Kristín subía al autobús para regresar a casa, sabía que su padre ya estaría encerrado en su celda. El concepto era extraño. Estaba en la cárcel y no tenía culpa. Nadie se lo había dicho nunca específicamente, pero la idea se había asentado poco a poco en su conciencia, a través de conversaciones escuchadas al otro lado de puertas entreabiertas y de voces apagadas al otro extremo de una línea telefónica, hasta convertirse en un elemento más de su percepción del mundo.

Tryggvi salió en libertad en 1982, cuando Kristín tenía siete años. Esa misma semana, una de las profesoras de Kristín se dirigió a ella en medio de una lección. «Vaya», dijo, «parece que tu padre, el asesino, vuelve a casa». Así supo Kristín cuáles habían sido los cargos contra su padre.

«Asesino». La palabra se le quedó clavada en la memoria. Era un concepto inquietante, desacostumbrado, y no cuadraba en absoluto con la imagen que tenía de su padre. Pero a la gente del vecindario parecía preocuparle la idea de que saliera libre. Tenía que haber hecho algo: ¿por qué si no iba a estar la gente tan asustada? Las dos ideas (que la cárcel es para los malos y que su padre era bueno) chocaban sin cesar en su mente.

Cuando su padre fue puesto en libertad, Kristín notó que el ambiente a su alrededor cambiaba. De la noche a la mañana, entre ella y sus compañeros de clase se alzó una especie de barrera. Los vecinos prohibieron a sus hijos ir a su casa. No fue problema: aprendió a estar sola. Si ellos no querían jugar con ella, ella tampoco quería jugar con ellos. Así supo de qué lado estaba cada uno.

Ya adolescente, a Kristín empezó a avergonzarle ser hija de su padre. Cuando le preguntaban al respecto, respondía con vaguedades. En un país tan pequeño como Islandia, camuflar la identidad de tu padre es un reto. Para Kristín era como jugar al ajedrez. En cada conversación sobre su infancia tenía que anticipar siempre varias posibilidades y prever siempre la forma de cambiar su postura antes de que saltase la pregunta de quién era su padre. «No es de aquí, no le conocéis». Era la pregunta que más vergüenza le hacía sentir. Vergüenza por la confusión que despertaba en ella; vergüenza porque estaba vinculada, aun de forma muy remota, a algo tan impensable como un asesinato; y vergüenza porque traicionaba a su padre, al que tanto quería, cada vez que mentía sobre él.

Tryggvi era meticuloso con las cosas que podía controlar. Nadie podía tocar su colección de discos de rock'n'roll ordenados alfabéticamente. Tenía un par de calcetines específico para cada día laborable, que lavaba el fin de semana. Consiguió un trabajo en un astillero.

Con el tiempo, la actitud de la gente fue suavizándose. Era un hombre de familia. Trabajaba duro. Sus colegas lo respetaban. Aun así, pese a ese aprecio, e incluso cariño, sobre él pendería siempre el recuerdo de lo que había hecho. Por muy generoso y amable que fuera, no podía aspirar más que a ser un criminal reformado que se esforzaba por superarse a sí mismo. Todo se veía desde ese prisma. Cada conversación en el trabajo, cada saludo pasajero en la calle se pasaba por el tamiz de su pasado. «No es mala gente», decían, «es buen tipo». Aun así, siempre se mantuvo una cierta reserva con él.

En ocasiones, la sensación de que toda su vida estaba condicionada por el caso podía con él, y entonces bebía. En esas ocasiones, el padre de Kristín se transformaba, ese hombre alegre y enérgico que le rizaba el pelo antes de ir a la escuela y le enseñaba a nadar desaparecía. Eran las únicas veces en que lo oyó hablar del caso. Se encrespaba. De noche, cuando debería haber estado dormida, Kristín salía de puntillas de su dormitorio y se asomaba a la barandilla para ver cómo daba rienda suelta a sus frustraciones y maldecía a la gente que, según él, se la había jugado: «Örn..., Erla..., Sævar». Una Nochebuena destrozó los muebles del cuarto de estar, gritando como un poseso.

Con trece años de edad, Kristín bajó al sótano para explorar el trastero en el que sus padres guardaban los enseres viejos. Entre los trastos encontró una baqueteada maleta con los cierres rotos, cuyo rojo original se había desvaído hasta convertirse en un tenue naranja. Dentro había una docena de cuadernos de tamaño A4 con la letra de su padre. Kristín se llevó tres a su habitación.

Cuando se puso a hojearlos vio que eran los diarios que su padre había escrito en prisión. Durante las siguientes noches, ella los estuvo leyendo en la cama. Era demasiado joven para entender mucho de lo que había escrito, pero le alegró sobremanera tener acceso a una parte de la vida interior de su padre de la que ella siempre había estado excluida.

Cada vez que los sacaba de su envoltorio de plástico, le emocionaba la perspectiva de aprender algo más sobre su padre. Parecían contener tanto de él que, en sus palabras, era a un tiempo totalmente reconocible y un perfecto desconocido. Lo que más le impactó fueron las repeticiones. Los pormenores de su rutina diaria se desgranaban en detalle, desde lo que comía en el almuerzo hasta la cantidad de flexiones que hacía, como si al enumerar los hechos anodinos de cada día insuflara en ellos algún propósito. O eso, o estaba intentando mantener su cordura.

También había pasajes llenos de rabia, en los que escribía las mismas palabras una y otra vez, en un tono insistente y desesperado que a ella no le resultaba en absoluto conocido. «La verdad tiene que salir a la luz; se han dicho mentiras sobre mí, y no puedo soportarlo mucho más». En repetidas ocasiones proclamaba su inocencia.

A punto de aparecer ante los tribunales en 1977, escribe: «Por fin he alcanzado mi objetivo principal, el de decir la verdad ante el juez. Pero ha llevado mucho tiempo. Quién iba a imaginarlo: ¡quince meses y medio! De haberlo sabido, no habría confesado nunca [...]. Pensé que, si confesaba, saldría a la calle mientras se tramitaba el juicio. No quería comerme los dos años con los que Örn Höskuldsson me amenazaba si no confesaba». Unas semanas más tarde escribe que no tiene nada que temer, porque «soy inocente, y la justicia siempre prevalece al final».

Kristín regresó al sótano unas semanas más tarde para tomar prestados más cuadernos, pero ya no estaban en la maleta naranja. Afuera, en el jardín, encontró un contenedor de metal con los restos ennegrecidos de lo que habían sido los diarios. Su padre los había quemado. Kristín no podía preguntarle por qué los había destruido, porque al hacerlo revelaría que ella se había guardado unos cuantos cuadernos. En lugar de ello, escondió los tres diarios que ya se había llevado, los correspondientes al tiempo que su padre estuvo detenido entre el 25 de octubre de 1976 y el 21 de noviembre de 1977, y nunca habló de su existencia a sus padres.

Kristín me tiende los diarios. Por un momento me llenan con la misma sensación vertiginosa que a veces siento en lo alto de una escalera mecánica, o cuando sostengo un objeto afilado cerca de alguien que me importa. ¿Y si rompo los diarios? Su valor sentimental es, por supuesto, inmenso. Pero hay más en ellos que eso. Estos cuadernos tan finos (endebles, insustanciales, en cierto modo) son la clave, o eso espera Kristín, para exonerar a su padre.

Kristín dio a luz a su primer hijo cuando tenía dieciséis años de edad. Tryggvi estuvo con ella para ayudarle en el parto. Cortó el cordón umbilical. Kristín le puso a su hijo el nombre de su padre.

Así como Kristín creció con el caso, su hijo (también llamado Tryggvi) se crió al margen de él. Cuando salía alguna noticia en la prensa, Kristín y el resto de la familia se encargaban discretamente de que no se acercase al revistero del supermercado. Aunque la mayoría de sus amigos había oído hablar de las desapariciones, e incluso alguno escribió un trabajo al respecto para la clase de ciencias sociales, él nunca tuvo noticias de ellas. De alguna manera, el tema no salió nunca en la conversación.

Entre Tryggvi y su joven tocayo se creó un vínculo muy estrecho. Con su carácter bullicioso y la habilidad de poner de buen humor a todo el mundo con su presencia, era el héroe de su nieto. Se movían por Reikiavik en un Suzuki baqueteado, con el asiento trasero cargado con los cubos de pintura que Tryggvi empleaba en su trabajo como pintor de brocha gorda, y le sacaban punta a todo lo que veían a través de las ventanillas.

Kristín comenzó a trabajar en el Ministerio de Asuntos Exteriores de Islandia. Viajó a diferentes países alrededor del mundo, a Eslovenia, Marruecos, Canadá..., y siempre llevó consigo los diarios, envueltos aún en las mismas fundas de plástico que cuando los encontró. Eran ya parte de la historia de su padre, como una foto vieja o una camisa bien usada, y quería tenerlos cerca.

En la primavera de 2009, ella recibió una llamada de su padre. Estaba enfermo y quería que volviera a casa para verlo. Kristín pensó que estaba siendo melodramático; al teléfono sonaba igual de optimista que siempre. Pero cuando habló con su madre tuvo claro que debía regresar a Islandia de inmediato. Tryggvi tenía cáncer de esófago, y los médicos lo habían detectado tarde.

Kristín fue a visitarlo a diario al hospital. Tenía la tez mortecina, de un tono casi tan pálido como la almohada, pero el cabello conservaba algo de su lustre rojizo. Parecía estar sufriendo mucho, aunque trataba de disimularlo.

Una tarde, cuando estaban solos, Kristín le dijo a su padre que había escondido algunos de sus diarios y que desde entonces los llevaba siempre consigo. En ese momento hubo muchas, muchas cosas que quedaron sin decir. Él no había querido que su hija viera nunca aquellos diarios, surgidos de las profundidades del período más oscuro de su vida, y llenos de toda la angustia de un hombre atrapado en una situación insoportable. Eran algo que siempre había querido mantener lo más lejos posible de ella. Nunca quiso que pensara en él como en un presidiario o, peor aún, como un criminal. Solo quería ser su padre. Kristín le pidió perdón y le preguntó qué quería que hiciese con ellos. Cubierto por las sábanas de su cama de hospital, había empequeñecido hasta resultar apenas reconocible. «Nada», dijo. «Cuando llegue el momento sabrás qué hacer con ellos». La madre de Kristín entró en la habitación, y la conversación pasó a otra cosa. Tryggvi falleció al día siguiente, el 1 de mayo de 2009.

Después de su muerte, Kristín no fue capaz de olvidarse de los diarios. ¿No habría alguna forma de poder usarlos? ¿Y si eran importantes? Para ella lo eran, mucho, pero ¿tenían un valor específico, más allá del que pudiera darles una hija que intentaba comprender a su padre?

Tryggvi, el hijo de Kristín, no supo del pasado de su abuelo hasta diciembre de 2010, cuando leyó un artículo sobre el caso Guðmundur en un periódico. Tenía dieciocho años. Tuvo sentimientos encontrados al respecto: por una parte, se sintió bobo por haber vivido en la inopia, pero también supo reconocer que, al ignorarlo todo del asunto, había podido tener con su abuelo una relación que nunca estuvo marcada por el caso.

Cuando habla de ello hoy, Tryggvi, ya veinteañero, dice que daría cualquier cosa a cambio de poder mantener una conversación con su abuelo sobre lo que tuvo que soportar cuando se vio envuelto en un caso de asesinato.

En 2011, dos años después de la muerte del Tryggvi mayor, la madre de Kristín, Sjöfn Sigurbjörnsdóttir, concedió una entrevista a una periodista de televisión, Helga Arnardóttir. Kristín también estuvo presente y, por razones que ni siquiera ella misma sabría explicar, llevó consigo los diarios. Al acabar la entrevista, Kristín decidió mostrárselos a Helga. Quería que Helga viera algo de su padre. Le parecía importante.

En la portada del primer cuaderno que abrió Helga podía leerse: «Este es el diario de un hombre inocente». La periodista tuvo que ausentarse para entregar su reportaje, pero unas horas más tarde se puso en contacto con Kristín. Había hablado con su editor y querían hacer un reportaje sobre los diarios, y específicamente llevarlos a Londres para que pudieran ser analizados por un importante psicólogo forense, islandés por más señas: el profesor Gísli Guðjónsson.

Gísli es un experto mundial en falsas confesiones. Ha ejercido como testigo experto en muchos casos criminales de renombre, especialmente en el Reino Unido, donde su testimonio ha sido fundamental para exonerar, entre otros, a los Cuatro de Guildford y los Seis de Birmingham. Sus artículos sobre confesiones falsas han tenido una profunda influencia en todo el mundo. En 2011 le fue concedida la orden de Comendador del Imperio Británico.

Helga contactó con Gísli para explicarle lo que había encontrado, y este le propuso que volara a Londres inmediatamente y le mostrara los diarios.

Kristín se encontró entonces en una difícil disyuntiva: podía pedir que se mantuviese su anonimato, para que no se supiera cómo se habían encontrado los diarios, o bien podía ir a Londres y, por primera vez, anunciar públicamente el parentesco con su padre, tan pronto se supiera lo de los diarios. La mayoría de sus amigos sabía quién había sido Tryggvi, pero, en el trabajo y en la escuela de su hijo, había todavía gente que no tenía ni idea de que era hija de uno de los condenados por la muerte de Guðmundur. Se sintió como si hubiera vuelto a la adolescencia y tuviera que volver a esquivar las preguntas de sus compañeros y ocultar parte de su verdadera identidad. Finalmente optó por viajar con los diarios.

Menos de setenta y dos horas después de conocerse, Helga y Kristín se embarcaron en un avión y volaron a Londres.

Aterrizaron al mediodía en Heathrow. Gísli estaba allí para recogerlas. Despreocupado, le preguntó a Kristín cómo había encontrado los diarios y por qué los había guardado. A Kristín empezó a poderle la ansiedad. Sin saber muy bien por qué, tuvo miedo de que Gísli pensara que estaba mintiendo. Viajar había sido un error. Se moría por volver a casa.

Al mismo tiempo, le desconcertaba sentirse así. Sabía que su padre era inocente. Su vida se había desarrollado sobre el fundamento de esa convicción. Pero, por eso mismo, ella se estaba jugando mucho: si Gísli decidía que los diarios no tenían ningún valor y que su padre seguía siendo culpable, significaría que toda su vida había sido una mentira. La idea no se le ocurrió hasta que se vio sentada en el coche con Gísli. Si desestimaba los diarios, todo lo que sus maestros y vecinos le habían dicho cuando era una niña de siete años resultaría ser cierto.

Llegaron a la casa de Gísli, y este se retiró a su oficina con los diarios, cerrando la puerta tras él. Kristín y Helga se quedaron esperando en un saloncito circular. Las ventanas estaban tintadas de verde, e iban del suelo hasta el techo, curvándose por encima de sus cabezas hasta formar una cúpula. En la cocina, la esposa de Gísli limpiaba fresas y tiraba los tallos en un cuenco. Kristín se sorprendió a sí misma temblando.

Gísli salió de su oficina. Su expresión era inescrutable. Bebió un poco de té y habló sobre el tiempo. Kristín quiso gritar:

«¿A quién le importa el tiempo? Dime algo, lo que sea. ¿Me tengo que preocupar? ¿Necesito ir a casa a replantearme mi vida?». Pero no dijo nada. Sonrió y bebió de su taza con el estómago hecho un nudo.

Gísli tardó una hora en regresar a la salita. Kristín sirvió más té. Gísli le explicó que, a la luz de aquellos diarios, había motivos para llevar a cabo un análisis que determinase si las confesiones hechas por su padre (sobre las que se había basado todo el caso), eran o no fiables.

Gísli no dijo que fuera inocente (no estaba en posición de afirmar nada semejante), pero para Kristín fue más que suficiente. Nunca hubo un cadáver. Nunca hubo escenario del crimen. Nunca hubo un motivo. Solo confesiones. Si se podía demostrar que estas se habían obtenido bajo coacción, significaría que no quedaba evidencia alguna que condenase a su padre.

Algo desbordó a Kristín entonces, y rompió a llorar. Sobre todo, sentía alivio. Por primera vez podía decir con orgullo quién era su padre.

La entrevista ha terminado y el cámara comienza a apagar el equipo. Kristín se queda inmóvil un instante. Trasteamos con el equipo, aflojando soportes y plegando trípodes. Ha empezado a nevar, y Kristín sale a buscar a su hija.

En octubre de 2011, Helga estrenó en televisión un documental sobre los diarios de Tryggvi. La muerte de Sævar en julio había llamado la atención de los medios de comunicación, y su familia, junto con Erla, había denunciado enérgicamente en televisión las deficiencias de la investigación. Tras el colapso financiero, el desencanto y la desconfianza hacia las autoridades era general. Las condiciones eran especialmente propicias para reevaluar los casos.

Tras recibir una petición firmada por 1190 personas, el ministro del Interior, Ögmundur Jónasson, creó un grupo de trabajo en octubre de 2011 encargado de revisar todos la documentación de los casos de Guðmundur y Geirfinnur, en particular la relativa a la investigación policial.

Ögmundur Jónasson nació el 17 de julio de 1948, siete años antes que Erla y Sævar, y había seguido el desarrollo de aquellos casos durante la mayor parte de su vida adulta. Es un hombre de porte solemne y digno, y cuando dice algo que no ha querido decir, o que no ha expresado con la precisión que le habría gustado, tiene la necesaria presencia de ánimo (labrada en décadas de entrevistas televisivas) para pedir que se le repita la pregunta y así poder expresarse con la exactitud que desea.

Cuando Ögmundur se enteró de lo costoso que sería repatriar el cuerpo de Sævar desde Dinamarca, hizo una aportación económica. Se siente visiblemente incómodo cuando se le pregunta al respecto, y procura llevar la conversación hacia temas menos personales, afirmando que le habría gustado que las medidas adoptadas en 2011 se hubieran tomado mucho antes, cuando Sævar aún estaba vivo.

«Pero esto no se está haciendo por él», dice. «Lo hacemos por la justicia. Y una sociedad que se quiere basada en la ley debe ser capaz de reconsiderar sus acciones si hay motivos para creer que se ha errado».

El grupo de trabajo creado por Ögmundur estuvo compuesto por la abogada Arndís Soffía Sigurðardóttir, el abogado Haraldur Steinþórsson y el psicólogo Jón Fridrik Sigurðsson. Ambos abogados eran jóvenes, para evitar la posibilidad de que hubiesen tenido relación con los casos.

La percepción generalizada en aquel entonces era que Síðumúli había sido un lugar de pesadilla, y que se habían cometido graves errores en la investigación y en las sentencias.

Sin embargo, tal y como los jueces del Tribunal Penal y del Tribunal Supremo se habían encargado de dejar claro, eso no afectaba necesariamente a las confesiones. Los maltratos en Síðumúli se produjeron *después* de que se hubieran obtenido muchas de las declaraciones clave.

Además, las incongruencias y lagunas en el veredicto final de los jueces daban fe de la infernal complejidad de dos casos que habían generado más de 10.000 páginas de documentación. Para quienes defendían que se había condenado a los verdaderos culpables, aquella maraña de declaraciones confusas y contradictorias no hacía sino corroborar las maquinaciones de un grupo de sospechosos que habían tratado de confundir a los investigadores con toda clase de fabulaciones con el único fin de disfrazar su participación en dos asesinatos.

Arndís «Dísa» Soffía Sigurðardóttir fue la abogada escogida para presidir el grupo de trabajo. Exagente de policía, es también propietaria de una casa de huéspedes en una granja a la sombra del volcán Eyjafjallajökull, en el sur del país. En los ámbitos en los que ha trabajado y estudiado (la policía y la Facultad de Derecho), la idea que ha prevalecido siempre es que, pese a las deficiencias de la investigación, el veredicto había sido el correcto.

La primera tarea a la que tuvieron que hacer frente Dísa y el grupo de trabajo fue reunir toda la documentación. Hablamos de una cantidad de papeles desorbitada. Recuperaron archivos de la comisaría, de los tribunales y del Tribunal Supremo. En los Archivos Nacionales del centro de Reikiavik, los archiveros cargaron cajas y más cajas de declaraciones e informes policiales en varios carros y las llevaron a la oficina del Ministerio del Interior asignada al grupo de trabajo. Las cajas, puestas una al lado de la otra, se extendían a lo largo de varios metros. Los documentos no parecían estar en orden y, pese a que estaba previsto que el grupo de trabajo estudiase los casos durante medio año, el proceso acabó prolongándose durante casi dieciocho meses.

Consciente del peso que aquellos casos habían tenido sobre la conciencia islandesa a lo largo de los años, el grupo de trabajo abrió un buzón a través del cual los ciudadanos podrían ponerse en contacto con ellos. Pronto se desbordó, en una situación análoga a la de 1974, cuando llovieron pistas y más pistas sobre el paradero de Geirfinnur. El objetivo inicial había sido el de hacerse la mejor idea posible de cómo se había desarrollado la investigación. Una vez establecida esa base de datos, el grupo de trabajo podría determinar con exactitud cuántas veces se había interrogado a los sospechosos, cuánto acceso tuvieron a asistencia letrada y cuánto tiempo pasaron detenidos.

Las primeras alarmas empezaron a saltar al poco de comenzar aquella tarea. Dísa había acometido el examen de la documentación sabiendo muy poco sobre los casos, pero pronto fue consciente de que algo se había torcido en ellos de mala manera. Los medios para obtener las confesiones no habían sido ni mucho menos tan diáfanos como se le había hecho creer.

Los sospechosos habían mantenido un contacto muy escaso con sus abogados. De las 180 entrevistas que Sævar mantuvo con la policía, su abogado estuvo presente en 49, mientras que el de Erla solo presenció tres de sus 105 entrevistas.

Los informes encontrados en los archivos de la prisión demuestran que a los abogados de los sospechosos se les negó en repetidas ocasiones el permiso para hablar con sus clientes. En un momento dado, el juez Gunnlaugur Briem dictaminó que a algunos abogados no debía permitírseles en ningún caso comunicarse con sus clientes, y que esta prohibición debía mantenerse durante varios días. Se mantuvo vigente más de un mes.

Lo que más le chocó a Dísa fue lo mucho que se prolongó la prisión preventiva. Como tantos otros sistemas penales de todo el mundo en la década de 1970, el poder judicial islandés prolongaba los períodos de detención durante la investigación de delitos graves a fin de obtener confesiones. Podía incluso ampliarlos repetidamente. Algunos de los sospechosos habían permanecido en régimen de aislamiento durante períodos asombrosamente largos.

La monotonía erosiona la mente. Incluso una rata encerrada en un laberinto y obligada a encontrar su alimento en el mismo lugar, día tras día, combate el tedio utilizando diferentes rutas para llegar a la comida. El aislamiento, al eliminar toda estimulación ambiental y la oportunidad de interacción social, deteriora nuestra capacidad de mantenernos atentos a nuestro entorno. Bastan unos pocos días de confinamiento solitario para cambiar los parámetros del cerebro humano y generar una configuración anormal caracterizada por un estupor y una desorientación extremas.

No hay muchos experimentos fiables que hayan explorado de manera significativa la reclusión en solitario, principalmente por lo perjudiciales que son sus efectos sobre cualquier sujeto de prueba, tanto humano como no humano.

En un infame experimento llevado a cabo en la década de 1950, un tal Harry Harlow encerró a varios monos en una cámara de la que no podían escapar. Al cabo de pocos días, los monos comenzaron a autolesionarse y a deambular perdidos por las jaulas, meciéndose de un lado a otro durante largos períodos de tiempo en un estado de profunda malestar. Se lo llamó el «pozo de la desesperación».

En 1951, Donald O. Hebb, psicólogo de la Universidad Mc-Gill, en Montreal, analizó el efecto que un ambiente extremadamente monótono tenía en los sujetos de prueba, en este

caso, estudiantes universitarios. Los sujetos se tendían primero
en un cómodo lecho, y a continuación se los equipaba con vi-
seras de plástico que limitaban su visión, guantes y tubos largos en los brazos para restringir el tacto y almohadas en forma
de U como las que se usan en los aviones para bloquear cualquier sonido que pudiera llegarles desde más allá de las paredes de su cubículo. Su única interacción diaria con otros humanos se producía cuando les traían comida o cuando los
llevaban al baño.

Al principio, los sujetos pasaron el tiempo pensando en el
experimento, en sus estudios y en los problemas personales
que los pudieran haber tenido preocupados en los días anteriores. A algunos les dio por ponerse a contar desde cero hasta
que perdían la concentración. Otros, simplemente, dejaron
vagar sus pensamientos. Muchos señalaron posteriormente
que pronto se les acabaron las cosas en las que pensar. A los
pocos días, casi todos los estudiantes experimentaron alucinaciones.

Generalmente, estas alucinaciones se manifestaron como
formas básicas. Ante sus ojos aparecieron puntos y líneas, y,
con el tiempo, estas sencillas siluetas fueron ganando complejidad y convirtiéndose en patrones repetitivos similares a los
habituales en el alicatado de los baños y el papel pintado de las
paredes. Pronto, estos patrones se convirtieron en escenas
completas, muy parecidas a una película proyectada en el interior de sus cabezas: ardillas marchando con un saco echado al
hombro, unas gafas deambulando por los caminos, animales
prehistóricos en la selva... Uno de los sujetos no vio nada más
que perros.

Las alucinaciones no se limitaban al campo visual. Muchos
de los participantes recordaban haber oído conversaciones, o
percibieron diferentes sensaciones hápticas: uno llegó a decir

que podía sentir cómo un cohete en miniatura disparaba perdigones contra su brazo.

Al principio, muchos de los sujetos disfrutaban de esos efectos, porque aliviaban el tedio del aislamiento. Pero pronto empezaron a ser molestos: interrumpían su sueño y les impedían concentrarse en otras cosas. Muchos hablaron de episodios disociativos, en los que sentían que estaban simultáneamente dentro y fuera de su cuerpo. «Mi mente», dijo uno de los estudiantes, «parecía haberse convertido en una bola de algodón que flotaba sobre mi cuerpo».

A todos los sujetos de prueba se les pagó por su participación. Muchos de ellos estudiaban psicología, y participaron entusiasmados por lo que podrían descubrir. El experimento se concibió para extenderse durante seis semanas. Nadie aguantó más de siete días.

Es evidente que los parámetros de este experimento no son del todo análogos a las condiciones de la prisión, sobre todo porque la privación sensorial experimentada por los estudiantes fue más extrema que la sufrida por los detenidos. Pero lo que los estudiantes sufrieron en aislamiento concuerda con lo que los expertos han constatado al entrevistarse con reclusos que han pasado tiempo en confinamiento solitario.

El doctor Stuart Grassian, psiquiatra que estuvo en la facultad de la Escuela de Medicina de Harvard durante más de veinticinco años y que a día de hoy sigue siendo uno de los principales investigadores sobre los efectos del confinamiento solitario, ha escrito extensamente acerca de la forma en que la privación de estímulos causa graves daños psiquiátricos. En sus estudios se entrevistó con prisioneros que habían sido sometidos a confinamiento solitario en una prisión de máxima seguridad en Walpole (Massachusetts). El aspecto que más le impresionó fue la uniformidad de los síntomas psiquiátricos específicos mencionados por los reclusos, que incluían pensamientos intrusivos, paranoia declarada y alucinaciones.

Más aún: el doctor Grassian llegó a la conclusión de que las considerables perturbaciones perceptivas que experimentaba una persona aislada (fueran estas ilusiones fugaces, como objetos que cambiaban de tamaño, o alucinaciones más duraderas) no se dan apenas en contextos distintos a los de enfermedades neurológicas específicas. El confinamiento solitario arrastraba a los reclusos a una especie de delirio.

A través de los archivos de la prisión de Síðumúli descubiertos por Sigursteinn, el grupo de trabajo pudo calcular con exactitud el tiempo que los sospechosos habían permanecido en régimen de aislamiento. Para cuando el tribunal dictó sentencia el 19 de diciembre de 1977, Tryggvi había estado recluido en régimen de aislamiento durante 627 días, Sævar durante 615 días, Kristján durante 503 días, Guðjón durante 412, Erla durante 241 y Albert durante 87 días.

Síðumúli albergaba dos pasillos, uno de los cuales, denominado «el corredor de las mujeres», era mucho más tranquilo que el otro, al que se abrían el resto de celdas. «El silencio pudo conmigo», reconoció Tryggvi en una entrevista con el periodista islandés Þorsteinn Antonsson. «No oía nada, que es precisamente lo que querían que oyese». Después de unos días en aislamiento, Tryggvi experimentó brotes psicóticos. Comenzó a escuchar voces, masculinas y femeninas: unas veces discutían cerca de él, otras murmuraban a lo lejos, como si escuchase la conversación de alguien en una fiesta. La cháchara era casi incesante. Pasó cuatro días sin dormir.

Una de las cosas con las que más disfrutaba Tryggvi era el ejercicio físico y las actividades prácticas, y se quejaba amargamente si a causa del mal tiempo los guardias de la prisión recortaban los cincuenta minutos que podía pasar al aire libre. Se ejercitaba en su celda, a menudo hasta cuatro horas al día, para mantenerse física y mentalmente en forma. Pero, aparte de las comidas, los interrogatorios y el ejercicio, no tenía otra cosa que hacer que sentarse en su cama y pensar. Encerrado en su celda, tuvo que afrontar la idea de que quizás había estado involucrado en el asesinato de Guðmundur. El asunto no le dio tregua durante las interminables horas de cautiverio.

Durante diecisiete días proclamó su inocencia, pero acabó confesando. A partir de ahí fue recluido en régimen de aislamiento durante casi dos años.

También a Sævar le afectó profundamente el tiempo que pasó en solitario. Cuando el periodista Stefán Unnsteinsson obtuvo permiso para entrevistar a Sævar, tres semanas después de que este hubiese salido del aislamiento, se encontró con un hombre muy diferente al joven que había conocido en las fiestas de su adolescencias En los encuentros que Stefán grabó con Sævar, este apenas era capaz de hilvanar una frase completa. No había ni rastro del atropellamiento con el que acostumbraba a hablar. Parecía apático, estupefacto. «En ese momento, Sævar estaba loco de atar», recuerda Stefán. «Se pasó aquellas primeras semanas como en un viaje de ácido».

Ansiosa de contacto humano, y abandonada a solas con sus pensamientos día tras día, Erla dice que estaba tan desesperada por hablar con alguien que habría hecho cualquier cosa por un poco de atención. «Te conviertes en un bebé indefenso. Es como si tu mentalidad e inteligencia se encogiesen, como si entrases en un mundo abstracto sin elementos de comparación». Encarcelada en régimen de aislamiento durante más de siete meses, perdió toda noción de la realidad. «Me estaba volviendo loca», dice, «me preguntaba si de verdad había tenido un bebé o si era todo cosa de mi imaginación, porque habría podido jurar que sí, que tenía un bebé, pero no me llegaban imágenes».

Los efectos del confinamiento solitario siguieron cebándose en Erla. Recuerda que en una ocasión fue con su familia a ver una película y que, casi tan pronto como se sentaron, se encendieron las luces del cine. Lo primero que le vino a la cabeza fue que quizás el presidente había acudido a la sala y que se estaba demorando la proyección para que pudiera encontrar su asiento. Pero todos los espectadores, incluida su familia, se estaban levantando de sus asientos para salir del cine. La película había terminado, y apenas hacía un instante que se habían sentado.

Su percepción del tiempo continuó distorsionándose. Una noche, en casa de su madre, Erla se sentó en el sofá mientras su madre Þóra daba cuerda a un despertador. Þóra se retiró a su dormitorio, y Erla permaneció sentada, observando la gasolinera al otro lado de la calle. Se puso a pensar en que ya no necesitaba pulsar un botón de goma para ir al baño. Entonces sonó el despertador. Justo cuando Erla pensaba que a su madre le estaba llevando mucho tiempo aprender a usarlo, Þóra entró en la sala de estar y le preguntó: «¿No has dormido?». Se había pasado allí sentada la noche entera. Fuera todo seguía oscuro, y los primeros coches llegaban a la gasolinera para repostar de camino al trabajo.

En una entrevista concedida siete años después de ser puesto en libertad, Kristján describió su estado de ánimo durante la detención. «Evidentemente, lo único que tienes es la espera. Cada día es idéntico al anterior. Te pones a pensar en el próximo interrogatorio, preguntándote qué deberías decir. Pero a menudo las declaraciones me las ponían delante por escrito y yo solo tenía que aprobarlas. En la celda no podías hacer otra cosa que pensar. Acabé fundiéndome con las paredes. Eran verdes. Dejé de hacerlo cuando no pude sentir mi cuerpo. Era solo una cabeza. Todo cabeza». Después de un año bajo custodia, Kristján empezó a autolesionarse. En un estudio reciente se examinaron cerca de 250.000 reclusiones en Nueva York entre enero de 2010 y enero de 2013 y se constató una fuerte correlación entre las lesiones autoinfligidas y la reclusión en solitario. Los presos recluidos en celdas de aislamiento eran 6,9 veces más propensos a provocarse lesiones. Solo el 7,3 % de los reclusos estaban en régimen de aislamiento, pero sumaban el 53,3 % de los casos de autolesiones.

En diciembre de 1976, Kristján intentó suicidarse abriéndose las muñecas. Karl Schütz escribió una carta al juez Halldór Þorbjörnsson para advertirle de que Kristján debía ser sometido a una estrecha vigilancia, debido a lo vulnerable e imprevisible de su carácter, y a que era uno de los sospechosos más importantes en los casos. Al mes siguiente, Kristján prendió fuego al colchón de su celda. Durante cuatro meses y medio estuvo bajo observación continua, a fin de impedir que se suicidase, y la puerta de su celda estuvo siempre abierta para estar siempre, día y noche, a la vista de dos guardias. Los sedantes que le administraban para calmarlo le hacían deambular como un zombi por los pasillos. A veces topaba contra las paredes hasta que la sangre corría a regueros por su cara.

Los encargados de administrar los fármacos a los sospechosos eran Guðsteinn Þengilsson, el médico de la prisión, y los propios guardias. Las dosis empleadas eran mucho más altas de lo que suele ser habitual en la actualidad. En un solo día de octubre de 1976, por ejemplo, Sævar recibió hasta 75 miligramos del antidepresivo Tryptizol, 10 miligramos de Valium, 5 miligramos del sedante Mogadon, laxantes y una variante de codeína. A los reclusos se les daban pastillas para el sueño y sedantes, el ansiolítico clordiazepóxido para calmarlos, metoclopramida para prevenir las náuseas, cloral, Belladenal, nitrazepam. Recibieron también inyecciones para reducir su delirio y, en algunos casos, para persuadirlos de que dijeran la verdad. A los sospechosos les resultaba difícil distinguir entre las diferentes funciones de la celda, la sala de interrogatorios y el tribunal, así como las atribuciones de investigadores, guardias y jueces. Los investigadores entraban a las celdas por la noche para interrogar a los sospechosos. Se asignaron guardias a cada uno de los reclusos para ganarse su confianza y recabar información. Hlynur Þór Magnússon era el guardia asignado a Erla. «En ese momento, durante el aislamiento», dice Erla, «Hlynur fue muy amable conmigo. Era como agua en el desierto. Luego, pasado el tiempo, descubrir que no le importaba fue un mazazo, incluso después de tantos años».

Tryggvi afirma que el guardia Skúli Steinsson le hizo creer que era su amigo, y que le dijo que cuando dormía había confesado distintos crímenes, y también que escuchaban todo cuanto decía. Cuenta también que llegaron a ponerle cinta adhesiva en la boca para que no revelara secretos en sueños.

Convencidos de que los sospechosos que tenían a su cargo eran peligrosos y mendaces, los guardias crearon un ambiente extraordinariamente cargado en la prisión. Síðumúli era un mundo al revés en el que los guardias se convertían en confidentes, la conversación con un investigador servía también como interrogatorio de un juez, y a ciudadanos de a pie, incluso ídolos del deporte islandés, se los hacía aparecer ante la opinión pública como mentirosos contumaces empeñados en engañar a la policía y a la nación.

El grupo de trabajo constató que los sospechosos habían recibido muchas más visitas de las que indicaban los informes policiales. Sævar fue entrevistado al menos 180 veces antes del juicio, Kristján 160 y Erla 105. Había habido docenas de «careos conjuntos de homogeneización» en los que se había reunido a los sospechosos para intentar que armonizasen sus confesiones.

La impresión dada por el veredicto del Tribunal era que los implicados habían cambiado repetidamente sus confesiones para cubrirse las espaldas: eran, por tomar prestada la palabra de Karl Schütz, «astutos». Pero el grupo de trabajo pudo demostrar precisamente lo contrario. Los investigadores parecían haber inducido a los sospechosos a cambiar sus declaraciones para ocultar los errores cometidos durante la investigación.

En sus primeras confesiones, tanto Kristján como Albert afirmaron que Albert había recibido una llamada telefónica realizada desde el 11 de Hamarsbraut la noche de la desaparición de Guðmundur. Pero el 27 de febrero de 1977, el investigador Gísli Guðmundsson constató que en enero de 1974, cuando Guðmundur desapareció, el teléfono de la casa había sido desconectado por falta de pago. Esta nueva información comenzó a filtrarse a través de las confesiones posteriores, en las que ya no se hacía mención de la llamada telefónica.

Algo parecido sucedió con el vehículo de Albert. Según la confesión de este del 23 de diciembre de 1975, corroborada por la de Kristján del 28 de diciembre de 1975, Albert había ido hasta el 11 de Hamarsbraut en el Toyota amarillo de su padre. Pero, en enero de 1974, el padre de Albert no tenía un Toyota amarillo. Conducía un Volkswagen.

Cuando los investigadores descubrieron este hecho, las declaraciones se metamorfosearon de nuevo. Albert había afirmado al principio que estacionó el Toyota de forma que el maletero diese a la casa, para poder cargar el cuerpo de Guðmundur. Pero el Volkswagen no tenía maletero, apenas un mínimo espacio de carga bajo el capó. En declaraciones posteriores, Albert parece haber llegado a la casa en un Volkswagen y haberlo aparcado de frente. El cuerpo de Guðmundur lo encajaron entre los asientos traseros. Las confesiones se habían ajustado para adaptarse a esta nueva realidad.

Atrapado en una situación surrealista en la que nadie iba a creer nunca que no estaba en el ajo, Sævar intentó probar que los investigadores estaban coordinando las confesiones. El 3 de marzo de 1977, Sævar mencionó que Gunnar Jónsson había presenciado el asesinato de Guðmundur. Esperó a ver si la historia se difundía, y así fue; una semana más tarde, Albert también había nombrado a Gunnar Jónsson, mientras que otros detenidos mencionaron la presencia de un tal Gunni durante el suceso. Había pasado más de un año desde las detenciones, y de repente todos se acordaron de Gunnar ¡la misma semana!

Estos cambios repentinos y simultáneos en múltiples declaraciones no significan que, dos años después de la desaparición de Guðmundur, todos los sospechosos recordaran de improviso y con el mismo grado de detalle una llamada de teléfono, un coche o un testigo. Lo que sí dan a entender es que los investigadores, cada vez que comprobaban que ciertos detalles de las declaraciones no se correspondían con los hechos comprobados, orientaban a los sospechosos hacia confesiones que *podrían* ser verificadas.

Quizá no haya mayor evidencia del estilo sugerente, y quién sabe si coercitivo, empleado por los investigadores del caso que esas transformaciones milagrosas e instantáneas que sufrían las declaraciones cada vez que salía a la luz un nuevo indicio.

La detención prolongada, unida a las drogas psicotrópicas y a los numerosos y prolongados interrogatorios sin asistencia letrada, consiguió que los sospechosos acabaran derrumbándose. Su vida entera dependía del capricho de los investigadores, que tenían la potestad de prolongar repetidamente su custodia e interrogarlos durante meses y meses. A medida que avanzaba la investigación, la entereza mental de los sospechosos fue debilitándose, y sus declaraciones eran cada vez más dispares. A veces da la impresión de que apenas sabían lo que estaban confesando.

Hlynur Þór Magnússon recuerda a Erla recopilando por escrito una lista de todas las personas que había visto en Keflavík en relación con la desaparición de Geirfinnur. «Estaba absolutamente seguro de que lo que contaba no era más que fantasía», dice. Entre las personas a las que señaló se contaban un ministro del gabinete islandés y un conocido comerciante de Reikiavik. «Por poder, podría haber acusado al presidente de Islandia de ser el pez gordo que había asesinado a Geirfinnur», cuenta. «Era absurdo». En un momento dado, ella llegó a acusar a John F. Kennedy.

En su evaluación final, la policía de Reikiavik sostuvo que los sospechosos habían prestado testimonios deliberadamente falsos y que habían urdido toda una serie de patrañas. Parece mucho más probable que, sometidos a un cautiverio tan intenso, los sospechosos estuviesen dispuestos a decir lo que fuese para aliviar la presión ejercida sobre ellos. En sus declaraciones, tanto podían rechazar cualquier implicación en el caso como reconocer todo cuanto quería oír la policía, y entre bandazos acabaron confesando de todo.

Lo que en los medios de comunicación se había descrito como duplicidad por parte de los sospechosos era, en realidad, confusión en grado extremo.

Fue entonces cuando Schütz entró en escena.

A Schütz le había rodeado desde el principio cierto aire de superioridad, como si todo el ejercicio de dar con los culpables no estuviese a la altura de su pericia. En sus memorias da a entender que los asesinos de Guðmundur y Geirfinnur eran simples matones, poca cosa en comparación con los ideólogos de la banda Baader-Meinhof a los que había perseguido en Alemania Occidental. Aun así, y pese a su impresionante historial, no era investigador de homicidios. Si en algo era experto era en la neutralización de conjuras políticas.

Schütz hizo valer su autoridad sobre el grupo de trabajo, los sospechosos y los abogados de estos. Páll Pálsson, el abogado de Kristján, recuerda que se fijó en la habitación en la que trabajaba el grupo de trabajo. En las paredes había copias mecanografiadas de diferentes testimonios presentados por los sospechosos, enlazados entre sí con docenas de cordeles. Páll no había visto nunca esa técnica de investigación en una comisaría de policía islandesa, y, mientras la admiraba, Schütz entró de sopetón y bramó: «¿Quién es este tipo?».

Alguien respondió que era el abogado de Kristján. Schütz exigió: «¡Que salga de aquí!».

Cuando Dísa y el grupo de trabajo examinaron la progresión de los acontecimientos, constataron que la llegada de Schütz a Islandia en el verano de 1976 generó un esfuerzo concertado para rebajar las inconsistencias, contradicciones e imprecisiones de los acusados.

Los sospechosos recibieron la aparición de Schütz como el náufrago que ve un bote salvavidas en el horizonte tras meses a la deriva. Sævar mencionó alguna vez que Schütz entró en su celda y afirmó que nunca, ni siquiera durante el período nazi, se había encarcelado a nadie en condiciones semejantes. Schütz le llevó tabaco y material de escritura. A Sævar le gustó aquello. Se sintió como si volviese a tratar con seres humanos. Pero, luego, según Sævar, el tono de Schütz cambió. Le dijo que estaba allí para cerrar los casos, y que pasase lo que pasase le iban a condenar. Si cooperaba, le caerían unos cuantos años; si no lo hacía, la pena podría ser cadena perpetua.

Erla anhelaba también que entrara en la investigación alguien ajeno a ella. Sería la oportunidad para hacer un último esfuerzo y declarar su inocencia. La primera vez que Erla y Schütz estuvieron frente a frente tuvo que ser excepcional. No es fácil verificar los detalles de tal encuentro, pero, si lo consideramos en el contexto del descontrol imperante en Síðumúli, esa escena (de por sí inapropiada en el marco de una investigación criminal) tiene muchos e inquietantes visos de realidad.

Erla cuenta que estaba en su celda cuando se oyó un estruendo repentino y la puerta se abrió de golpe. El alcaide le exigió que se quitara la ropa y se cubriera con la gruesa manta que le echó encima. Era de una lana basta y gris especialmente pesada, pero de tamaño insuficiente para cubrir todo su cuerpo.

Cuando regresó el alcaide, se llevaron a Erla a otra celda, donde se sentó a esperar acontecimientos. Fuera había algo de alboroto, gente moviéndose y cuchicheando. Finalmente se abrió la puerta. Erla salió al pasillo y vio a un hombre de escasa estatura. Erla recuerda que tenía unos ojos azules resplandecientes, como los de un niño, pero que el resto de sus rasgos eran viejos. Tenía arrugas alrededor de los ojos y el pelo cano y pulcramente cortado.

Son tantos los elementos carentes de sustancia en este caso (por no haber, no había ni cadáver) que en cierto modo resulta apropiado que toda la comunicación con Schütz se llevase a cabo a través de un traductor, generando así un cierto distanciamiento incluso de las conversaciones más importantes. Mirándola fijamente a los ojos, Schütz le habló a Erla en un idioma que ella no entendía mientras el traductor intentaba seguirlo. Erla recuerda que Schütz le tendió la mano para estrechársela, pero que ella tenía que sostener la manta y tuvo que arreglárselas de alguna manera para corresponder a su saludo sin que se le cayese.

Pocos días después, Erla tuvo ocasión de hablar con Schütz en mejores condiciones. Le dijo que quería contar la verdad, y él respondió que le alegraba oír eso. Erla se retractó entonces, y le dijo a Schütz que todo lo que había dicho sobre su hermano, Magnús y los demás era mentira, y que no sabía nada de la desaparición de Geirfinnur. Luego se puso a llorar, abrumada por la vergüenza.

Se hizo el silencio. Erla dice que Schütz la miró con sus brillantes ojos azules. «¿Te crees que soy idiota?». Le llevó un rato procesar lo que acababa de escuchar. Y después añadió: «Si crees que he venido aquí a jugar, te equivocas». Luego, la devolvieron a su celda.

Las notas de la policía permiten hacerse una preocupante idea de cómo se trataban las retractaciones hechas por los sospechosos, sobre todo a partir de que Schütz se pusiera al mando. El 15 de octubre de 1976, Schütz escribe que Erla había declarado que no había estado en Keflavík. En varias ocasiones intenta retractarse de su declaración, y otras tantas veces se la amonesta. Se le dice que otros sospechosos habían confirmado su testimonio y que no tenía sentido desdecirse. Se interrumpió entonces el interrogatorio, y Erla se enfadó. «Parecía estar histérica», escribió Schütz, «y mientras golpeaba la mesa gritaba: "Aquí nadie me cree"». Su retractación fue desestimada.

El 27 de septiembre de 1977, Kristján intentó retractarse de sus declaraciones en el juzgado. Se le preguntó por qué había hecho aquellas confesiones si ahora pretendía retirarlas. Kristján explicó a los jueces que los agentes de policía le habían pedido que confesara, y que pensó que no podía negarse a ello. «A mí y al resto de acusados se nos interrogó en grupo sin que nadie nos tomara declaración», dijo, «y nos obligaron a ayudarnos unos a otros a recordar acontecimientos que no se habían producido, pero que los policías creían que sí habían ocurrido». También esta petición fue desestimada.

En una carta escrita por Örn Höskuldsson al juez Gunnlaugur Briem, Örn señala que no había hecho caso de los intentos de Sævar de retractarse porque «lo tenía muy claro».

En ese doble discurso tenían que desenvolverse los sospechosos (conchabados todos ellos a ojos de las autoridades) e intentar zafarse de todas aquellas mentiras tan poco probables: cada vez que intentaban negar las acusaciones se interpretaba su gesto como un ejemplo más de su mendacidad.

En los interrogatorios, Schütz recurrió a una técnica de su propia invención que él llamaba el «método indio». Consistía en hacer preguntas a los acusados en un orden no lineal, saltando de un tema a otro. El razonamiento era que, al plantear las preguntas en una cronología confusa, el acusado tendría que responder sin pensar, con lo que le resultaría más difícil mentir. En la práctica, el proceso generó muchísimo desconcierto. Los investigadores creían que habían arrestado a los culpables, y que si les apretaban las tuercas acabarían dándose por vencidos. El problema, claro, es que no había un plan maestro secreto que descubrir.

Schütz era plenamente consciente de que no disponía de más pruebas que las confesiones. En su informe semanal al ministro de Justicia, le manifestó que no estaba seguro de ir por el camino correcto. Esa es, en parte, la razón de su obsesión con encontrar los cuerpos y un sospechoso más digno de confianza. Las notas de los informes policiales recogen que el investigador alemán presionó a los sospechosos durante los interrogatorios para convencerles de que dijeran lo que él quería que dijeran. La entrevista del 7 de agosto de 1976 empieza con Schütz diciéndole a Albert que no creía que fuera un criminal. Pero, de repente, la presión se intensifica. En el informe policial, Eggert N. Bjarnason escribe:

> Schütz estaba seguro de que Albert sabía adónde se habían llevado el cuerpo. Pero Albert decía que no lo recordaba. Schütz no le creyó. Albert afirmó que le gustaría poder recordar dónde se habían llevado el cuerpo y dónde lo habían enterrado. Schütz le recordó a Albert que pronto, en fecha aún por determinar, se pondría en marcha una búsqueda muy minuciosa para localizar el cuerpo, utilizando maquinaria pesada. La búsqueda sería muy costosa, y Albert sería el responsable.

Aquí vemos los poderes de persuasión de Schütz en todo su esplendor. Engatusa a Albert y razona con él antes de abrumarlo con sus acusaciones, cargándole la culpa de las numerosas y costosas batidas llevadas a cabo en la lava.

Schütz entraba a los interrogatorios con ciertas respuestas preconcebidas, de las que intentaba luego convencer a los sospechosos: algunas tenían que ver con el paradero de los cuerpos; otras, con quién había conducido qué coche... Los desmentidos y contradicciones los descartaba como simples mentiras. Cuando Albert trató de explicar que no sabía dónde estaban los cuerpos, le dijeron que se equivocaba; cuando Erla dijo que no había estado en Keflavík, le cayó una bronca. Los interrogatorios de los sospechosos, según consta en las actas de la policía, fueron llevados a cabo con el propósito expreso de «reforzar las confesiones».

Su condición legal de consultor extranjero no le permitía más que supervisar los casos. A su llegada, sin embargo, la investigación se adaptó por completo a su estilo. A partir de tardes medio recordadas, retazos de sueños y recuerdos difusos, Schütz urdió una narrativa tan convincente que bastó para que los seis sospechosos fuesen condenados en los tribunales y aparecieran como culpables a ojos de la opinión pública. No había pruebas fehacientes de delito alguno, pero la historia que hilvanó acabó convenciendo a toda la nación. Enfrentado al humo, en lugar de verlo escurrirse entre sus dedos había conseguido llevarlo a su terreno.

Nada de esto, sin embargo, daba respuesta al misterio más acuciante de la investigación. Incluso después de condenados, muchos de los sospechosos no se retractaron de sus confesiones. Erla no se desdijo de sus testimonios en los casos de Guðmundur y Geirfinnur hasta 1980. En 1994, cuando Sævar intentó por primera vez que se repitiera el juicio, ni Albert ni Guðjón se habían desdicho de las suyas. Algunas de las confesiones más determinantes, como, por ejemplo, las primeras declaraciones de Erla y Sævar a propósito de Guðmundur, se realizaron al parecer antes de que se produjeran los abusos en Síðumúli.

Para quienes creían que se había condenado a los verdaderos culpables, esta circunstancia, quizá más que ninguna otra, demostraba que el criterio del Tribunal Supremo había sido el correcto.

En octubre de 2011, Ögmundur se puso en contacto con Gísli Guðjónsson, el psicólogo forense que había recibido los diarios de Tryggvi en otoño de 2011, para solicitar su participación como experto en el comité. Utilizando métodos de evaluación que no habían estado disponibles durante los juicios de 1977 y 1980, Gísli y el psicólogo Jón Fridrik Sigurðsson analizaron la fiabilidad de las confesiones.

Para Gísli, aquello fue como cerrar por fin el ciclo de su vida profesional.

Gísli se había criado en Reikiavik, y, en su día, coqueteó con la idea de ingresar en la policía. Pero así como su hermano gemelo se incorporó a la Unidad de Investigación Criminal de Reikiavik, Gísli se licenció en ciencias sociales en la londinense Universidad de Brunel.

En 1975, siendo aún universitario, Gísli comenzó a trabajar como detective en Reikiavik. En una ocasión interrogó a un hombre con un historial clínico de pérdidas de conciencia provocadas por el alcohol sobre si había robado o no un bolso. El hombre confesó haber cometido el delito, pero, cuando la policía continuó con la investigación, comprobaron con extrañeza que no se había robado ningún bolso.

Aquello hizo reflexionar a Gísli sobre la forma en que un interrogatorio sugestivo podría haber influido en el sospechoso. Comenzó así una carrera en la que ha ejercido como psicólogo forense en cientos de casos de falsas confesiones en todo el mundo.

En 1976 había estado presente en Síðumúli, cuando se detuvo a los sospechosos de los casos Guðmundur y Geirfinnur. Aunque no había trabajado en la investigación, sí había utilizado un detector de mentiras con muchos de ellos como parte de su tesis en psicología clínica. Lo que le interesó a Gísli fue que los sospechosos, pese a confesar con todo detalle su implicación en dos asesinatos, no eran capaces de proporcionar información fiable sobre la ubicación de los cuerpos. En aquel entonces, el joven Gísli pensó que quizás aquellos jóvenes habían conseguido suprimir todo recuerdo de los crímenes.

A lo largo de los años, varias personas (entre ellas Sævar y Sigursteinn) intentaron persuadir a Gísli de que evaluara las pruebas, pero este se negó a involucrarse en los casos a menos que apareciesen nuevos indicios. Para sorpresa del grupo de trabajo, Guðjón también desenterró algunos diarios que había escrito en prisión y se los entregó sin darles mayor importancia durante una entrevista a finales de 2011. Ahora había dos conjuntos de diarios para examinar.

Gísli se jubiló oficialmente el 1 de enero de 2012, pero el 30 de enero regresó a Reikiavik, la ciudad donde se había criado y donde se despertó su interés por las confesiones falsas, para trabajar en dos casos acontecidos bajo sus mismas narices en Síðumúli, al comienzo de su carrera, y cuyo runrún no había cesado nunca en su país natal.

8

MEMORIA DE UN ASESINATO

Las confesiones son convincentes. Las pruebas pueden ser manipuladas, las acusaciones pueden ser fraudulentas, pero el testimonio de alguien que se hace responsable de un delito resulta excepcionalmente persuasivo. Confesarse culpable de un crimen tiene tan pocos incentivos que parece ilógico que esa confesión no sea sincera. Confesar es desahogarse, exponer las oscuras iniquidades del alma, divulgar un secreto desagradable a la figura impasible del sacerdote. Si trazásemos una escala de la credibilidad que merece todo cuanto una persona puede revelar sobre sí misma, en un extremo tendríamos alardes inverosímiles sobre su riqueza material y sus andanzas sexuales, y en el otro, confesiones de un cariz mucho más oscuro, cuya credibilidad se sustenta sobre la base del mal lugar en el que deja al autor de la confesión.

Las confesiones se revelan una y otra vez como las más persuasivas de las evidencias legales. En un experimento realizado en 1997 por Saul M. Kassin y Holly Sukel, se presentaron ante «jurados» de pega diferentes descripciones de un caso de asesinato, algunos basados en el testimonio de testigos presenciales del crimen, y otros, en pruebas materiales o en la confesión de un sospechoso. De los resultados se colegía que los jurados que tuvieron acceso a la confesión eran mucho más propensos a creer en la culpabilidad del sospechoso. Incluso en situaciones en las que la confesión se había obtenido hasta cierto punto bajo coacciones, los participantes consideraron que era la prueba más convincente para su veredicto.

Ha habido también casos en la vida real en los que los tribunales han reconocido el extraordinario poder que una confesión puede tener en el desenlace de un juicio. Sirva como ejemplo el famoso caso que, en 1968, llevó a George Bruton y William Evans a ser juzgados conjuntamente tras atracar una joyería. El juez admitió como prueba una confesión que Evans había hecho ante un inspector postal en la que delataba a Bruton como su cómplice. El juez ordenó al jurado que hiciera caso omiso de esta confesión en el contexto del caso *Bruton contra Estados Unidos*, por tratarse de un testimonio de oídas y, por lo tanto, inadmisible. Ambos fueron condenados, y Bruton apeló. El Tribunal Supremo revocó la decisión del tribunal inferior argumentando que, aunque el jurado había recibido instrucciones de no prestar atención a la confesión de Evans, les habría sido imposible evitar un considerable prejuicio contra Bruton. El Tribunal Supremo abundó en su argumento afirmando que las confesiones «son probablemente la evidencia más probatoria y perjudicial que puede admitirse». Por el hecho mismo de haber sido escuchada durante el juicio, la confesión de Evans, aun siendo legalmente inadmisible, había erosionado la confianza que el jurado pudiera haber tenido en la inocencia de Bruton.

Las confesiones a menudo son tan convincentes que ni siquiera pruebas sustanciales de su falsedad pueden refutarlas en los tribunales. Días después del Gran Incendio de Londres, un relojero francés llamado Robert Hubert afirmó con insistencia que el fuego había empezado por culpa suya, al haber lanzado una bola de fuego a través de la ventana de una panadería. Tres hechos, sin embargo, socavaban considerablemente sus afirmaciones: para empezar, era un hombre debilucho, incapaz de lanzar nada; en segundo lugar, la panadería no tenía ventanas; y, para colmo, cuando empezó el fuego él estaba a bordo de un barco en el mar del Norte. Sobre la sola base de su testimonio, Hubert fue ejecutado.

Este es un ejemplo de falsa confesión voluntaria. Quien confiesa lo hace sin coacción policial aparente, tal vez debido a la notoriedad del caso, o como medio de llamar la atención, o para evitar que se descubra al verdadero criminal, o como parte de una compulsión inconsciente de enmendar fechorías previas.

Cuando una confesión falsa no es voluntaria, entonces se ha obtenido bajo coacción. En la mayoría de los casos, la persona que confiesa sabe que lo que está admitiendo es falso, pero su desesperación por reducir la intensidad del cautiverio o el interrogatorio acaba resultando insoportable. En el caso *Brown contra Misisipi*, de 1936, una turba sedienta de venganza se abalanzó sobre tres campesinos aparceros negros y los azotó hasta que confesaron el asesinato de Raymond Stuart, blanco y dueño de una plantación. A medida que se sucedían los latigazos, los agricultores ajustaban los detalles de sus confesiones a cuanto les exigían sus torturadores.

No es habitual que se obtengan confesiones falsas mediante semejantes coacciones físicas, pero los procedimientos de investigación no violentos no son menos extenuantes. Prolongados períodos de privación de libertad, interrogatorios agotadores y largas fases de confinamiento en solitario son el equivalente psicológico a los correazos sobre la espalda del campesino.

Hay un tercer tipo de confesión falsa, la llamada «confesión falsa interiorizada». Estas confesiones también se obtienen bajo coacción, pero guardan más relación con el carácter falible de la memoria que con la confesión voluntaria del relojero o la confesión arrancada a latigazos a los tres campesinos. Es quizá la confesión más convincente en un contexto legal, porque quienes así confiesan no siempre se retractan ante el juez, aunque la confesión sea falsa. Esto se debe a que la confesión falsa interiorizada se produce cuando una persona llega a creer que ha cometido un crimen del que es inocente.

Ponemos nuestra fe en las confesiones porque consideramos que la memoria es un archivo generalmente fiable. Aunque no recordemos haber ido al parque con un amigo el año pasado, sí esperamos tener un recuerdo detallado de algo tan intensamente memorable como presenciar un crimen o estar involucrados en él, y seríamos inmunes a todo intento de hacernos creer lo contrario.

Los experimentos llevados a cabo por investigadores especializados en memoria y confesiones falsas revelan que esta expectativa es errónea. Pocos signos hay más preocupantes de lo poco fiable que es nuestra memoria que la facilidad con la que se pueden implantar falsos recuerdos. Durante algunos experimentos se ha conseguido que los participantes relaten con todo detalle diversos «recuerdos» autobiográficos que nunca sucedieron en realidad, como verse atacados por un perro o tomar el té con el príncipe de Gales. Tras mostrarles una imagen manipulada y someterlos a tres entrevistas, la mitad de los participantes en un experimento de 2002 desarrollaron falsos recuerdos de haber volado en globo aerostático cuando eran niños.

Un experimento realizado en 2015 fue un paso más allá: los psicólogos forenses Julia Shaw y Stephen Porter consiguieron implantar falsos recuerdos relacionados con la comisión de un delito grave. Después de recopilar información de los padres de cada participante, todos ellos estudiantes de la Universidad McGill, en Canadá, Shaw y Porter entrevistaron a cada sujeto sobre los recuerdos que pudieran tener de eventos reales de su infancia. Con mucho tacto invitaron a los estudiantes a recordar si habían estado involucrados en algún acto delictivo en su adolescencia. El tono del interrogatorio no fue en ningún caso coercitivo, pero el 70 % de los participantes generó falsos recuerdos de haber cometido un robo, una agresión o una agresión con arma. Sus confesiones fueron complejas, y a menudo añadían detalles a su declaración con cada nueva pregunta. No hizo falta más que una fuente autorizada sugiriéndoles cosas, y los estudiantes muy pronto generaron relatos muy detallados de delitos nunca cometidos.

Las implicaciones de estos hallazgos son fascinantes, a la par que inquietantes. Nos gustaría pensar que recordamos algo tan extremo como haber agredido a otra persona con un arma, pero estos experimentos apuntan a que la memoria, el elemento indispensable para constituir nuestra personalidad, puede ser burlada con mucha facilidad, y que podemos llegar a creer que hemos cometido actos de los que no nos creíamos capaces, y que nuestra percepción de quienes somos es tan vulnerable al cambio como un recuerdo lejano que intentamos recuperar.

Cuando los casos de Guðmundur y Geirfinnur llegaron a los tribunales en 1977 y 1980 no se habían llevado a cabo todavía estudios de peso sobre la relación entre las confesiones falsas y la memoria. En 1982, Gísli Guðjónsson y su colega James MacKeith acuñaron el término «síndrome de desconfianza en la memoria» para referirse a las tremendas dudas que la gente puede llegar a albergar sobre sus propios recuerdos y que pueden conducir, específicamente en investigaciones criminales, a confesiones de este tipo.

Lo normal es que haya una razón que lleve al sospechoso que está siendo interrogado a desconfiar de su memoria. Puede que haya pasado mucho tiempo desde la noche en cuestión, o que esa persona haya abusado de las drogas en el pasado. Quizás esté convencida de estar reprimiendo un recuerdo traumático. O quizá sea sonámbula.

La práctica habitual pasa por aislar al sospechoso. No hablamos aquí exclusivamente de confinamiento en solitario: quizá sea más útil imaginar el proceso de aislamiento como el acto por el que la persona deja de tener contacto con cualquier persona excepto con el investigador. Cuando un sospechoso está bajo custodia, el investigador puede llegar a combinar en su persona los papeles de inquisidor y cuidador y convertirse en la persona que marca el ritmo del día, desde las pausas para ir al baño hasta el tiempo de recreo, al mismo tiempo que se convierte en la única vía que tiene el sospechoso para salir de su aprieto. La presencia de un abogado es vital para diluir los efectos del aislamiento. De lo contrario, el investigador puede convertirse en el mundo entero para el sospechoso.

El tono de los interrogatorios es vital. La sensación, implícita o explícita, de que la situación en la que se encuentra el sospechoso es grave, así como de que su empecinamiento en negar la acusación es inútil, exacerba la probabilidad de que el detenido desconfíe de sus recuerdos. Un interrogatorio persuasivo puede ser mucho más insidioso que toda la pantomima de porrazos en la mesa y sorbos de café y polis buenos y malos que tan bien conocemos de las series de televisión, y puede consistir en algo tan simple como decirle al sospechoso que seguro que hay una buena razón por la que no puede recordar algo: estaba borracho, o drogado, o fuera de sí, o dormido. El lienzo en blanco de una noche olvidada se llena de sugerencias hechas por la policía o de adornos brindados por un sospechoso al que se alienta a imaginar lo que podría haber ocurrido.

La desconfianza en la memoria se sustenta, en esencia, en la incapacidad de recordar un detalle distintivo. Pongamos que un amigo nos habla de una visita a un restaurante de hace un año, una visita que no recordamos. Al principio pensamos que el amigo se equivoca, pero luego nos habla de un camarero maleducado que se negó a servirnos agua del grifo. De repente, a partir de este detalle, la memoria se llena. Recordamos la cara del camarero, los platos que pedimos y el aspecto de la sala. Daniel L. Schacter, profesor de psicología en la Universidad de Harvard, escribe que las imágenes visuales ricas y detalladas pueden ser consideradas como una «especie de firma mental de los verdaderos recuerdos»: es lo que hace que nuestros recuerdos sean creíbles para nosotros.

Resulta mucho más difícil rechazar la posibilidad de haber hecho algo que no podemos recordar cuando uno no es capaz de decir alguna cosa como: «En realidad, estaba en casa viendo los Juegos de las Tierras Altas de Escocia». La capacidad de presentar una coartada convincente puede acabar dependiendo de si fuimos capaces de codificar mentalmente un detalle banal de una noche de la que no esperábamos tener que recordar nada.

A principios de febrero de 2012, Gísli y Jón Fridrik comenzaron a evaluar las declaraciones hechas por los sospechosos utilizando el que es hoy el método estándar para evaluar si una confesión es falsa. Para ello analizaron la información secundaria de los casos, informes policiales, informes del tribunal, testimonios individuales, entrevistas con acusados y testigos y el historial psiquiátrico y social de los acusados a fin de recrear la investigación de la forma más fidedigna posible.

Aparentemente, los sospechosos tenían buenas razones para desconfiar de sus recuerdos. El período de tiempo transcurrido entre las desapariciones y su detención hacía casi imposible que recordaran lo que habían estado haciendo en las noches en cuestión.

Un aspecto clave es que a todos los sospechosos les pareció plausible que pudieran haber estado involucrados. Tal vez el detalle más inquietante del experimento realizado en la Universidad McGill en 1951, aquel en el que los estudiantes se tumbaban y veían restringida su capacidad sensorial, fue la facilidad con que empezaron a aceptar ideas que eran manifiestamente falsas. A cada sujeto se le dejó escuchar, a intervalos diferentes, la grabación de una conversación en la que se defendía con vehemencia la existencia de fenómenos sobrenaturales. Al comparar las actitudes de los estudiantes al respecto antes y después del experimento, quedó patente que el aislamiento los había hecho mucho más receptivos a la posibilidad de que existieran los espíritus. Según Woodburn Heron, uno de los investigadores del experimento, muchos de los participantes informaron de que, durante varios días después de la prueba, vivieron aterrados por la idea de que iban a ver fantasmas.

En los casos de Guðmundur y Geirfinnur, todo el fondo de los interrogatorios era hasta cierto punto verosímil. Sævar estaba involucrado en actividades sospechosas, Kristján y Tryggvi tenían un historial delictivo, y hubo noches en las que Erla no tenía idea de dónde estaba Sævar. Todos los sospechosos han hablado de cómo la policía les propuso diferentes «posibilidades» hasta que estuvieron de acuerdo con alguna de ellas; sugerencias que eran improbables, pero que no podían descartar por completo. No podían decir con total convicción lo que habían estado haciendo en una noche en particular dos años atrás. Enfrentados a este vacío, en ellos empezó a tomar forma una falsa creencia.

La noche que Erla pasó en su celda, seis días después de ser detenida, es la base del momento determinante de desconfianza en la memoria y de confesión falsa internalizada en los casos de Guðmundur y Geirfinnur.

La noche del 19 de diciembre de 1975, poco después de que se la interrogase por primera vez sobre Guðmundur Einarsson, a Erla, acostada en su camastro, le dio por pensar si, después de todo, no habría presenciado algo espantoso. Le parecía muy poco probable que Sævar pudiera estar involucrado en un delito grave. Pero era posible. Ahí empezó a darle vueltas y más vueltas a su pesadilla.

Era difícil distinguir entre lo que podía recordar dos años después y lo que había soñado. ¿Había pasado algo terrible en el 11 de Hamarsbraut? ¿Era posible que Sævar hubiese cometido un asesinato? ¿Adónde fue aquella noche? Después de seis extenuantes días de privación de libertad, desesperada por volver junto a su bebé, Erla dejó que estas dudas erosionaran sus convicciones. El hecho de que el 20 de diciembre firmara una confesión en la que vinculaba a Sævar y Kristján con la desaparición de Guðmundur demuestra cómo la más pequeña duda, que puede manifestarse como una fisura insignificante en nuestra certidumbre, puede agrandarse hasta ocupar un hueco lo suficientemente grande como para que los fantasmas del inconsciente fluyan a través de ella.

Leer aquella confesión hoy, más de cuarenta años después de ser formulada, resulta extraño. Puede que la interpretación que yo hago del documento esté condicionada por la insistencia de Erla en que recibió presiones para firmarla. Las últimas palabras de la página oscilan entre detalles muy intensos, por lo general característicos del recuerdo auténtico, y un nivel de imprecisión a priori poco habitual en el contexto de un acontecimiento tan sorprendente y memorable. Hay algo huidizo e irreal en el documento, como si en él estuviese plasmada la dificultad de intentar recordar algo que acabamos de soñar.

Es necesario enmarcar la declaración en la depresión por la que atravesaba Erla durante aquellos meses en el 11 de Hamarsbraut. Entonces duerme completamente vestida porque, al igual que sucedía con los cigarrillos, no conseguía reunir las fuerzas necesarias para realizar tareas básicas. Sævar, una personalidad muy intensa que no se cansa de proclamar la estupidez de sus amigos, se hace cargo de la situación, ordena a los demás que mantengan la calma y guía la respuesta de Erla a lo que está experimentando. A la receta se le añaden algunos detalles de la pesadilla: la presencia de Kristján y otro hombre; los ruidos que se oyen desde la cama; la sábana ausente; la sensación de que la acción transcurre invisible, entre bambalinas. Y, durante todo el proceso, hay una pasividad cuando menos llamativa: Erla congelada, clavada en el suelo, incapaz de moverse.

Para Erla, su impotencia es parte de los intentos de la policía por hacer que parezca que se ha producido un suceso perturbador. Ve en ello un instrumento argumental: su distanciamiento es sintomático de un trauma. Eso mismo es lo que, en su opinión, hace que el elemento ficticio resulte tan evidente: es el tipo de giro en la trama que se utiliza cuando se cuenta un cuento, no al prestar declaración ante la policía.

Aun así, que sea o no una descripción realista de la forma en que un testigo responde tras presenciar un hecho traumático es irrelevante. La declaración tiene valor en cuanto representación del estado mental de Erla: en ella están presentes todos los miedos, neurosis, dudas y temores que había ido acumulando durante meses en la tierra de nadie del 11 de Hamarsbraut.

O quizá sea todo lo contrario. Cabe también considerar que la historia que Erla cuenta sobre su vida en Hamarsbraut ha sido adaptada retrospectivamente para ajustarse a las confesiones que le fueron arrancadas cuando era una vulnerable veinteañera. Es complicado decidir si las partes más extrañas de su pesadilla y de cuanto vino después (detalles vitales para entender su historia, pero de difícil verificación) son tan extrañas porque se antojan verídicas o porque tuvo que adaptar la historia de su vida para hacerles hueco en ella a los sorprendentes detalles de las confesiones.

En la declaración, con todo, se plasma la paranoia de Erla, parte menor pero muy real de su relación con Sævar y componente vital de la falta de confianza en sus recuerdos. «Pusieron mucho empeño en convencerme de que era un ser humano abyecto», afirma. «Sabían lo de las chicas con las que me había engañado, y me machacaron con eso».

Al principio se resistió, defendiendo que Sævar no era como ellos creían. Pero al no estar completamente segura sobre él, empezó a dejar que la persuadieran. «Consiguieron abrir una fisura en mi mente», cuenta, «y por ahí se colaron para insistir en el asunto durante los interrogatorios».

Erla afirma que, al día siguiente de hacer su declaración, la policía la llamó para contarle que Sævar había corroborado en detalle todo lo que había dicho en su propia declaración.

En realidad, la primera confesión de Sævar sobre el caso Guðmundur, ofrecida al parecer antes de que comenzaran los malos tratos en Síðumúli, no había sido ni mucho menos tan clara como se le hizo creer a Erla. El informe policial del 22 de diciembre de 1975 señala que Sævar dijo no saber nada acerca de Guðmundur, y que se le leyó entonces el pasaje inicial de la declaración de Erla. Sævar solo dijo que sabía algo sobre la desaparición después de escuchar parcialmente el relato de Erla. Declaró que se había producido un enfrentamiento en el piso de Hamarsbraut que había resultado en la muerte de Guðmundur. No se le cita textualmente. La declaración simplemente resume a grandes rasgos lo que supuestamente dijo.

Curiosamente, el informe policial que contiene la información sobre la confesión de Sævar del 22 de diciembre de 1975 ha sido garabateado claramente a toda prisa: hay repeticiones inútiles, y está plagado de errores de ortografía. En el documento no aparece la firma de Sævar ni la de Jón Oddsson, su abogado.

También es curioso que la policía no tomara declaración con más detalle a Sævar cuando, a todos los efectos, estaba confesando haber presenciado un brutal asesinato. Esta primera confesión de Sævar (quizá la más importante de todo el caso, ya que refuerza la extraña declaración de Erla sobre su pesadilla e implica a Albert y Tryggvi, dos hombres hasta entonces ajenos al caso) debería haber sido documentada meticulosamente. En lugar de ello, se completa de cualquier manera y se diferencia claramente de otros documentos policiales redactados durante la investigación. Es la brevedad del informe lo que lo hace sospechoso.

Es imposible probar de manera concluyente que se trata de una declaración fraudulenta, pero si al menos algo está claro es que alguien le presentó a Sævar el relato que había hecho Erla de su pesadilla durante su testimonio. Sævar nunca confesó por su cuenta y de forma independiente la misma historia que Erla.

Aunque los informes de la policía dan a entender que Sævar confesó el 22 de diciembre de 1975, el propio Sævar sostiene que la que parece ser su segunda declaración, hecha el 4 de enero de 1976, es en realidad la primera. Sævar dice que los investigadores Eggert y Sigurbjörn Víðir le prometieron que sería puesto en libertad si declaraba que había estado en el 11 de Hamarsbraut la noche de la desaparición de Guðmundur. «Lo único que quería era estar con mi novia y mi hijo», escribió a propósito sobre las fuerzas que lo obligaron a confesar. Tras su confesión del 4 de enero, sin embargo, no fue puesto en libertad. En lugar de ello, le llevaron a dar un paseo durante el cual, según él, recibió amenazas y golpes.

DOMINGO 4 DE ENERO DE 1976

20.00 HORAS	Comienza el interrogatorio de Sævar.
22.00 HORAS	Llega Örn Höskuldsson [...]
23.00 HORAS	El trío [Örn, Eggert y Sigurbjörn Víðir] se lleva a Sævar en coche. Regresan a las 00.10 horas.
00.15 HORAS	Örn, Eggert y Víðir se van.
01.50 HORAS	Se atiende a Sævar, que ha vomitado, sangra por la nariz y se queja de dolores en el pecho.
08.00 HORAS	[...] Se vigila intermitentemente a Sævar durante la noche. Se encuentra mejor, pero no llega a dormirse hasta que empieza a dar cabezadas hacia el final del turno.

Esta es la ficha original del registro de incidencias en la prisión de Síðumúli correspondiente al 4 de enero de 1976. Sævar, en un libro que escribió junto con Stefán Unnsteinsson, describe un viaje en coche que podría ser una descripción de esa noche. «Me llevaron a los campos de lava de Hafnarfjörður», relata, «al sitio donde decían que habíamos enterrado al chaval. Me esposaron con las manos a la espalda y me golpearon repetidamente, preguntándome que dónde lo habíamos llevado. Les dije que se equivocaban, pero no resistí mucho. Decían que me iban a enterrar en los campos de lava [...]. Estaba convencido de que me iban a matar». El recuerdo de Sævar arroja una luz diferente sobre las fichas de la prisión. De vuelta en su celda, un Sævar maltrecho pasó despierto toda la noche, con la nariz sangrando y el pecho magullado. Cuando Gunnar Guðmundsson, el guardián de la prisión, entregó una versión del registro de incidencias de aquel día al abogado de Sævar antes del juicio, en ella se habían omitido las anotaciones de la 1.50 y las 8.00 horas, que describían la hemorragia nasal y la noche en vela.

Hasta ese momento, Sævar se había resistido. Si aceptamos que su declaración del 22 de diciembre es una falsificación, había permanecido tres semanas detenido sin hacer mención alguna de Guðmundur. Pero el 4 de enero, con la promesa de libertad al alcance de la mano, confesó haber sido testigo de la desaparición de Guðmundur. El 6 de enero, después del paseo nocturno en coche, confesó que su participación había sido más sustancial. El 11 de enero, cuando fue llevado ante el tribunal de Örn, se retractó y añadió que quería presentar cargos por haber sido obligado a firmar un testimonio del que no sabía nada. Pero era demasiado tarde. Los investigadores ya tenían su confesión.

Cuando Erla se enteró de que Sævar había confesado haber matado a Guðmundur, sus recelos, hasta entonces difusos, se agudizaron. Es un momento clave en las declaraciones de Erla y en la desconfianza que siente sobre su memoria. Las dudas que albergaba sobre Sævar se habían materializado. En ese momento, y durante muchos años más tarde, creyó que lo que había confesado podría ser cierto. Su pesadilla era real.

«No podía recordar nada de forma normal», dice. «Lo único que tenía eran imágenes de cosas que se formaban en el momento de hablar de ellas. Como cuando lees un cuento y lo ves en tu mente». La pesadilla no era la expresión inconsciente de un evento traumático reprimido. Bajo sus evocadores imágenes no se ocultaba ninguna verdad. Aun así, el sueño, que más parece basado en sus miedos de que Sævar tuviese una faceta oculta, cimentó las alegaciones de asesinato. A partir de ahí, la pesadilla se infiltró en todas las demás declaraciones sobre la desaparición de Guðmundur.

Albert, el hombre que decía que sí a todo y que confesó rápidamente haber llevado el cuerpo de Guðmundur a los campos de lava cerca de Hafnarfjörður, tenía razones para desconfiar de su memoria. Siendo adolescente había sido consumidor de drogas, y cuando intentaba recordar algo le costaba distinguir los acontecimientos del pasado.

Desde el momento mismo en que lo detuvieron, Albert no tuvo la menor duda de que estaba enredado en algo monumental. El 22 de diciembre de 1975, la misma noche en que supuestamente Sævar prestó la declaración en la que implicaba a Tryggvi y Albert, los investigadores se pusieron en marcha para detener a ambos. Pero Albert no estaba en Reikiavik, sino en la otra punta del país, en la bonita ciudad costera de Seyðisfjörður, preparándose para celebrar la Navidad junto a su prometida y los padres de esta.

La policía de Reikiavik se puso en contacto con el magistrado de Seyðisfjörður, pero este se negó a detener a Albert sin una orden judicial, por lo que los investigadores llamaron al Ministerio de Justicia a medianoche para organizar la detención de Albert. Se alquiló un avión para recoger a Albert en Seyðisfjörður de madrugada y regresar de inmediato a Reikiavik. Aunque a efectos legales Albert tenía la condición de testigo en el caso, el hecho de ir a buscarlo a medianoche se correspondía más con las espectaculares operaciones normalmente reservadas para jefes mafiosos de alto nivel.

Albert entendía que los investigadores solo le interrogarían si hubiese motivos para ello. Esto le hizo más fácil aceptar la idea de que debía de estar involucrado. Los informes policiales muestran que, antes de que prestase declaración, se le informó de que Sævar lo había implicado en la desaparición de un joven. Algunos detalles los recordaba: a menudo llevaba a Sævar en coche; en varias ocasiones había estado en el 11 de Hamarsbraut.

El 23 de diciembre de 1975, Albert confesó que tenía información sobre el misterio de Guðmundur. Con mucho detalle explicó que había recibido una llamada de un teléfono que no existía y que luego se dirigió al 11 de Hamarsbraut en un coche que aún no había sido comprado. Según él, la policía le empujó hacia ciertas respuestas: como no era capaz de recordar, los investigadores recordaron por él. Cuando le interrogaron sobre el paradero del cuerpo de Guðmundur, Albert respondió «sí» a cada uno de los enterramientos que se le sugirieron.

Cuatro días después, Albert perdió la cabeza. En el registro de incidencias de la prisión figura la tersa anotación de que «Albert enloqueció un rato. Rompió la silla, que en realidad no debía estar ahí, así que hubo que encadenarle de manos y pies». Acababan de condenarle a cuarenta y cinco días en prisión.

En marzo de 1976, un psicólogo llamado Geir V. Vilhjálmsson llevó a cabo una serie de sesiones de hipnosis para «retrotraer en el tiempo de forma dirigida la conciencia [de Albert]» y «agudizar» sus recuerdos. La hipnosis a veces ayuda a las investigaciones criminales. El mismo año en que Albert fue hipnotizado, un procedimiento similar llevaba a la sorprendente resolución de un extraño caso en Estados Unidos. Un grupo de hombres enmascarados había secuestrado a veintiséis escolares y un conductor de autobús en Chowchilla (California) y los habían encerrado dos metros bajo tierra dentro de una vieja furgoneta sepultada en una cantera. Les llevó dieciséis horas salir de allí y escapar, milagrosamente ilesos.

La policía del estado de California interrogó al conductor del autobús para ver si podía proporcionarles alguna información, pero no fue capaz de recordar nada. Bajo los efectos de la hipnosis, sin embargo, pudo rescatar de las simas de la memoria casi todos los dígitos de la matrícula del coche con el que los secuestradores se dieron a la fuga. El dueño de la cantera y sus hijos fueron arrestados y posteriormente sentenciados a cadena perpetua.

Los casos como ese son raros, sin embargo. Hay pocas pruebas científicas de que la hipnosis pueda ser de ayuda en investigaciones criminales. Por el contrario, en situaciones en las que el sospechoso ha sido arrestado y ya duda de su memoria, la hipnosis puede enturbiar los orígenes y la cronología de los recuerdos.

Durante las sesiones de hipnosis se conminó a Albert a recorrer mentalmente las rutas que podría haber seguido para ocultar el cuerpo de Guðmundur. Se le llevó en persona a distintos emplazamientos a las afueras de Hafnarfjörður: una planta de aluminio, el puerto, una carretera junto al Museo de las Criaturas del Mar. Sus declaraciones cambiaban de una semana a otra. Mientras los investigadores peinaban los campos de lava, los recuerdos de Albert sobre sus recorridos en coche cambiaban para ajustarse al lugar donde se estuviese desarrollando la siguiente batida.

En el informe policial correspondiente se afirma que, si la búsqueda no tenía éxito, podrían intentar inducir en Albert un estado hipnótico más profundo para obtener más información. Pero no había recuerdos enterrados que recuperar. La hipnosis no hizo sino aumentar su confusión.

Tras ser puesto en libertad, Albert le dijo a la policía: «La cabeza no me funciona bien. Sé que participé [en el asesinato de Guðmundur] y que debería poder contárselo todo, pero, aunque lo intento, me cuesta distinguir entre fantasía y realidad». No podía dar ni un solo detalle sobre la suerte que había corrido Guðmundur, pero el método de investigación le había dejado convencido de que la respuesta debía estar en algún lugar de su mente.

Albert nunca se ha recuperado completamente de la investigación. Aunque puede racionalizar que no tuvo nada que ver con la desaparición de Guðmundur, nunca estará del todo seguro. En 1997 dijo por fin que ya no podía «afirmar» que estaba en el piso de Hamarsbraut la noche en que Guðmundur desapareció. Su falta de convicción es desasosegante. Todos aquellos viajes interminables por caminos de tierra, tanto reales como soñados, le habían dejado con la duda perpetua de si había tenido algo que ver o no.

La única persona del grupo de trabajo con la que Albert estuvo dispuesto a hablar fue Gísli. «Cuando lo vi en 2012», cuenta Gísli, «me dijo que le aterra la posibilidad de haber presenciado algo, después de todo. Casi cuarenta años más tarde, cree todavía que quizá presenció algo y que ese recuerdo se desatará un día en su mente para atormentarlo; que va a venir a inundar su mente y lo va a perturbar enormemente. Así que, a día de hoy, vive todavía con miedo. Imaginad lo que tiene que ser vivir con la idea de que quizás has sido testigo de un asesinato, y tenerla clavada en la mente durante cuarenta años».

A veces, la desconfianza en la memoria parecía haber dejado a los sospechosos con el cerebro lavado. Hlynur Þór Magnússon, que participó en varias batidas en los campos de lava, recuerda la sinceridad con la que los reclusos buscaban los cuerpos. Kristján *quería* encontrar un cadáver. Cuando miraba a su alrededor lo hacía en serio, tratando de recordar». A Hlynur no le pareció que Kristján estuviese tratando de engañar a la policía. Quebrado por el confinamiento solitario, parecía convencido de que podía ayudar a resolver el misterio. Escudriñaba las grietas de los campos de lava buscando indicios de algo que, pensaba, quizás había hecho.

Hlynur recuerda que en una ocasión se había descolgado por una de las grietas en la lava para investigarla cuando una sombra cayó sobre él. Miró hacia arriba y allí estaba Kristján. El agente de policía que los acompañaba estaba a cierta distancia, por lo que Hlynur estaba solo con Kristján, un hombre que, en palabras del informe policial de Reikiavik, podía sumirse en estados de «frenesí homicida». Hlynur recuerda que, si Kristján hubiera querido matarle, le habría sido fácil: tenía cerca muchos peñascos que podría haber dejado caer sobre él. Ahí tenía a Kristján, alzándose sobre él, el pelo oscuro azotado por el viento. «Pero en ningún momento temí que Kristján Viðar fuese a hacerme algo. No era una persona que quisiese hacerme daño, nada, en absoluto».

En los Archivos Nacionales del centro de Reikiavik hay algunas fotos sorprendentes de Kristján tomadas durante la investigación. El fotógrafo de la policía claramente tenía buen ojo para los encuadres. En ellas puede verse a Kristján en el dique seco, poco después de sus intentos de suicidio, con las montañas nevadas a su espalda y el cielo cubierto de nubes.

Kristján mira fijamente hacia un punto situado detrás del fotógrafo. Frente a él, en el suelo, puede verse una maraña de miembros y el cuerpo encorvado de un maniquí descascarillado. Hay marcadores numerados alrededor de Kristján, que indican dónde estaban Guðjón y Sævar y dónde cayó Geirfinnur. Un coche aparcado no muy lejos de la escena representa el vehículo que los sospechosos habrían conducido hasta Keflavík. Las perneras acampanadas de los vaqueros de Kristján rozan el hielo.

Las fotos documentan una recreación del asesinato de Geirfinnur llevada a cabo en el dique seco de Keflavík el 23 de enero de 1977. Schütz la organizó para comprobar cómo respondían los acusados ante la escena. «Cuando reproduces una escena, les estás enseñando cómo lo hicieron, y eso puede reforzar esa memoria», dice Gísli. «El efecto puede ser perjudicial en el sentido de que, si el recuerdo es falso, la gente puede empezar a pensar que en realidad sí sucedió así». En otra foto, un Kristján de gesto adusto tiene atenazado por el cuello a un agente, reproduciendo físicamente la muerte de Geirfinnur.

A lo largo de interrogatorios y reuniones de corroboración, solos en sus celdas y posteriormente en aquella pantomima, los sospechosos ensayaron una historia sobre contrabando y Geirfinnur y sobre una pelea en el dique seco que, en algún momento, arraigó en sus mentes.

Aunque Kristján sigue vivo, se nos recomendó encarecidamente que no nos pusiéramos en contacto con él para una entrevista, habida cuenta de los daños que le ha causado una investigación iniciada cuando era prácticamente un niño.

En términos de la intensidad de los interrogatorios y de los métodos de investigación empleados, así como de la vulnerabilidad de los sospechosos, los casos de Guðmundur y Geirfinnur fueron una especie de tormenta perfecta para la desconfianza en la memoria y las confesiones falsas interiorizadas. Los sospechosos eran vulnerables y se encontraron aislados y en una situación de una intensidad excepcional en la que, al parecer, su culpabilidad era algo que se daba por descontado.

El único de los sospechosos que nunca desconfió de su memoria fue Sævar. Al igual que sucedió con los campesinos negros cosidos a azotes, sus confesiones parecen haber sido hechas para escapar temporalmente a la presión a la que estaba sometido, aunque no parece que dudase nunca de su propia inocencia. La confesión clave que hizo en el caso Geirfinnur el 22 de enero de 1976, que sirvió para confirmar gran parte del relato de Erla, le fue arrancada bajo una presión considerable. Los días 19 y 20 de enero se le interrogó durante seis horas cada día; y, en la noche del día 20, el director adjunto de la prisión ordenó a una guardia que mantuviera despierto a Sævar. El 22 de enero, Sævar fue interrogado durante diez horas y media. Se le presentaron partes del testimonio de Erla sobre Geirfinnur, y, pese a haber negado su participación hasta ese momento, confesó haber conducido hasta Keflavík con Einar y Magnús.

Los otros cinco sospechosos, sin embargo, en un momento u otro creyeron haber presenciado un delito grave, cuando no haberlo cometido, pese a que no existían pruebas sustanciales de su participación.

El 21 de marzo de 2013, el grupo de trabajo entregó su informe de 486 páginas al ministro del Interior.

En su capítulo del informe, Gísli y Jón Fridrik concluyeron que las confesiones hechas por los seis sospechosos, sin ningún género de dudas, no podían aceptarse como fiables.

Es difícil, por supuesto, afirmar nada sobre la fiabilidad de unas declaraciones hechas más de cuarenta años atrás, pero, en el caso de Guðjón, era posible afirmar que la desconfianza de la memoria había hecho que sus confesiones fueran no solo poco fiables, sino falsas.

El grupo de trabajo pudo hacer afirmaciones tan contundentes gracias a los diarios que Guðjón había ido escribiendo durante su detención. Los diarios de Guðjón difieren de los de Tryggvi en que comenzaron cuatro días después de su detención. En ellos se documentan trece meses de reclusión en Síðumúli: la última anotación está fechada el 27 de diciembre de 1977. No se habían abierto desde hacía treinta y cinco años.

Gísli, que ha trabajado en más de quinientos casos criminales, cree que los diarios de Guðjón son absolutamente únicos. «Es el único caso que conozco», dice, «en el que se dispone de diarios detallados de los procesos mentales de un sospechoso que demuestran, sin duda, su desconfianza en la memoria y cómo esta fue desarrollándose y progresando con el tiempo». Los diarios aportan una visión fascinante sobre la forma en que alguien puede llegar a creer que fue responsable de un crimen con el que probablemente no tuvo nada que ver.

Los diarios son muy creíbles. Las anotaciones de Guðjón se corresponden con los registros de la prisión, los archivos policiales y judiciales y las notas manuscritas de los detectives, algunas de las cuales nunca se habían puesto a disposición del grupo de trabajo antes de que este obtuviera permiso para examinarlas. El 7 de diciembre de 1976, por ejemplo, Guðjón escribe sobre un desplazamiento a Keflavík con los investigadores, y tanto en los registros de la prisión como en el informe policial consta la descripción de un traslado realizado ese mismo día. El 30 de diciembre de 1976, Guðjón menciona largas conversaciones con un investigador llamado Grétar Sæmundsson y se describe a sí mismo temblando hasta tal punto que apenas podía comer. El registro de incidencias de la prisión corrobora esto, y menciona que Grétar habló con Guðjón hasta altas horas de la noche y le llevó pasteles para que los comiera en su celda.

Guðjón fue detenido el 12 de noviembre de 1976. En los años previos a su detención, había abandonado la universidad, su matrimonio había fracasado, su padre había fallecido y había sido detenido después de que se descubriera que había estado colando hachís de contrabando desde Holanda. En la primavera de 1976, su médico le había aconsejado que se internara en un hospital psiquiátrico. Algunos días se mostraba apático y letárgico, otros entraba en una fase hiperactiva durante la que podía hablar durante veinticuatro horas sin descanso.

En un primer momento, Guðjón rechazó de plano haber sido parte en todo aquello. Afirmó que no sabía nada de la desaparición de Geirfinnur Einarsson más allá de lo que había leído en los periódicos. Le dijo a la policía que la razón por la que se había encontrado en su habitación un cuaderno con una lista de los principales acontecimientos del caso era porque, después de haber declarado como testigo a propósito de Sævar, supuso (correctamente, como se vería más tarde) que acabaría implicado de algún modo. Quería tener un archivo de los diferentes artículos aparecidos en los periódicos en las fechas próximas a la desaparición de Geirfinnur, por si acaso se le interrogaba alguna vez al respecto.

Seis días después de su detención sufrió un ataque de pánico. Se sentía culpable, pero no estaba seguro del porqué. Sus dudas sobre su estado mental en los años previos a su detención socavaron cualquier certeza que pudiera tener de no estar involucrado. «Durante dos años he estado convencido de que no sabía nada sobre este caso», escribió el 22 de noviembre de 1976, «pero ahora se supone que estoy muy involucrado [...]. ¿A qué juega Dios conmigo? ¿Soy un enfermo mental? ¿Lo he sido alguna vez? Eso sí lo admitiría. Muchas de las cosas que he hecho en los últimos años han sido una locura». Su declaración de inocencia no fue aceptada: «Nadie cree que no pueda recordar nada».

Después de diez días en Síðumúli, su resistencia se quebró. En la soledad de su celda, la idea de que era un asesino fue apoderándose de él. «Las noches son lo peor», escribió. «Me acuesto desesperado por dormirme, pero el sueño tarda en llegar y me asaltan ideas inquietantes [...]. Ojalá supiera si participé o no en este asunto». Cuando se le preguntó si había tenido algún papel en la desaparición de Geirfinnur, respondió que no creía que lo hubiera hecho, pero que no podía estar seguro.

Las excursiones al «escenario del crimen» reforzaron en él la idea de que estaba involucrado de alguna manera. Después de desplazarse bajo custodia policial a Keflavík, Guðjón empezó a hablar en términos vagos sobre la posibilidad de haber estado allí con Sævar. Cuando se le preguntó por qué no podía recordar un acontecimiento tan importante, respondió que la muerte de su padre lo había deprimido.

Las anotaciones de su diario retratan a un hombre que lucha con su conciencia. «Yo engaño a la gente, no hay más. Siempre estoy actuando, soy un enfermo». Se fustiga a sí mismo por sus fechorías pasadas. Implora al Señor a que le guíe, aunque eso signifique simplemente tener fuerzas para confesar. Busca expiar sus pecados, y reza a Dios para recibir «un castigo duro, y preferiblemente largo» que alivie la culpa y la confusión que nublan sus pensamientos.

Guðjón empezó a confiar en Grétar Sæmundsson, el agente de policía que le habían asignado. «Ha venido Grétar y ha insinuado cosas», escribió en su diario, «y me ha dicho que las cosas pintan mal para mí. Quiere incluso que me haga a la idea de que soy un asesino». Guðjón se llevó bien con Grétar. Le resultaba difícil descartar la idea de que Grétar pudiera tener razón. Grétar le llevó copias del semanario alemán *Der Spiegel* para leer, y más de una vez jugaron al ajedrez en la celda de Guðjón.

El 30 de noviembre, una ronda de identificación de la policía consiguió que la fe que Guðjón pudiese haber tenido en su cordura se tambaleara. Pese a que, según él, nunca antes había visto a Kristján, este no tuvo problemas para reconocerlo entre otras siete personas. Ahí estaba la prueba de que Guðjón no podía confiar en su propia mente.

Pero los resultados de aquella ronda eran equívocos. Un informe policial recoge que, cuando se detuvo por primera vez a Guðjón para ser interrogado, se había sacado de su celda a Kristján para que pudiera verle. Todo había sido un paripé: Kristján sabía quién era Guðjón porque le habían llevado a verlo meses antes.

Una fase clave que en ocasiones exhibe la desconfianza en la memoria se conoce como «reconstrucción». Cuando ha llegado a aceptar que un evento determinado podría haber ocurrido, y que es plausible que haya participado en ese evento, o que lo haya presenciado, el sospechoso comienza a construir su propia memoria del mismo.

Guðjón estaba cada vez más decidido a recordar el papel que había desempeñado en la desaparición de Geirfinnur. Si la policía decía que había cometido un crimen, sería porque tenían motivos para ello. Sentado en su celda, centró toda su voluntad en recuperar esos recuerdos. Le rezó a Dios. Noche tras noche, se fue convenciendo de que podría estar involucrado: su «memoria» de los acontecimientos se fue haciendo más detallada a medida que creaba en su cabeza una versión de la desaparición de Geirfinnur. En un momento dado llegó incluso a escribir un guion sobre los casos.

La entrada de su diario del 7 de diciembre de 1976, el día antes de hacer su confesión clave, revela a un hombre destrozado por las semanas pasadas dudando de su propia mente. La mayoría de las anotaciones del diario están escritas en prosa clara y lúcida: aquí solo enumera sus pesares, como si apenas tuviera fuerzas para pensar en oraciones completas: «Estoy muy cansado, no puedo recordar nada, me cuesta hablar, no puedo pensar, no puedo, temo el día de mañana, sé que todo va a ser igual, no recuerdo, no sé nada, y acabaré perdiendo la cabeza. Estoy totalmente exhausto».

Al día siguiente, el 8 de diciembre, casi cuatro semanas después de ser detenido, Guðjón le contó a la policía que había asaltado a Geirfinnur junto con Kristján y Sævar. La confesión es vaga, formulada en elipses y en ella no declara haber participado, sino solo que no puede descartar la posibilidad de haberlo hecho. Sobre esta declaración se construirá su condena y las de Sævar y Kristján en los tribunales.

En su diario escribe: «Ahora espero que en breve aparezca el cuerpo de ese tipo, y la nación podrá sentirse aliviada».

A finales de diciembre, Guðjón recibió una visita inusitada. En la Nochevieja de 1976, un joven Gísli Guðjónsson acudió a Síðumúli para grabar una prueba con un detector de mentiras como parte de un proyecto universitario. A la pregunta de si sabía quién estaba involucrado en la desaparición de Geirfinnur, Guðjón contestó: «Sí». Gísli repitió la pregunta. Pero ahora Guðjón parecía sopesar realmente lo que le estaban preguntando. Se tomó su tiempo; y, luego, dijo: «No». Parecía que las preguntas directas e imparciales sobre el caso le ayudaban a centrarse. Ahí empezó a preguntarse: «¿Realmente hice aquello? ¿De verdad estuve allí?».

Esa noche, en su celda, Guðjón lloró. «¿Dónde están los cuerpos?», escribe. «¿Cómo quieren que lo sepa? Me duele la cabeza. Me siento fatal». Dos días después comenzó a dudar seriamente de su participación. Aquellas preguntas neutrales lo habían despabilado, quitándole de encima la idea de que podría ser responsable de algo. «¿No debería quizá retractarme de todo lo que he dicho? [...]. Me siento enredado en una increíble maraña de mentiras, nunca hay luz, nunca veo un cielo despejado. El éxito es más difícil de digerir que el fracaso. Qué contento estaré cuando se resuelva el caso Geirfinnur. En todo esto hay algo extraño, la falta de recuerdos se me hace extraña, nunca me ha pasado sobrio esto de no acordarme de nada. ¿Qué pasó realmente? ¿Y si no fui a Keflavík el 19/11/74, sino otra noche?».

Cuando Karl Schütz regresó de sus vacaciones navideñas el 4 de enero de 1977 estaba furioso. Se negó a aceptar siquiera la posibilidad de que su testigo estrella (¡que además hablaba alemán!) se retractara de su declaración. Sin Guðjón, las confesiones relativas a Geirfinnur eran demasiado contradictorias, y los demás sospechosos, de muy poco fiar. Escribió una carta de queja a los tribunales de Reikiavik con copia al Ministerio de Justicia. «De Guðjón se esperaba que aportase claridad a los últimos flecos aún por resolver», explicó Schütz. «Todas las técnicas de investigación empleadas en su persona tenían ese fin».

Schütz comenzó a apretarle las tuercas. Cuatro días después del regreso de Schütz, Guðjón escribe en su diario que «ahora se están empleando a fondo conmigo, quieren que me derrumbe, y para eso no me hablan, le prohíben al sacerdote que venga, me retienen cartas y paquetes, etc.». Luego se desdice, y lo achaca todo a sus inseguridades: «Qué paranoico se vuelve uno, y qué lleno de odio, al vivir aislado de esta manera». Menos de un mes después, el 2 de febrero de 1977, Schütz dio el caso por resuelto y regresó rápidamente a Alemania Occidental. En diciembre de ese año Guðjón fue condenado por el asesinato de Geirfinnur. No se retractó de su confesión durante casi dos décadas.

Salí de mi primer encuentro con Guðjón pensando que quizá sí sabía lo que le había pasado a Geirfinnur. Si era inocente, ¿cómo podía no estar aporreando la mesa y proclamando a gritos su inocencia? Me pareció muy ambivalente sobre su presunta participación. Fue una decepción.

Sin embargo, a medida que fui pasando más tiempo con él, empecé a darme cuenta de que al evitar pronunciarse de forma categórica y explosiva no estaba revelándome su culpabilidad, sino su manera de ser.

Desde luego, su comportamiento no se corresponde con lo que esperamos, o con lo que quizá queremos, de alguien que ha sido víctima de un error judicial. Él responde a las preguntas de forma tangencial, no afirma nunca nada, y solo después de horas de tira y afloja me dice categóricamente que no tuvo que ver nada con el asunto. Recientemente, Valtýr Sigurðsson, uno de los investigadores de Keflavík, le preguntó si había estado en Keflavík la noche en que desapareció Geirfinnur, a lo que Guðjón respondió: «¿Es ilegal ir a Keflavík?». Su excéntrico sentido del humor, unido a su aversión por responder sin dudar a cualquier pregunta, no le permiten rechazar de pleno su culpabilidad.

Erla transmite la sensación de que el caso está presente en buena parte de su existencia cotidiana. Guðjón ha afrontado la vida después del veredicto de forma distinta. Más que cualquier otro de los acusados en el caso, parece querer olvidarlo todo, y le asombra vagamente que el interés persista. Puedo imaginarme ser su amigo durante años sin enterarme nunca de que en su día le condenaron a diez años por participar en la muerte de un hombre. Cumplió su condena y trató de no pensar más en el asunto. Su planteamiento fue opuesto al de Sævar, y abandonó Islandia tan pronto como pudo. «Me elegí a mí», le dijo Guðjón una vez a Þórdís.

Suspira cuando se le pregunta si le resulta difícil vivir en Islandia tras su paso por el extranjero. Ligeramente exasperado por la pregunta, responde: «Desde que salí en libertad, en toda mi corta y dulce vida no he conocido a nadie que pensara que era culpable. Nadie. Ni siquiera de oídas».

Posteriormente reconoce que en su parroquia del oeste de Islandia hubo quien se opuso a que organizase en ella las exequias por un miembro de su familia a causa del caso. Al final entraron en razón. De hecho, él mismo estuvo en el funeral de uno de ellos.

La gente de Islandia, nos cuenta, necesitaba cerrar en firme el caso Geirfinnur. Había que encontrarle una respuesta. «Y ahí estaba yo para darle carpetazo», dice, «y lamento no haber podido aclararlo, pero lo intenté». Alguien tenía que cargar con la culpa y resultó ser él. «Lo hicimos lo mejor que pudimos», dice. Es una respuesta sorprendentemente flemática.

Lee en voz alta su diario con ironía, burlándose del tono emocional de los pasajes escritos por su yo más joven. Es pura fachada, por supuesto, porque leer aquellos párrafos le resulta doloroso. Pero también porque no reconoce la voz lastimera de aquel joven tan frágil, atrapado en el empecinamiento y las maquinaciones de la investigación policial.

Guðjón cree que, con la investigación ya en marcha, la policía y los jueces no podían dar marcha atrás. Recuerda con cariño su relación con Grétar: «Teníamos la misma edad. Los dos éramos de campo. Lo pasamos muy bien juntos, pero tal vez fue demasiado lejos. Y quizá yo también fui demasiado lejos». El Estado había invertido demasiado, tanto política como económicamente, para dejar correr el caso. Así que insistieron e insistieron. «Y sabían cómo seríamos juzgados».

«Al final te cansas», dice Guðjón, «respondes las mismas preguntas una y otra vez. No sabes si estás soñando o si recuerdas cosas que en realidad seguramente habían sido parte de lo que habíamos estado hablando desde las dos de la mañana hasta las siete de la tarde. Y, luego, empiezas de nuevo y hablas con el agente hasta las cinco de la mañana. Y te hace las mismas preguntas una y otra vez. ¿Dónde estabas hace dos años? No tienes pruebas de dónde estabas: estabas en casa, cuidando de tus hijos. No hay más. Y quizá podrías demostrarlo diciendo algo como: "Recuerdo que estuve viendo la tele". Pero no tenía televisor. No tuve esa suerte. Mi esposa no estaba en casa, así que no puedes demostrar nada. Y te corresponde a ti demostrar las cosas no a la policía, porque el culpable eres tú».

Guðjón no se desdijo de sus confesiones durante los siguientes diecinueve años.

Cuando describe la historia de la desaparición de Geirfinnur, parece que la confundiera con sus sueños. «Todo se emborrona», dice. «Respondes que sí a algo que en realidad no sucedió. Es un recuerdo falso. Me venían imágenes a ráfagas, era como ver una película dentro de mi cabeza. Me veía conduciendo un Escarabajo viejo. Como ráfagas de imágenes. Pero nunca tuve ese modelo de coche».

Todavía guarda recuerdos de ese mismo momento, como reposiciones de una vieja película: se ve conduciendo hacia Keflavík de noche por la carretera larga y oscura que atraviesa los campos de lava, de camino a participar en un crimen que probablemente nunca se produjo, para llegar a tiempo a una cita que nunca concertó.

9

CHIVO EXPIATORIO

Son las nueve de la mañana del 28 de enero de 2016 y estoy en el vestíbulo de los Juzgados de Distrito de Reikiavik. Faltan aún dos horas para que salga el sol. La gente se apresura por el centro de la ciudad para llegar al trabajo todavía a oscuras. Al final del pasillo, a mi izquierda, un tipo grande y calvo espera de pie, con la cara tan cerca de la ventana que sus gafas casi tocan su reflejo. Desde donde estoy es imposible ver si observa algo en particular o simplemente mira por mirar. Intento cotejar su cara con las fotos que he visto del grupo de trabajo de Schütz. ¿Es el representante del juez que dirigió parte de la investigación? ¿No será Örn Höskuldsson?

Un fotógrafo de *Morgunblaðið* llega y comienza a fotografiar al grupo de periodistas reunidos frente a la puerta de la sala. Discretamente, le pregunto si el tipo aquel es Örn, y me lo confirma. Me planteo si acercarme. En alguna ocasión he hablado con él, brevemente, por teléfono. Bueno... En realidad, no es que hablásemos; en todo caso hablé yo con él. En ambas ocasiones le expliqué quién era yo y lo que estaba haciendo, y le pregunté si podríamos hablar, a lo que él respondió negándose amablemente y colgando el teléfono. ¿Aceptará ahora que la investigación se llevó muy mal? ¿Creerá todavía que se condenó a las personas correctas? Ahí sigue, escudriñando la oscuridad a través del cristal, hasta que aparta la vista de la ventana y entra en la sala. Me siento aliviado y, luego, molesto conmigo mismo por sentirme aliviado.

El vestíbulo del juzgado es esa mañana un desfile de nombres del pasado. Ahí están Sigurbjörn Víðir Eggertsson, el policía fornido y rubicundo de rostro rojizo que se convirtió en el confidente de Erla; Ragnar Aðalsteinsson, el abogado de Sævar, con exactamente el mismo aspecto que hace veinte años, con la salvedad de su cabello castaño, que ahora es blanco; Hafþór, hijo de Sævar, y su hermano menor Sigurþór, que se parece a su padre cuando era joven. Llegan entonces Dísa, Jón Fridrik y Gísli. Tres años después de la publicación de su informe, en el que concluyeron que las confesiones hechas por los seis sospechosos no eran fiables más allá de toda duda razonable, los miembros del grupo de trabajo acuden para ser interrogados por el fiscal del Estado a fin de ayudar a determinar si es necesario reabrir los casos.

Erla llega con un largo abrigo negro y rojo; su semblante da a entender que preferiría estar en cualquier otro lugar. A los sospechosos se les permitió llamar a testigos, y Erla ha convocado a Örn Höskuldsson, Sigurbjörn Víðir Eggertsson y Eggert N. Bjarnason. Es un momento extraño para Erla. No es odio lo que siente por estos hombres, pero hay una innegable satisfacción al ver que ellos, y no ella, deben ahora someterse a este escrutinio.

Örn subió al estrado. Ante él, una galería de rostros del pasado: la mujer que confesó haber cometido una estafa postal en diciembre de 1975; el hombre que llegó a Síðumúli siendo un joven estudiante de psicología forense para realizar pruebas de detección de mentiras; y alguien muy parecido al Sævar que conoció en su primera detención. Örn se aferró al atril como si este soportase todo su peso.

Ragnar afirmó ante Örn que era inusual que un par de detenciones relacionadas con un caso de estafa hubiesen acabado convirtiéndose en la investigación de dos desapariciones. El informe policial indicaba que Erla había sido interrogada porque los detectives habían oído que su pareja podría haber estado involucrada en la desaparición de Guðmundur Einarsson. Más allá de lo irregular que resultaba interrogar a una persona que fue detenida por un caso totalmente diferente a aquel, ¿cómo se llegó a esa situación, para empezar? ¿Dónde había empezado el rumor? Örn señaló que no estaba obligado a responder a esta pregunta, a lo que Ragnar respondió que, en realidad, sí lo estaba. Örn dijo entonces que no lo recordaba.

Y así quedó establecido el tenor de aquella mañana. Sigurbjörn Víðir y Eggert (por teléfono) respondieron de manera similar. A cada pregunta, las mismas respuestas: «No lo recuerdo», «no me acuerdo». Se contradijeron. Prevaricaron. En un momento dado, Örn declaró que lo había dejado todo en manos de los agentes de policía; pero, más tarde, Sigurbjörn Víðir dijo que Örn era quien había estado al mando. «Me parece increíble», dice Gísli, «que unos investigadores enfrascados en el caso más importante de sus carreras fuesen incapaces de esclarecer por qué iniciaron la investigación».

A la pregunta de si habría hecho algo diferente, de disponer de la oportunidad para ello, Örn respondió que sí, que había muchas cosas que podría haber hecho mejor. «Sentó bien oírle decir eso en voz alta ante un tribunal», dice Hafþór. Al mirar a Örn no vio más que a un anciano cansado. No sintió odio, ni deseo de venganza. Sintió lástima. Y le alivió darse cuenta de que así era como se sentía.

El viernes 24 de febrero de 2017, el comité encargado de decidir si se reabrían las causas anunció que el Tribunal Supremo reexaminaría los casos de cinco de los seis acusados: Sævar y Kristján por el asesinato de Guðmundur y Geirfinnur, Tryggvi por el asesinato de Guðmundur, Guðjón por el asesinato de

Geirfinnur y Albert por su participación en la desaparición de Guðmundur.

El invierno había sido hasta entonces muy raro, sin apenas nieve, pero el día en que se conoció el dictamen se abrieron los cielos y sobre Reikiavik descargó una nevada sin precedentes. Los seis días siguientes fueron igualmente inusuales: cielos azules despejados y ni un soplo de viento. La nieve se agolpaba en montoneras a lo largo de los senderos que rodeaban el pequeño parque del centro de la ciudad, como silenciosos centinelas en guardia en torno al estanque.

Para quienes habían pasado años pidiendo la reapertura de las causas, aquel fue un momento para paladear. Hafþór escribió un artículo en internet en el que plasmó las emociones encontradas que sintió al enterarse de que la lucha iniciada por su padre finalmente había obtenido respuesta por parte de las autoridades. No es posible explicar con palabras, escribió Hafþór, lo que supone haber nacido en medio de esta injusticia. Enhorabuena, papá, este resultado es consecuencia directa de tu esfuerzo y tesón.

Uno de los cargos, sin embargo, no se reexaminará: el de calumnias. De momento se mantendrán los cargos contra Erla, Sævar y Kristján por haber acusado a los Cuatro del Klúbburinn de participar en la desaparición de Geirfinnur.

Por supuesto, es innegable que el perjurio ocurrió, y que tuvo consecuencias muy reales para los acusados en falso. Tanto Magnús Leópoldsson como Einar Bollason y Valdimar Olsen pasaron 105 días detenidos, y Sigurbjörn Eiríksson estuvo 90 días privado de libertad. Pero, dada la reapertura de los otros casos, la negativa a reexaminar el cargo de perjurio no parece lógica. En teoría, Sævar y Kristján podrían ser exonerados del asesinato de Geirfinnur y, sin embargo, seguir acusados, junto con Erla, de acusar erróneamente a terceros para ocultar su participación en algo en lo que no estaban involucrados. Si no tuvieron nada que ver con la desaparición de Geirfinnur, ¿por qué iban a culpar a otros de ello? La reapertura del caso Geirfinnur hace que el perjurio carezca de motivación.

Si lo comparamos con el asesinato de Geirfinnur, el de calumnias podría parecer un cargo insignificante. Pero, en dos casos como los que nos ocupan, en los que solo los más acérrimos partidarios del fallo del Tribunal Supremo de 1980 siguen convencidos de que había motivos suficientes para condenar a seis personas por matar a Guðmundur y Geirfinnur, el cargo de calumnias, a mi entender, es el verdaderamente importante. La reputación lo es todo en un país donde el anonimato es imposible. Al no reexaminar ese cargo se está obligando a Sævar, a Kristján y (seguramente más que a nadie) a Erla a apechugar con el daño generado por el propio proceso, un daño que ha sido social y personalmente considerable.

En una vitrina de la Unidad de Criminalística Digital de la sede de la Policía Estatal de Investigación Criminal islandesa se guarda un pequeño busto de un hombre que hizo una llamada telefónica desde un café hace más de cuarenta años.

Un oficial de policía tiene la gentileza de abrir la vitrina para que pueda sostenerlo. Lo sopeso, satisfecho: en esta estatua de mirada inescrutable se encierra el secreto de cómo comenzó todo. Clavo mis ojos en los suyos durante un rato, e intento imaginar que es la cara de una persona viva que un día hizo una llamada telefónica desde Keflavík antes de perderse en la noche.

Lo de los Cuatro del Klúbburinn es lo más importante que queda por entender sobre el caso Geirfinnur... y también lo más complicado.

Erla afirma que, desde un primer momento, los investiga-dores querían que implicase al gerente y al propietario del Klúbburinn (Magnús Leópoldsson y Sigurbjörn Eiríksson, respectivamente) en la desaparición de Geirfinnur. Cuando quedó claro que ni ella ni Sævar sabían quién era Sigurbjörn Eiríksson, Erla afirma que la manipularon para que implicase a su hermanastro Einar y a Valdimar, el hermano de su amigo. De este modo se establecía un nexo entre Sævar, un conocido delincuente que había sido arrestado por contrabando en el pasado, y los hombres del Klúbburinn. Era posible que Sævar conociera a Einar y Valdimar a través de Erla, y que estos, a su vez, conociesen a los hombres del Klúbburinn, por ser de eda-des muy parecidas y también porque Valdimar trabajaba igual-mente en el sector del ocio nocturno.

En resumen, lo que afirma Erla es que hubo la intención de implicar a los hombres del Klúbburinn desde un primer mo-mento, y que se le indujo a acusar a Einar y Valdimar para sustentar la acusación. Era plausible que Sævar y los hombres del Klúbburinn matasen a Geirfinnur durante una fallida ope-ración de contrabando, y al acusar a Einar y Valdimar la cone-xión entre todos ellos resultaba aún más plausible. «Si pudiera demostrarse, la película cambiaría por completo», dice Einar. «No estoy seguro de qué haría entonces, pero estaríamos ante una situación radicalmente nueva. Una cosa es que cuatro cha-vales te acusen de algo después bajo amenazas, pero si de en-trada fue la policía la que lo hizo... Buf. Es lo único que puedo decir. Buf. Sería muy, muy grave».

La noche de la desaparición de Geirfinnur, un hombre en-tró en la cafetería Hafnarbúðin de Keflavík. Hubo un intento de reproducir su rostro. Antes de que se creara el retrato tridi-mensional, un dibujante habló con testigos oculares en el café y realizó entre quince y veinte bocetos diferentes del hombre que habían visto. Uno de los bocetos, sin embargo, tuvo su origen en otra fuente. Magnús Gíslason, el dibujante en cuestión, dice que la policía le entregó una foto de la cara de un hombre y le pidió que la dibujara para ellos. Ese fue el boceto seleccionado para el modelado de la estatuilla. La foto que la policía le dio a Gíslason era de Magnús Leópoldsson. Por eso el busto se parecía tanto a Magnús: el escultor trabajó a partir de una imagen de su rostro.

Durante la creación del «Leirfinnur» no se consultó en ningún momento con Guðlaug Jónasdóttir, la mujer que mejor entrevió al hombre que entró en la cafetería. Mucho antes de que Erla y Sævar fueran arrestados, parece que existía ya la voluntad de implicar a Magnús Leópoldsson en la desaparición de Geirfinnur.

Uno de los miembros de la investigación original de Keflavík fue el funcionario de aduanas Kristján Pétursson. De mandíbula cuadrada y con predilección por las gafas de aviador tintadas, Kristján Pétursson tiene recuerdos que generan la impresión de que este se veía a sí mismo como una especie de James Bond, cuyas atribuciones iban mucho más allá de las de un mero agente aduanero. Su presencia en los márgenes del caso Geirfinnur es tan constante como extraña.

La supuesta conexión entre Geirfinnur, el contrabando y el Klúbburinn siempre ha sido tenue. Las pruebas que vinculaban estos elementos, siquiera remotamente, se limitaban a que Geirfinnur había acudido al Klúbburinn dos días antes de su desaparición y a que, en incidente aparte, supuestamente había llegado a un acuerdo con un conocido para destilar un poco de alcohol. Como base para una investigación exhaustiva sobre el Klúbburinn, esto se antoja, cuando menos, insuficiente. Pero, el 4 de diciembre de 1974, quince días después de la desaparición de Geirfinnur, la prensa lanzaba la noticia. Un periódico islandés salió a la calle con el titular «La policía de Keflavík desea hablar con el hombre que habló con Geirfinnur Einarsson a las 12.00 horas del domingo 17 de noviembre en el club nocturno Klúbburinn».

Islandia tiene una población tan pequeña que es fácil sobreinterpretar las coincidencias. Es inevitable que los mismos nombres se repitan en casos diferentes, simplemente porque el personal de las fuerzas de seguridad es bastante limitado. Sin embargo, vale la pena resaltar que, cuando el Klúbburinn fue investigado por primera vez por fraude fiscal en 1972, Kristján Pétursson fue uno de los principales investigadores, al igual que Hallvarður Einvarðsson, el fiscal adjunto que posteriormente desempeñaría un papel activo en la investigación sobre Geirfinnur.

A principios de febrero de 1976, justo después de la detención de los Cuatro del Klúbburinn, Kristján Pétursson aparece en los telediarios de RÚV y afirma que el caso Geirfinnur está relacionado con el Klúbburinn y el contrabando de alcohol. Cuando se pone en libertad a los Cuatro del Klúbburinn en mayo de 1976, varios artículos de prensa piden que se siga investigando el Klúbburinn y citan a Kristján Pétursson como fuente principal. El 14 de mayo de 1976, en un artículo en *Vísir*, Vilmundur Gylfason escribe que, aunque Magnús y Sigurbjörn Eiríksson hayan sido puestos en libertad, es necesario investigar más a fondo las cuentas del Klúbburinn. Sobre la base de los argumentos «indiscutiblemente lógicos» de Kristján Pétursson, Gylfason se pregunta por qué no se han examinado en detalle diversos pagos realizados por el Klúbburinn, y exige que se investiguen sus actividades comerciales desde 1966.

Kristján Pétursson es quien en repetidas ocasiones intenta atraer la atención sobre el club nocturno; él es quien calienta la cabeza a políticos, periodistas e investigadores, y quien aviva los rumores que acabaron influyendo sobre varias condenas.

¿Por qué querría Kristján Pétursson implicar al club nocturno en el caso? ¿Estaba verdaderamente convencido de la implicación de los propietarios o era política su motivación? Kristján tenía vínculos con los mismos políticos del Partido Socialdemócrata que acusaron a Ólafur Johannesson ante el Parlamento. ¿Era aquella una forma de socavar al Partido Progresista de Ólafur Johannesson? El Partido Progresista había protegido al Klúbburinn en el pasado, y con sus propietarios compartía la titularidad de inmuebles en Reikiavik. Al conectar el Klúbburinn con el caso Geirfinnur se desacreditaba también a algunos de los principales opositores políticos al Partido Socialdemócrata.

Todo son conjeturas. No hay forma de saber qué es lo que movía a Kristján Pétursson. En una entrevista de 1996, concedida quince años antes de su muerte, en 2011, desestimó como «ridícula» la idea misma de haber vinculado en modo alguno el caso de fraude del Klúbburinn con la investigación de Geirfinnur. Afirmó que no había tenido absolutamente nada que ver con el moldeado del busto de arcilla.

Las autoridades han defendido durante mucho tiempo que no solo los nombres de la gente del Klúbburinn salieron en primer lugar de boca de Erla y Sævar, sino también la narración asociada a Geirfinnur; bien por haber sido ellos quienes cometieron el crimen, o bien porque inventaron una historia para calumniar a cuatro hombres inocentes. Pero hay una declaración en los archivos de la policía que desmonta por completo esta tesis, un hallazgo que quizá permita explicar de una vez por todas dónde comenzó la historia de lo que supuestamente le sucedió a Geirfinnur.

El 22 de octubre de 1975, casi dos meses antes de que Erla y Sævar fueran detenidos como sospechosos de haber cometido una estafa postal, un niño de nueve años llamado Árni Sigurður Guðmundsson llegó a la comisaría de policía de Reikiavik. Creía que su padre estaba involucrado en la desaparición de Geirfinnur.

Cuando la policía interrogó al padre de Arni, un camillero de cuarenta y dos años llamado Guðmundur Agnarsson, este les dijo a los agentes que se emborrachó y estuvo fanfarroneando. Había querido dárselas de tipo importante delante de su familia dando a entender que sabía qué se había hecho de Geirfinnur. Guðmundur Agnarsson era mentalmente inestable, y había pasado algún tiempo en el instituto psiquiátrico Kleppur. Al parecer, cuando la policía lo detuvo llevaba una semana seguida de borrachera.

La trola que Guðmundur Agnarsson le coló a su familia fue que había trabado amistad con Sigurbjörn Eiríksson, el dueño del Klúbburinn. Este sabía que Guðmundur Agnarsson había trabajado anteriormente como mecánico de barcos, por lo que le pidió ayuda para recoger un pequeño cargamento de licor de contrabando cerca del puerto de Keflavík. Se suponía que los hombres se encontrarían más tarde con un tal Geirfinnur Einarsson. Magnús Leópoldsson estuvo también en la expedición.

Llegaron tarde. Magnús Leópoldsson hizo una llamada desde la cafetería. Geirfinnur llegó, y después él y Guðmundur Agnarsson se embarcaron en una lancha para recoger la mercancía de contrabando.

Las salidas se hacían desde el dique seco hacia mar abierto, y en cada ocasión Geirfinnur se zambullía para recuperar el alcohol y Guðmundur Agnarsson permanecía a bordo. En la tercera de estas salidas, Geirfinnur se sumergió y no volvió a aparecer. Guðmundur Agnarsson le estuvo esperando cuatro horas antes de regresar a la orilla.

Guðmundur Agnarsson le contó a su familia que los hombres del Klúbburinn le habían presionado para que nunca hablara con nadie sobre estos acontecimientos. Le dieron un cheque de 70.000 coronas para comprar su silencio, según dijo; pero, cuando su yerno y sus hijos le pidieron que se lo enseñara, él se negó.

La historia de Guðmundur Agnarsson es, en esencia, lo que Erla, Sævar y Kristján confesarían un año más tarde: implica a las mismas personas y detalla el mismo motivo para la reunión y la misma forma de morir de Geirfinnur. No estoy diciendo que estas similitudes apunten a que esto fuera lo que realmente sucedió. Lo que sí digo es que los desvaríos alcoholizados de un hombre de mediana edad ansioso por aparentar ser alguien ante su familia marcaron las pautas del relato conjeturado sobre la desaparición de Geirfinnur, al punto de coincidir hasta en la cantidad exacta de coronas supuestamente desembolsada por los agresores.

La policía de Reikiavik sabía de esta historia: los informes policiales muestran que Guðmundur Agnarsson y su familia fueron entrevistados en dos ocasiones por los investigadores tras la detención de Erla y Sævar. «Parecía que siempre tenían una narrativa en mente», afirmó en su día Erla. Sævar también tuvo la sensación de que la policía lo iba guiando hacia una hilo argumental concreto: «Estaba claro que acabarían colgándonos el muerto de Guðmundur y lo usarían para abrir el caso de Geirfinnur», dijo Sævar en una entrevista en 1996. «No conocíamos a Sigurbjörn Eiríksson, del Klúbburinn, ni a Magnús Leópoldsson ni a Valdimar Olsen. En absoluto [...] ¿Cómo íbamos a urdir una historia sobre ellos si ni siquiera los conocíamos? ¿Y qué se supone que hacíamos en Keflavík? [...]. [Los investigadores] creían saber exactamente lo que había pasado; lo único que tenía que hacer yo era corroborarlo».

Guðmundur Agnarsson le dijo a la policía que su baladronada no tenía más base que los chismes que corrían por entonces. La historia que les rondaba por la cabeza a los investigadores cuando interrogaron a Erla y Sævar bien pudo provenir del cerebro alcoholizado de un tipo algo entrado en años que había leído demasiados artículos sensacionalistas sobre contrabando, el Klúbburinn, gánsteres y cabezas de arcilla, y que se había inventado una historia para impresionar a sus hijos. El caso desató la histeria en todo el país, porque azuzó el temor de que el crimen organizado llegara a las costas islandesas, pero nadie se dio cuenta de que, de modo inverso, el caso había sido creado a partir de esa misma histeria. El caso Geirfinnur se hilvanó a partir de diferentes rumores que la prensa se había encargado de difundir. Fue la pesadilla de toda una nación magnificada a través un caso criminal.

Es difícil saber cómo fueron incorporados a las confesiones de Erla y Sævar algunos de los aspectos más destacados de aquella historia. Puede que la policía creyese las palabras del camillero y que, en función de ellas, adecuase el interrogatorio de los sospechosos. Pero la idea de que la historia de la desaparición de Geirfinnur se debe a Erla y Sævar, que la habrían ideado para implicar a otros, no se sostiene, por el simple motivo de que ya existía, en todos sus detalles, antes incluso de que fueran detenidos.

En el informe policial elaborado por Eggert N. Bjarnason el 10 de marzo de 1976, este da a entender que Erla fue la que empezó a hablar de Geirfinnur a mediados de enero. De hecho, ya el 5 de enero de 1976 (semanas antes de la fecha en la que, según las autoridades, Erla mencionó por primera vez a Geirfinnur) la policía de Reikiavik había pedido a los investigadores de Keflavík que les enviaran todos los archivos que tuviesen en su poder sobre Geirfinnur. Estaban cuadrando la investigación del caso Geirfinnur mucho antes de que Erla, o cualquiera de los demás sospechosos, supuestamente mencionasen su nombre.

Magnús reconoce que la investigación parecía hecha a medida para sacarle una confesión, pero eso no disminuye su enfado con Erla. «Si eres inocente no confiesas algo así», dice. «Es una idiotez. Algún deficiente mental habrá que lo haga, pero la gente cuerda no confiesa cosas que no ha hecho; eso que dicen de que al cabo de una semana acabas confesando es una bobada. Igual es que yo soy muy especial. Lo que los expertos están tratando de afirmar es increíble».

Lo cierto es que Magnús me parece alguien con una fuerza de voluntad excepcional, una de esas raras personalidades (como la de Sævar, en cierto modo) perfectamente capaces de resistir la presión de una extenuante investigación policial. Aun así, la explicación es seguramente más prosaica: tenía treinta años, provenía de un entorno estable, tenía un trabajo seguro y disfrutaba de una vida familiar relativamente serena. Mantuvo siempre un contacto regular con su abogado. Lo mismo puede decirse del resto de los Cuatro del Klúbburinn: personas de una cierta edad, con posiciones respetables en la sociedad y gente dispuesta a dar fe de su probidad. Sigurbjörn Eiríksson tenía casi cincuenta años, y en su juventud había sido policía. Estaba bien preparado para el proceso de interrogatorio. Einar recuerda lo amable que fue la policía con él.

Aun así, Einar estuvo a punto de confesar tras una semana de detención. Se impuso un régimen de ejercicio y oración que le ayudó a mantener a raya sus propias dudas al respecto de la investigación. Le permitieron leer (censuradas) las cartas que le escribía su esposa, y afirma que, de no haber dispuesto de esa correspondencia, quizá se habría visto obligado a inventar una historia él mismo. «Recuerdo muy bien», dice Einar, «que en algún momento empecé a pensar que tal vez era verdad, que quizá sí estuve allí aquella noche y tuve un *shock* o algo así que me hizo evadirme mentalmente de todo el asunto». Cuando Einar recordó su coartada, le llevaron a ver si podía verificarlo, pero cuando Sævar y Erla hicieron lo mismo, sus alegatos fueron considerados falaces y descartados.

«Cuando empezó a lanzar sus falsas acusaciones contra nosotros, Erla no estaba presa: era libre, circulaba por la calle como cualquier otra persona», nos recuerda Magnús. Pero, aunque no estuviese entre rejas, Erla no era libre. Antes incluso de ser recluida en régimen de aislamiento, ella estaba aislada: de su madre, del padre de su hijo y de toda asistencia jurídica razonable. De vuelta en casa de su madre, el teléfono sonaba sin cesar, transmitiendo amenazas constantes: los investigadores se convirtieron en su mundo. Contactaban con ella periódicamente, y en un momento dado pusieron agentes armados frente a su casa para vigilarla durante la noche. Llegó a creer que el padre de su hijo era un asesino y, sobre todo, le desesperaba la idea de que pudiesen separarla de su bebé y devolverla a una celda de la prisión de Síðumúli.

Con Sævar bajo custodia policial empezó a creer en la palabra de los investigadores, a confiar en ellos, y acabó diciéndoles todo cuanto creía que querían oír de ella. «Para mí», explica, «defraudarles habría sido lo peor, porque si se volvían en mi contra me habrían vuelto a encerrar y habría perdido todo cuanto tenía en la vida».

En las cartas que escribió a los investigadores estando todavía detenida resulta evidente el control que ejercían sobre ella. Le obsesiona no molestarlos, sufre cuando no le hablan, pide que la absuelvan y, sobre todo, les implora que le den acceso a lo que más desea: pasar tiempo con la pequeña Julia, a medida que se acerca la fecha de su primer cumpleaños.

Sin embargo, por mucho que las pruebas parezcan corroborar la incompetencia policial (cuando no algo peor), Einar y Magnús vuelven una y otra vez a aquel momento en el que Erla se sentó frente a ellos y los acusó de un crimen que no habían cometido. Las alegaciones afectaron gravemente a sus vidas. Siempre serán un obstáculo para el perdón, independientemente de si Erla estaba dispuesta a decir lo que fuera para evitar que la recluyesen de nuevo. El suyo es un desagrado que no puede racionalizarse.

En la calumnia confluyen muchos factores. No es «culpa» de nadie. Pero ahí precisamente está el quid de ese cargo, me parece a mí. «Alguien tiene que pagar el pato», dice Einar. Si hablamos de sus repercusiones, ya no se trata de esclarecer lo que sucedió con Guðmundur y Geirfinnur, sino de establecer a quién corresponde la responsabilidad de todo aquel dolor.

«No hay pruebas de que el caso Geirfinnur gire en torno a un asesinato», escribió un periodista de *Morgunblaðið* en febrero de 1976. «[...] Sin embargo, la gente cree saber qué está sucediendo y no se cansa de sacar conclusiones de sus especulaciones [...]. El público quiere "acción". Busca un criminal. El populacho quiere un criminal, y no le importa si es Barrabás o cualquier otro [...]. Ya no importa si se condena sin razón, si se ejecuta a alguien sin que se haya probado su culpabilidad. Hay que encontrar al criminal, y si no aparece, hay que inventarlo. Esa es la exigencia, y hay que satisfacerla».

Esta columna, tan extrañamente profética, fue escrita a propósito de los Cuatro del Klúbburinn poco después de su detención, pero también podría haberse referido a Erla, Sævar y el resto de los sospechosos. Llegó un momento en el que el caso arrastró en su estela a políticos y figuras de la vida pública, y se hizo necesario, e incluso perentorio, encontrarle solución. Las acusaciones de delincuencia organizada y corrupción habían estremecido a toda una sociedad. Cuando se demostró la inocencia de los cuatro presuntos culpables, alguien tenía que asumir la culpa. La cuestión ya no era «¿quién provocó el castigo injusto de estos cuatro hombres?», sino «¿quién ha provocado esta histeria?», «¿quién creó esta turba enfurecida?», «¿quién trajo los males del mundo exterior a las puertas de Islandia?».

En comparación con, digamos, el Reino Unido, Islandia es muy igualitaria (¿en cuántos otros países habría podido Þórdís llamar a la puerta del primer ministro a medianoche y ser recibida sin más?), pero su exigua población crea inconvenientes cuando de responsabilidad judicial se trata.

En un país en el que ha sido habitual que los ex primeros ministros se nombren a sí mismos gobernadores del Banco Central al abandonar el Parlamento, quizá no sorprenda que el llamado «club de los amiguetes» siga siendo un aspecto menor pero no exento de poder en la realidad política y judicial de Islandia. Cuando Sævar solicitó un nuevo juicio en 1997, Guðjón comentó que se estaba adelantando veinte años: la vieja guardia ocupaba todavía demasiados puestos en el poder. Muchos de los jueces que presidieron los casos de 1980 mantenían una influencia considerable en el poder judicial cuando Sævar y Erla presentaron sus recursos durante la década de 1990. Los investigadores que en su juventud estuvieron en mayor o menor grado relacionados con los casos han ocupado posteriormente algunos de los más altos puestos del Estado. Recientemente, una fiscal se vio obligada a aceptar su recusación en el nuevo juicio porque era familia de Örn Höskuldsson.

Es un problema que se ha repetido a lo largo de mi investigación: incluso los profesores de derecho a los que entrevisto insisten en que no se los cite, porque están emparentados por sangre o matrimonio con gente implicada en los casos. Después de que en años recientes los procesos volvieran a estancarse, Hafþór, el hijo de Sævar, escribió en internet: «¿Qué pasa?, ¿acaso estamos esperando a que se muera alguien?».

Los jueces aún en activo que presidieron los recursos al Tribunal Supremo, como Ragnar Hall y Haraldur Henrysson, insisten en que todo lo que tienen que decir sobre el asunto consta en sus sentencias. «No hablaré», me dijo Ragnar Hall por teléfono. «Nunca he hecho comentarios al respecto, por una cuestión de principios», me cuenta Haraldur Henrysson, «principios con los que no voy a romper ahora». Algunos de los personajes en la sombra, como Kristján Pétursson, han fallecido ya, al igual que Karl Schütz.

No puedo sino recordar la historia que contaba Sigursteinn sobre la gente que lo seguía en coche. A pesar de las tétricas connotaciones de la historia, la idea de que sus perseguidores se taparan la cara con las manos siempre me había hecho sonreír. Pero fue un gesto astuto. Es difícil cargar la culpa a los fallos del sistema o a la gestión incompetente de las investigaciones, o a la rumorología; resulta más fácil culpar a alguien en concreto. En un par de investigaciones criminales con tantas lagunas (al punto de que cabe debatir si se trata de investigaciones criminales), esas falsas acusaciones tienen una sustancia que falta en otros lugares. Definitivamente ocurrieron.

Desde el momento en que Örn decidió que Erla era la «testigo perfecta», esta se convirtió en la cara visible de los casos. El 3 de mayo de 1976 volvió a ser detenida, y confesó haber matado a Geirfinnur con un rifle. Es obvio que los investigadores no le dieron mucha importancia a su confesión. No volvieron a interrogarla formalmente hasta pasadas cuatro semanas, y luego dejaron pasar otros dos meses entre ese interrogatorio y el siguiente. El desorden en la investigación era tal que Örn intentó dimitir.

Pero la confesión de Erla cumplió otro cometido muy importante. Aunque lo normal era que todo cuanto sucedía en Síðumúli se filtrase rápidamente a los medios de comunicación islandeses, en esta ocasión la noticia de la confesión no trascendió hasta el 10 de mayo, el día después de la humillante liberación de los Cuatro del Klúbburinn. La coincidencia de su puesta en libertad con la noticia de la primera confesión de Erla sobre Geirfinnur fue, como mínimo, tan fortuita como oportuna para los investigadores. Distrajo la atención pública en el momento perfecto. Habían encontrado su chivo expiatorio.

En la portada de *Dagblaðið* a principios de 1976, justo cuando el furor sobre los Cuatro del Klúbburinn estaba alcanzando su punto álgido, un barbudo Eggert N. Bjarnason extiende su mano hacia la cámara para evitar que el fotógrafo le saque una foto. Es un gesto que se antoja extrañamente moderno, reminiscente de los famosetes de finales del siglo XX y comienzos del XXI que intentan evadirse de la atención de la prensa. Son muchos los relacionados con estos casos que siguen tapándose la cara. La de Erla, en cambio, ha estado siempre visible.

Era diciembre de 1976, época de vacaciones, y Erla acababa de ser puesta en libertad. Aún aturdida y desorientada tras casi ocho meses en Síðumúli, salió de compras navideñas con su madre. Tenía la impresión de que todo el mundo la miraba. Había leído que era una idea habitual de los presos cuando salían de la cárcel, pero cuando llegó a Laugavegur, una de las principales arterias que entrecruzan el centro de la ciudad, y las aceras empezaron a llenarse de gente, se le hizo imposible ignorar el hecho de que la miraban fijamente.

A lo lejos, amortiguados por el bullicio de la gente, oyó que alguien daba voces. Se acercó con su madre al origen de los gritos, abriéndose paso entre la multitud, sin saber todavía qué se anunciaba. Y entonces vio a un vendedor de periódicos callejero. Gritaba su nombre. Erla agarró a su madre de la mano y le dijo: «Tenemos que salir de aquí». Los transeúntes, mientras tanto, intercambiaban puñados de coronas por un ejemplar del periódico con la cara de Erla en portada.

Ha tenido que ser visible. La vida de Erla (y hablamos de toda su vida adulta, desde aquella época de juventud en la que se le acusó de calumniar a su hermanastro hasta la actual sexagenaria de pelo oxigenado que intenta limpiar su nombre) se ha desarrollado bajo la atenta mirada de los medios de comunicación. A ojos de la gente, su existencia es sinónimo de los casos. Del mismo modo, a veces ha sabido valerse de esos mismos medios, consciente de que mantenerse en las noticias significaba mantener con vida la posibilidad de ser exonerada.

Entrevistar a Erla tanto tiempo después de las desapariciones hace difícil la idea de esclarecer lo que de verdad recuerda. Reconoce que sus recuerdos de los acontecimientos de hace más de cuarenta años son, por su misma naturaleza, imperfectos. «No voy a recordar algo como si lo estuviera viendo mientras alguien lo graba en vídeo», dice. «Lo recordaré a través de este y este filtro. Estoy segura de que, en buena medida, es una cuestión de preservar la salud mental. No vamos a ser conscientes de todo lo que de verdad sucedió». La dificultad, por supuesto, se cifra en que, en una investigación en la que tantas cosas pasaron a puerta cerrada y a altas horas de la madrugada, en la que las notas de la policía son escasas y el protocolo de investigación parece más exiguo todavía, gran parte de lo que sabemos depende de los recuerdos de quienes lo vivieron.

A veces me resulta imposible aceptar sin más el nivel de detalle que ofrece en sus palabras: ¿recuerda que el abrigo era rojo o recuerda haber recordado que el abrigo era rojo? Distin-

guir entre recuerdos y recuerdos de recuerdos acaba convirtiéndose en una base demasiado resbaladiza como para poder
dar por válidos sus argumentos. Pero hay momentos en los
que puedo ver, en la súbita quietud de su rostro, o en la expresión distante y desorbitada de sus ojos, que ha viajado en el
tiempo y vuelve a estar allí, en su recuerdo, como si hubiese
rebobinado cuarenta años de golpe, y que vuelve a ser aquella
joven y lo revive todo una vez más.

Algunas partes de su relato, inevitablemente, me parecen
interesadas. Pero lo mismo sucedería con cualquiera que hable
de algo que sucedió hace tanto tiempo. Cuando dice que lo de
defecar en su cama después de su pesadilla le recuerda que no
era capaz de echar mano de los cigarrillos, el eco psicológico
que evoca es casi demasiado enfático como para resultar del
todo creíble. Puede que sucediera así, pero me resulta difícil no
dudar de detalles como ese cuando ella sabe la forma en que la
narración de su infancia, de la rebelión adolescente y de las
difíciles relaciones con su familia genera asociaciones con los
matices psicológicos que la llevaron a confesar. La coherencia
de su relato resulta tan perfecta que me hace dudar de parte
del mismo.

Pero solo de una parte. La razón por la que su historia en-
caja tan bien es porque la ha contado muchas veces, y los detalles que me parecen cuestionablemente literarios son el resultado de haber escrito un libro sobre su vida. Es una historia
que tiene que ser capaz de contar: a falta de una crónica policial coherente, para ella resulta vital acordarse. En aquella sala
de interrogatorios había cuatro personas, y Erla es la única que
hablará de ello.

Los investigadores dicen que no pueden recordar lo que
pasó y no se ponen de acuerdo en quién estaba al frente de la
investigación. Todo sucedió hace mucho tiempo y los incenti-

vos para analizar los casos en detalle han sido pocos: el Tribunal Supremo ratificó las conclusiones de su investigación. Se pueden permitir el lujo de olvidar. Erla, en cambio, necesita recordar. Sus recuerdos han contribuido a anular el que en su día fuera el relato preponderante. Al contar su historia, ella ha sido capaz de erosionar una narrativa policial que, con el paso del tiempo, resultaba más y más endeble.

Estamos ante dos casos acontecidos hace cuarenta años, que han generado miles de páginas de documentación, y no hay ni una sola prueba sustancial que vincule a ninguno de los condenados con las desapariciones. Sí hay, en cambio, un montón de historias, una acumulación de declaraciones que repiten en diferentes versiones una misma narrativa, y que, por sus mismas dimensiones, crean la ilusión de ofrecer una base sólida sobre la que articular dos casos criminales. Un exceso de detalle a falta de hechos comprobables.

A poco que se descarten las distintas confesiones, es fácil ver que no hay nada debajo. Esto ha creado una extraña contradicción en la que nadie sabe nada y, sin embargo, todos están convencidos de saberlo todo. Las opiniones sobre los casos se definen más por la ideología de cada uno que por la evidencia: son un vacío sobre el que la gente proyecta sus propias interpretaciones. Þórdís me dijo una vez que el verdadero monstruo en todo el asunto nunca fue Sævar, sino los prejuicios, y creo que lleva razón. Ragnar Hall, el fiscal que en 1997 rechazó la petición de Sævar de que se repitiese el juicio, dijo una vez algo muy revelador a propósito de la probable inocencia de Sævar y los demás: «No son hermanitas de la caridad». El viejo argumento de que no hay humo sin fuego: como si el hecho de que tuvieran un pasado criminal justificara sus opiniones, independientemente de si podía corroborarlas con pruebas suficientes.

Aun hoy, cuando entrevisto a personas que los creen culpables, antes o después se apoyan en la idea de «no eran hermanitas de la caridad». En sendos casos en los que no existen pruebas de la comisión de un delito, tal vez no deba sorprendernos que las ideas preconcebidas sigan definiendo la postura de muchas personas. Eran rateros, ladrones, drogadictos, escoria. Un entrevistado se refiere a Erla con un término islandés más grosero que el más grosero epíteto de nuestra lengua, como si este ataque *ad feminam* confirmara de alguna manera la culpabilidad de Erla, en lugar de poner de manifiesto lo poco que ha estado prestando atención al devenir de los casos durante las últimas cuatro décadas.

Aunque ninguno de los condenados participaba activamente en la política, todos ellos encarnaban los cambios globales que parecían amenazar el entramado social de la época. Al final de una conferencia de prensa ofrecida por Karl Schütz el 2 de febrero de 1977 se produjo un incidente extraño: Örn se puso de pie ante los medios de comunicación islandeses y afirmó que aquellos jóvenes habían cometido los crímenes porque eran radicales y tenían una visión negativa de la gente rica. Lo que los jóvenes representaban hacía muy difícil que alguien les creyera.

«Fue como volver al siglo XVII», cuenta el periodista Ómar Ragnarsson, «a la caza de brujas y a las hogueras. Igual que con los musulmanes ahora. Es la misma historia de siempre, y se repetirá una y otra vez. De repente se apodera de toda una nación el ferviente deseo de trincar a alguien y hacer que caiga con todo el equipo. La comunidad lo necesitaba: teníamos *hippies*, música nueva y derechos de la mujer. La nación estaba dividida. Así que nos deshicimos de los *hippies* y los rebeldes. No queríamos que la revolución se lo llevara todo por delante». ¿A quién le importa si la bruja flota o no? Lo que importa es la sensación de haberse desecho de algo o alguien.

Cuando Erla regresó del extranjero y se unió a Sævar en sus esfuerzos para que se reabrieran los casos, se prestó a participar en una entrevista para un programa de radio que emitía los sábados en horario de máxima audiencia. El entrevistador, el veterano periodista Broddi Broddason, le dijo que no le hacía ninguna gracia, porque sabía que eran culpables.

Antes de la entrevista, los dos fueron a dar un paseo para que Broddi pudiera hacerse una idea de qué preguntas hacer. Erla le explicó que sus confesiones habían sido coaccionadas y que era inocente. La caminata duró mucho más de lo que originalmente habían previsto. Erla estaba a punto de irse cuando Broddi le pidió que volviese. Era evidente que algo le incomodaba. Tienes que entender, dijo, que siempre hemos estado seguros en nuestra comunidad y que aquí las cosas siempre habían ido bien. Con lo que me has dicho me estás arrebatando todo eso. ¿Y qué hacemos ahora?

En ese momento, Erla comprendió la situación en la que se encontraba: «Este es un sitio pequeño y seguro», dice, «no como Estados Unidos o cualquier otro país donde todos se matan entre sí. Aquí estamos muy seguros. Y de repente resulta que las autoridades son los malos y nuestra pequeña familia islandesa se niega a asumir que incluso aquí somos humanos».

Existen varias fotos de los investigadores después de que se hiciera público el veredicto de culpabilidad. Sonríen y se estrechan la mano unos a otros. En sus rostros se leen expresiones de júbilo y, sobre todo, de alivio. Creían que habían resuelto los casos. Lo que hicieron solo es comprensible, aunque no justificable, en el sentido de que estaban convencidos de la culpabilidad de los detenidos.

En estos dos casos, muchos de cuyos detalles clave son hoy igual de elusivos que entonces, hay mucha verdad en lo de que «no eran hermanitas de la caridad». Es una triste ironía que, al tratar de salvar al país, la policía recurriese a métodos que desde entonces han sido motivo de vergüenza. Parece que los investigadores decidieron de entrada que estaban tratando con «los malos» y que invirtieron el orden de sus pesquisas para adaptarlas a esa convicción. Apuntalaron una suposición errónea con pruebas fortuitas, como la visita a un popular club nocturno o el hecho de que el número de teléfono de Geirfinnur incluyese un 31. Confeccionaron una historia a partir de una creencia equivocada. Aquellos jóvenes, delincuentes de poca monta cuya vida transcurría al margen de la sociedad convencional, habían sido culpables desde el momento en que fueron arrestados.

Es un sábado por la tarde, frío y despejado, y recorro Laugavegur, la calle principal que atraviesa el centro de la ciudad, de camino a encontrarme con Erla. Los bares están repletos de gente que aprovecha las ofertas de *happy hour* que hacen que beber en Islandia (donde los impuestos sobre el alcohol se cuentan entre los más altos de Europa) resulte mínimamente asequible, y frente a los restaurantes más populares se han formado colas. Llevo tres años viajando a Islandia, e incluso en ese corto período de tiempo se ha producido una transformación notable. Islandia se ha vuelto muy, muy popular.

No siempre fue así. Cuando la legendaria banda británica de post-punk The Fall llegó a Islandia en 1981 se sorprendieron al comprobar todas las restricciones imperantes, entre ellas la de reproducir música por encima de los 100 decibelios en los locales, norma, por cierto, de cuyo cumplimiento se ocupaban funcionarios armados con bolitas de papel higiénico a modo de tapones para los oídos. Kay Carroll, la mánager de la banda, se lo contaba así a Colin Irwin, periodista de *NME*: «Ni priva, ni árboles, ni tele, ni tabaco..., y encima unos tíos que van por ahí con rollos de papel higiénico metidos en las orejas... ¿Pero qué sitio es este?».

Quienes no sabían nada de Islandia veían en ella un país plácido aunque provinciano caracterizado por una climatología atroz y unas prohibiciones inusuales. Llegada la década de 1990, sin embargo, el éxito de bandas como The Sugarcubes y Sigur Rós había empezado a forjar una imagen diferente de Islandia en las mentes foráneas, imagen que ganó especial relieve cuando Björk, vocalista de The Sugarcubes, se embarcó en una carrera en solitario y se convirtió en una mega estrella mundial. El majestuoso e impredecible rango vocal de Björk se correspondía con los paisajes serenos y explosivos de Islandia, y sus vídeos repletos de ingenio y la fusión de estilos musicales reforzaron la idea de que Islandia era un lugar tan bello como extraño y diferente de cualquier otro rincón del planeta. Damon Albarn invirtió en la propiedad compartida de un bar. Películas como *101 Réikiavik* (y el libro del mismo título) revelaron al mundo el terreno salvaje de Islandia, y el salvajismo no menos feroz de sus noches. A este proceso contribuyó también la legalización de la cerveza de más de un 2,25 % de contenido alcohólico en 1989. Islandia empezaba a ser un sitio que la gente quería visitar.

Dos explosiones, la primera de la economía del país en 2008 y, dos años más tarde, la del volcán Eyjafjallajökull, atrajeron a Islandia a un número sin precedentes de turistas. Cuando en 2010 la erupción del volcán interrumpió los vuelos en todo el mundo, las autoridades turísticas de Islandia anticiparon un desastre para la imagen pública del país. Pero, en lugar de alejar a la gente de Islandia, las imágenes retransmitidas a todo el mundo de paisajes extraterrestres y poderosas fuerzas naturales fueron la mejor publicidad posible para el país. La corona era barata al cambio, al igual que los vuelos, y los turistas llegaron en masa. Desde 2010, el turismo ha aumentado en más de un 20 % cada año. Entre 2015 y 2016 su volumen aumentó en más de un 40 %. Cada año, la cifra de turistas estadounidenses que visitan el país supera el número de ciudadanos islandeses. Los norteamericanos han vuelto al aeropuerto de Keflavík, pero esta vez con un propósito diferente: ver las cascadas y los géiseres del país.

El turismo se ha convertido en la piedra angular de la economía de Islandia, una industria que genera más puestos de trabajo que cualquier otra y constituye más de un tercio del PIB. En abril de 2017, el desempleo había caído al 2,4 %, y los controles de capital se relajaron por primera vez desde la crisis. Las grúas han vuelto al horizonte de Reikiavik. Los extranjeros que llegan a las costas islandesas insuflan ahora vida en la nación.

Esta prosperidad repentina también ha traído consigo dificultades. Las infraestructuras de Islandia no fueron concebidas para acoger a millones de visitantes al año. Las carreteras están desgastadas y los puntos turísticos del Círculo de Oro, una ruta que recorre algunos de los lugares más espectaculares del suroeste del país, se las ven y se las desean para hacer frente a la avalancha de visitantes, sobre todo cuando estos se saltan las cuerdas que delimitan la visita. Los excrementos humanos en espacios de belleza natural se han convertido en un tema que preocupa a toda la nación, y ha habido que colocar carteles por toda Islandia para recordar a los visitantes que defecar en la base de una cascada no es un comportamiento aceptable. En la histórica Piscina de los Ahogados, en el valle Þingvellir, en otra época escenario de ejecuciones públicas, los guardabosques rescatan ahora con equipos de submarinismo las monedas que los turistas tiran al agua.

El turismo causa no pocos inconvenientes al ICE-SAR, el servicio de salvamento. En 2015, cuatro jóvenes británicos tuvieron que ser rescatados hasta en tres ocasiones distintas durante un mismo viaje cuando trataban de cruzar el país a pie de norte a sur. En otra ocasión hubo que rescatar a un grupo estadounidense que estaba de picnic en un glaciar cuando el hielo se desgajó y salieron flotando hacia el mar de Noruega.

En el verano de 2012 se produjo un incidente particularmente memorable: ocurrió cuando una turista desapareció de una excursión cerca del cañón de Eldgjá, en el sur del país. El equipo de rescate, compuesto por cincuenta personas, no se dio cuenta hasta las tres de la mañana, tras estar varias horas peinando la zona, de que la mujer que estaban buscando formaba parte del grupo de búsqueda. No había caído en que la persona a la que estaba buscando era ella misma. El ministro de Turismo, Industria e Innovación dijo que el país no debería seguir fomentando que llegaran más turistas.

La inusual historia de Huang Nubo, un multimillonario chino que intentó construir un hotel y un campo de golf en una de las zonas más inhóspitas del noreste de Islandia, parece demostrar que se está utilizando el turismo como tapadera de los motivos ocultos de quienes tienen un interés político en Islandia. La zona es tan yerma que el ministro de Asuntos Exteriores la describió como un lugar donde «casi puede oírse a los fantasmas bailando en la nieve». *The New York Times* recogió el socarrón comentario del ganadero propietario de los terrenos: «Aquí es difícil jugar a golf». Se dice que el amor que Huang Nubo siente por Escandinavia es sincero, y quién sabe si su empresa podría haber tenido éxito. Pero el hecho de que anteriormente hubiese trabajado para el departamento de propaganda de China dio mucho que pensar al gobierno islandés, habida cuenta, además, de lo poco convincente del proyecto empresarial presentado. La oferta acabó siendo rechazada.

Se ha especulado con que el interés chino esté relacionado con el hecho de que Islandia sea un país miembro de la OTAN sin ejército permanente. El primer tratado de libre comercio que China cerró con un país europeo fue con Islandia en 2013 y, a pesar de contar con solo un puñado de diplomáticos, el país asiático ha construido una enorme embajada en Reikiavik capaz de albergar a quinientas personas. China ha anunciado su intención de utilizar las ventajosas rutas marítimas creadas frente a las costas islandesas como consecuencia del derretimiento de los hielos del Ártico. Poder tocar tierra en Islandia sería una importante ventaja estratégica. Puede que la guerra fría haya terminado, pero Islandia sigue siendo un activo valioso en las maniobras geopolíticas de las superpotencias mundiales.

No hay duda de que el desorbitado crecimiento del turismo ha tenido repercusiones positivas para los casos. A la gente le fascina Islandia. Quieren visitar el país, aprenderlo todo de él, entenderlo. Cuando la selección islandesa regresó a casa tras su proeza en la Eurocopa de 2016, el vídeo de la entusiasta recepción que les brindaron miles de conciudadanos celebrando al unísono con la «palmada vikinga» en la misma colina sobre la que se alza la estatua del primer colono Ingólfur Arnarson dio la vuelta al mundo. Programas de televisión como *Trapped*, de la BBC, películas de éxito entre el público y la crítica como *De caballos y hombres* y *Rams* (*El valle de los carneros*) y bandas como Of Monsters and Men –el primer grupo islandés en obtener mil millones de reproducciones en Spotify– han concentrado la atención del mundo sobre Islandia.

Cuando les digo a los islandeses que estoy documentándome para escribir un libro sobre las desapariciones, a menudo me responden con una media sonrisa cuyo significado me ha llevado algo de tiempo entender. En parte, supongo que les hace gracia (matizada con un punto de amargura) que un asunto tan viejo siga despertando interés. Pero, cada vez más, me parece que sonríen porque saben que el interés internacional por una historia que ha destruido docenas de vidas se ha visto reavivado por la enorme popularidad de Islandia como destino turístico.

Pocos días antes de encontrarme con Erla, la comisión emitió su veredicto: el caso de calumnia no sería reabierto. Hay una parte de ella, dice, a la que nada le gustaría más que subirse a un avión y huir a algún lugar remoto. Pero, pese al atractivo que ejerce sobre ella la idea de desaparecer, nunca se irá. Sus hijas viven aquí, incluida la niña que adoptó en Sudáfrica. Aquí tiene sus raíces. Si cortase los lazos con Islandia, parte de ella se marchitaría.

«Estoy condenada», dice, «tengo que quedarme porque soy parte de esta tierra. Pero a la vez tengo que escapar». Durante la década de 1980 vivió en el extranjero, fantaseando con escapar a Hawái y descansar bajo una palmera hasta que se arreglasen las cosas, pero no tardó mucho en regresar. La cabeza le dice una cosa, y el corazón otra: su tierra natal le da fuerzas, pero también le agota ser constantemente el centro de atención. Su relación con Islandia es, cuando menos, incómoda.

Dondequiera que vaya en Islandia, la gente sigue asociándola a los dos casos. La misma comunidad que ella aprecia y en la que querría ser aceptada la ha expulsado de su seno. En parte, tal vez se explique así el énfasis que pone en lo espiritual. Se siente engañada en la Tierra, como si nunca se le hubiera dado la oportunidad de vivir de verdad su vida, y en cierto modo se ve todavía como aquella chica de veinte años, sola en su celda, acostada en el camastro mientras en su mente se instalan imágenes de oscuras siluetas recortadas contra la persiana y de un cigarrillo caído en el cenicero.

Cuando se ve a sí misma en las fotos de aquella época, dice: «Siempre me veo como a una niña, y sigo sin ser capaz de asumir que es la misma persona que está aquí sentada. Me duele ver a esa niña. No sé si se supone que debo llegar a sentir que sí, que soy yo. Siempre veo a otra persona. A menudo, cuando veo las fotografías, aparto la mirada o me acuerdo de momentos del aislamiento, o pienso en mi hija como si fuera ella la que estuvo allí». A menudo habla de una vida después de la muerte: no al estilo judeocristiano, sino más místico, una situación en la que volverá a ver a Sævar y se reirán juntos del espantoso y desquiciado viaje que hicieron por la Tierra.

Sævar está enterrado cerca de la casa de sus abuelos, donde de niño pasó muchos meses muy felices de niño. El cementerio está en la ladera de un valle, junto a una iglesia. Una cerca de madera que llega hasta las rodillas de los visitantes rodea el perímetro.

Erla nos llevó a Dylan y a mí a visitarlo al final de nuestro viaje por el suroeste del país. No había pensado en cómo le afectaría a ella verse allí, en parte porque ella había sido quien propuso el viaje, pero también porque, al reflexionar sobre su relación, desde la ventaja que le daban los más de cuarenta años transcurridos desde los hechos, la sensación tenía que ser casi de que todo había sucedido en otra vida. Pero visitar la tumba de Sævar le resulta doloroso, quizá más de lo que esperaba, y se sienta en un banco y empieza a llorar. A pesar de que no hay nadie más en el cementerio, aparece un perro (cabe suponer que del sacerdote) que se refrota contra el banco y apoya la cabeza en el regazo de Erla mientras Dylan filma la lápida.

Quizá lo más perturbador de toda la investigación fue la forma en que la policía se aprovechó de la relación de Erla y

Sævar. En reuniones de corroboración entre ambos, la policía presionaba a Sævar para que confesara la misma descripción de los hechos dada por Erla. En los informes policiales se los describe a los dos como confundidos, abatidos, incapaces de entender lo que está sucediendo. Al describir una de aquellas reuniones de corroboración, Sævar dijo: «No usaron coacción ni nada. No iban a usar más que el amor. Interrogaron a Erla por la mañana, y le dijeron que ella saldría libre si conseguía que yo admitiese que estaba en Hamarsbraut. Y, luego, cuando me llevaron al interrogatorio, Erla me dijo: "Por favor, hazlo por mí, Sævar, diles que estabas allí"».

Destrozada, aterrada ante la idea de que la mantuvieran alejada de su bebé y convencida de que Sævar podría haber tenido algo que ver con la desaparición de Guðmundur, Erla acusó al padre de su hijo de estar implicado en un asesinato. ¿Cómo pueden dos personas recuperarse de eso? En los años siguientes a su liberación, pese a que ambos habían conseguido racionalizar su condición común de víctimas, lo sucedido en Síðumúli pesaba sobre ellos como una losa.

Cuando aún se veían, entre ellos había un vínculo, especialmente cuando se trataba de compartir la educación de Julia, pero les llevó años, dice Erla, volver a conectar el uno con el otro. No estaban enfadados, pero la oscuridad que ensombrecía su pasado era tal que ya no podían comunicarse adecuadamente.

Continuaron viéndose intermitentemente. Cuando Sævar empezó a vivir en la calle, mantener la amistad resultó más difícil. A veces se presentaba en casa de Erla. El vínculo que habían forjado tantas décadas atrás bajo la luz roja aún seguía vivo, pese a la fealdad de todo cuanto había sucedido desde entonces. «Por mis hijos y mi familia me era imposible meterlo en casa», dice. «Traía demasiadas cosas consigo, así que bajaba las escaleras y me sentaba con él en un rincón del bloque de apartamentos durante la noche y hablábamos de todo. Estar allí sentada era liberador».

Cuando termina la reunión con Erla, salimos a la calle. Es el primero de marzo de 2017, y el cielo está oscuro y salpicado de estrellas. La luna está tan baja que uno cree que podría subirse al techo de un coche para tocarla. De repente, Erla dice: «¡Mira!»; y señala algo en lo alto, a mis espaldas. Me doy la vuelta y veo en el cielo un enorme óvalo resplandeciente, como una enorme boca de un verde tenue y bordes amoratados. Me sorprende lo rápido que se mueve: el círculo se desgaja en una banda de colores brillantes que ondea como una bufanda al viento.

Erla se ha puesto de pie, con el cigarrillo aún en la mano, y señala el cielo diciendo: «¡Esa es la verdad! Esa es la verdad!». Lo que quiere decir, creo, es que este fenómeno natural encierra una verdad inherente que a menudo ha echado en falta en su vida. Por mucho que los expertos en viento solar y partículas de plasma nos la hayan hecho comprensible, la aurora boreal es el bello susurro de una fuerza mayor, la danza en el cielo de un ser superior. Para ella es algo veraz porque no es de este mundo, porque carece de falsedades o motivos ocultos; porque es inhumana.

REAPARECIDOS DE ENTRE LA NADA

A las 4.30 horas del sábado 14 de enero de 2017, la joven dependienta Birna Brjánsdóttir, de veinte años de edad, salió de Hurra, un bar del centro de Reikiavik. Se detuvo en un puesto de comida para llevar y, luego, emprendió el camino hacia su casa.

Varias cámaras de circuito cerrado de televisión colocadas en diferentes puntos del centro de la ciudad captaron a Birna a su paso por la calle Laugavegur. Vestida con una chaqueta negra, y con una pita de falafel en la mano, se dirigió con paso no muy firme hacia Breiðholt, el barrio periférico de la capital donde vivía con su padre. Alrededor de las cinco de la mañana, las cámaras de Laugavegur la perdieron de vista. Birna había desaparecido.

Al día siguiente comenzó la mayor operación de búsqueda y rescate de la historia de Islandia. Más de setecientos miembros de la ICE-SAR, once perros y un gran número de unidades policiales rastrearon los campos de lava y la escarpada costa que flanquea Reikiavik. Tres días después de su desaparición, encontraron algo en un muelle de Hafnarfjörður: las Doc Martens negras de Birna. Curiosamente, había nieve adherida a los zapatos pese a que no había nevado en la zona.

El fin de semana siguiente, su cuerpo apareció a cincuenta kilómetros de Reikiavik en una playa de guijarros negros próxima al colorista faro amarillo de Selvogsviti.

De común acuerdo con los medios de comunicación locales, los investigadores animaron al público a participar activamente en la búsqueda mostrando las imágenes captadas por las cámaras de seguridad e implorando a quien hubiese visto algo que transmitiese esa información a las autoridades. En las imágenes de las cámaras de seguridad podía verse un Kia Rio de color rojo, y cuando la policía identificó la matrícula descubrió que el coche había sido alquilado por tripulantes de un pesquero groenlandés atracado en Hafnarfjörður la misma noche en que Birna desapareció.

La Guardia Costera de Islandia envió un helicóptero a interceptar el *Polar Nanoq*, que acababa de zarpar de Hafnarfjörður; a bordo del helicóptero iban seis oficiales de las fuerzas especiales islandesas, conocidas como el «Escuadrón Vikingo». Se detuvo a dos personas, una de las cuales fue posteriormente puesta en libertad. Thomas Frederik Møller Olsen pasó a ser el principal sospechoso.

Para quienes vivieron la desaparición de Geirfinnur, pareció, por un momento, que la historia se repetía. La prensa local optó por una medida desacostumbrada, y publicó fotos de los sospechosos, así como sus nombres, edades y empleo. En Facebook, la gente proclamó que las de aquellos tipos eran las caras del mal. «Ahí fue cuando pensé: ¿vamos a volver a las mismas?», me cuenta el criminólogo Helgi Gunnlaugsson. La desaparición más mediática en más de cuarenta años, y una vez más se achacaba responsabilidad penal a unos extranjeros antes siquiera de que se hubiera probado nada fehacientemente.

Pero, así como en los casos de Guðmundur y Geirfinnur hubo multitud de confesiones sin pruebas, las circunstancias aquí eran opuestas. Pese a la inocencia que profesaba Thomas Olsen, las pruebas en su contra eran considerables. Los investigadores encontraron una bolsa negra a bordo del *Polar Na-*

noq, y en ella el permiso de conducir de Birna con las huellas dactilares de Thomas Olsen. La policía lo identificó en grabaciones de cámaras de seguridad comprando productos de limpieza a las diez y media de la mañana siguiente a la desaparición de Birna. Sabían que pasó cuarenta minutos limpiando el interior del Kia Rio rojo que había sido visto cerca de Birna la noche que esta desapareció. El análisis forense del coche encontró sangre de la joven bajo el asiento trasero y alrededor del volante.

Cuando Karl Schütz llegó a Islandia en el verano de 1976, le asombró la escasa formación que recibía la policía islandesa. En octubre de 1976 escribió una carta en la que afirmaba que los investigadores estaban tan mal preparados para los interrogatorios que sería pan comido embaucarlos hasta para un sospechoso de inteligencia mediana. Los investigadores, escribió Schütz, carecían de confianza en sí mismos y del carisma necesarios para lograr resultados en interrogatorios complejos.

Más que nada, estas palabras reflejan el sesgo con el que Schütz afrontaba las investigaciones policiales, un sesgo en el que las cualidades personales del investigador priman sobre el rigor de la labor policial. Pero también aluden a una realidad importante de la investigación: la policía islandesa no había sido entrenada para manejar casos complejos de asesinato. Schütz, pese a todos sus defectos, aportó un enfoque sistemático a una investigación que, con anterioridad a su llegada, había sido caótica.

La investigación de Birna, por el contrario, se caracterizó por su lucidez, eficacia y buena ejecución. Desde la década de 1970, la profesionalización de la policía islandesa ha sido constante. Sus agentes están mucho mejor entrenados y tienen más experiencia en casos de asesinato. En la investigación de Birna, la policía pudo valerse de los datos del teléfono móvil de Tho-

mas Olsen para rastrear la ruta que había seguido desde Reikiavik, donde Birna fue vista por última vez, a Hafnarfjörður,
donde apareció aparcado el coche. Estas pruebas se utilizaron
ante el juez en septiembre de 2017, y resultaron decisivas para
hilvanar el relato de los últimos momentos de vida de Birna.
Las innovaciones tecnológicas y las mejoras en el análisis forense permitieron a los investigadores reunir una gama más
amplia de pruebas y reducir así el peso específico de las confesiones en la investigación.

En lo que a pruebas penales se refiere, las imágenes de una
cámara de seguridad y los análisis de ADN tienen una sustancia y una validez de la que carece la memoria, por mucho que
basemos en ella nuestras vidas.

A menudo, la investigación de los años setenta del siglo pasado se centró en indicios que, a toro pasado, pueden parecer-
nos erróneos. En mayo de 1976 se filtró a la prensa la historia
de cómo la policía había enviado buzos a buscar el cuerpo de
Geirfinnur cerca del puerto de Grindavík sobre la única base
de un sueño: una mujer se había puesto en contacto con la
policía para decir que había «visto» una pista al final de un
muelle. «Se ha buscado con ahínco la ayuda de médiums y cla-
rividentes en la investigación del caso», pudo leerse en *Dagblaðið*, «y ahora parece que solo una coincidencia permitirá
dilucidar el caso Geirfinnur». El titular de la noticia rezaba así:
«El caso Geirfinnur: en busca de un sueño».

Se recurrió a psíquicos en repetidas ocasiones. El detective
Njörður Snæhólm entrevistó a una mujer que creía saber dónde estaba Geirfinnur porque había recibido visiones de su ubicación. Mucho después de que terminara su trabajo en el caso,
el investigador de Keflavík Haukur Guðmundsson voló hasta
Jordania con Guðný, la esposa de Geirfinnur, para intentar
contactar con su marido desaparecido.

También se reclutó la ayuda del psíquico holandés Gerard Croiset; apodado «el Mozart de los detectives psíquicos» por sus seguidores, Croiset era uno de los parapsicólogos más famosos del mundo en aquella época. Islandia no fue la única en recurrir a investigadores paranormales. La policía británica contrató en repetidas ocasiones a Croiset, y se requirieron sus servicios en lugares tan remotos como Japón y Australia. Asesoró incluso a los investigadores durante la búsqueda de lord Lucan.

Croiset obtuvo su primer gran éxito en sus Países Bajos natales en 1963, cuando ayudó a la policía en la búsqueda de Wim Slee, un niño de seis años de edad que había desaparecido en Voorburg, ciudad de Holanda Meridional. Croiset declaró que su cuerpo aparecería después de doce días en un canal. La policía holandesa continuó infructuosamente la búsqueda del niño desaparecido hasta que, exactamente una docena de días después de que Croiset hiciera su predicción, el cuerpo del niño apareció en un canal. Había estado hasta entonces sumergido, enganchado a un objeto bajo el agua.

Para quienes dudan de la utilidad de la clarividencia en la investigación de asesinatos, los fracasos de Croiset son más memorables que sus triunfos. En 1957, no muy lejos de Utrecht, Croiset notificó a un matrimonio que su hijo desaparecido se había ahogado en un muelle cerca de su casa. El niño, que había estado escondiéndose en un pajar, reapareció solo después de que sus padres hubiesen organizado su funeral. En 1966, Croiset colaboró con la policía del estado de Australia Meridional en la búsqueda de tres niños que habían desaparecido tras un día en la playa de Glenelg, en Adelaida. Croiset se mostró convencido de que estaban enterrados bajo un gran almacén. La policía no pudo entonces desenterrar los cimientos del edificio valiéndose de las palabras de Croiset como único argumento, pero, décadas más tarde, cuando se llevaron a cabo excavaciones en el solar, no apareció ningún cuerpo.

Croiset llegó a Islandia en enero de 1975, y pronto comenzó a recibir visiones del sino de Geirfinnur. Le desconcertó sentir la presencia de árboles en la zona donde Geirfinnur había desaparecido, porque había oído que Islandia no tenía ningún árbol. Cuando se le preguntó si Geirfinnur estaba vivo o muerto, Croiset respondió, inequívocamente, que si el hombre desaparecido se encontraba donde Croiset pensaba que estaba, entonces estaba muerto.

Los métodos de investigación, por supuesto, han evolucionado considerablemente desde los días de gloria de Croiset, al igual que el sistema jurídico islandés. En la década de 1970, lo inusual era que el representante del juez y el fiscal participaran activamente en la investigación. Cuando Örn Höskuldsson interrogaba a los presos en sus celdas, a estos los estaba interrogando la misma maquinaria estatal que posteriormente los condenaría en los tribunales. Hallvarður Einvarðsson, el fiscal auxiliar, estuvo presente a menudo en los interrogatorios, con lo que se difuminaba aún más la línea de separación entre la investigación y la fiscalía.

En 1992, sin embargo, y tras un incidente de tráfico en Akureyri, en el norte de Islandia, se produjo una importante reforma estructural al separarse por fin los poderes judicial y ejecutivo en los procesos de investigación criminal. Se introdujeron salvaguardias para evitar largos períodos de detención preventiva. Muy difícilmente volvería a producirse la asfixiante situación en la que se encontraron los sospechosos en los casos Guðmundur y Geirfinnur. Pese a la emocional respuesta que la desaparición de Birna generó en la opinión pública islandesa, no hubo la sensación de que la policía fuese a permitir que esa presión, comparable en intensidad al furor desatado por la desaparición de Geirfinnur, afectara a su juicio.

La vista del asesinato de Birna Brjánsdóttir comenzó en septiembre de 2017. El 28 de septiembre de 2017, Thomas Olsen fue declarado culpable de su asesinato, y también de intentar pasar de contrabando veinte kilos de hachís. Fue condenado a diecinueve años de prisión, la mayor pena impuesta en el país desde que Sævar Ciesielski fuese condenado por el asesinato de Guðmundur y Geirfinnur.

Las desapariciones siguen siendo un misterio. En junio de 2016 se produjo el arresto de dos tipos que habían estado conduciendo por Hafnarfjörður la noche en que Guðmundur desapareció. La exnovia de uno de ellos había declarado que iba con ellos en el coche cuando atropellaron a un muchacho durante una tormenta. Los dos hombres la dejaron en su casa y se perdieron con el coche en la nevada con el muchacho en el asiento trasero. No sabría decir si se trataba de Guðmundur, pero pensaba que bien podría haberlo sido.

Uno de aquellos dos hombres, Stefán Almarsson, había estado cumpliendo condena por un delito menor muy poco antes de que Erla y Sævar fueran arrestados. Los archivos policiales indican que fue Stefán quien proporcionó la información que llevó a la policía a pensar que Erla y Sævar habían cometido la estafa postal. Stefán fue trasladado de la prisión de Litla-Hraun a Síðumúli el 18 de diciembre de 1975 y puesto en libertad el 19 de diciembre, el mismo día en que se interrogó a Erla por primera vez a propósito de Guðmundur. Por lo visto, la puesta en libertad le llegó antes de lo que le correspondía. «Se le estaba recompensando por algo», dice Ragnar Aðalsteinsson.

En una entrevista con Tryggvi publicada en 1991 por Þorsteinn Antonsson se da a entender que Stefán Almarsson podría haber dado a la policía algo más que información sobre la estafa. Era bien sabido que Stefán le tenía ganas a Kristján. En la entrevista, Tryggvi afirma que Stefán Almarsson, viejo amigo suyo, se le acercó en una fiesta y se disculpó por haberlo involucrado en el caso Guðmundur. «Me dijo que no había sido su intención», según Tryggvi. «Que solo quería meter a Kristján en un lío. Increíble, ¿no?».

Existe un informe policial de abril de 1978 que cimienta la idea de que Stefán Almarsson pudo ser quien los implicó a todos. Aquel mes, Stefán Almarsson le dijo a la policía de Reikiavik que los cuerpos de Geirfinnur y Guðmundur estaban enterrados en el 82 de la calle Grettisgata, en casa de la abuela de Kristján. El hecho de que Stefán supuestamente no tragase a Kristján, sumado a que fuese él quien proporcionó la información que condujo a la solución de la estafa postal y quien se dedicó a dar pistas sobre el paradero de los cuerpos de Guðmundur y Geirfinnur cuatro años después de las desapariciones, apunta a que bien pudo estar en, como mínimo, el origen del rumor sobre Guðmundur.

Stefán Almarsson fue detenido en junio de 2016 y su arresto volvió a avivar la llama en los medios de comunicación, pero pronto fue puesto en libertad. En cierto modo es una anécdota similar a todo cuanto ha ocurrido en torno a estos casos: más rumores, más historias.

¿Ha habido alguna vez una investigación penal en la que los rumores hayan tenido un papel tan importante? Es la cualidad que define las dos investigaciones, la que las impulsa y el arranque de una y de otra: rumores sobre Klúbburinn, sobre el contrabando y sobre un Sævar que sabe más de lo que dice. Hablamos de las investigaciones criminales más extensas en la historia de Islandia, basadas en rumores y más rumores, sustentadas en acusaciones sin fundamento y palos de ciego en los campos de lava.

Aun hoy se siguen descubriendo cosas. Por asombroso que parezca, el periodista Jón Daníelsson destapó en 2016 las pruebas más convincentes hasta la fecha sobre la coartada de Sævar. Una vez más, se trata de algo que Sævar había dicho a los jueces y que podría haberse corroborado fácilmente con un poco de buena voluntad.

En cartas escritas en septiembre de 1977, Sævar describe al detalle sus recuerdos de la noche que pasó viendo una película sobre una erupción volcánica con su madre y Erla; la noche en que Geirfinnur desapareció. Le había dado muchas vueltas a esa noche. Cuando terminó la película, fue a casa de su madre a ver la televisión. Recordaba lo que había visto: un reportaje de una periodista llamada Sonja Diego, en el que hablaba sobre el fraude del vino tinto de una empresa francesa.

Jón Daníelsson rebuscó en las programaciones de televisión y dio con el 19 de noviembre de 1974. Aquel día, a las 22.25 horas, inmediatamente después de que el documental deportivo que Einar Bollason hubiera estado viendo en su casa, se emitió otro programa, titulado «Heimshorn» y presentado por Sonja Diego, que terminó a las 23.00 horas. El último segmento del programa duraba siete minutos y llevaba por título «El "Vinogate" de Francia». Según se desprende de este dato, en el momento en que Geirfinnur se subía a su coche en Keflavík para volver a la cafetería, Sævar estaba en casa de su madre viendo la tele.

Han tenido que pasar casi cuarenta años, pero hoy sabemos que las coartadas clave en el caso Geirfinnur pueden encontrarse en una simple hoja de papel: el programa de televisión publicado la mañana del 19 de noviembre de 1974.

Más asombroso todavía es que, a lo largo del verano de 2016, Ómar Ragnarsson, un periodista y personaje público venerado como pocos en Islandia, publicase un libro sobre la desaparición de Geirfinnur. Según él, catorce años atrás entrevistó a un par de personas que confesaron haber atropellado a Geirfinnur y, presas del pánico, haberse deshecho del cuerpo en los campos de lava. No nombró a la pareja, y dijo que nunca lo haría. Cuando se publicó el libro fue como si David Attenborough hubiese proclamado que conocía a la persona que había matado a Madeleine McCann, pero que nunca le diría a nadie quién había sido. Algunos periodistas deslegitimaron las revelaciones del libro por infundadas o por parecer un cuento tan extraño como falto de gusto; sin embargo, Ragnarsson insiste en que es la verdad.

Quedan todavía lagunas en el corazón de esta historia: no hay pruebas, ni cadáveres, ni motivos, ni conexión entre las desapariciones. Nadie sabe siquiera si se cometió un crimen: con el tiempo se ha sabido que la policía de Keflavík nunca comprobó que se llamase por teléfono desde el café a casa de Geirfinnur. Lo del busto de arcilla fue una patraña, esculpida a partir de una imagen de Magnús Leópoldsson con la intención de que coincidiese con la cara de un hombre que quizá ni siquiera había llamano a Geirfinnur. Guðmundur pudo haber muerto en una tormenta.

Hace más de cuarenta años, dos hombres desaparecieron como por ensalmo, y desde entonces la gente se ha dedicado a inventar historias, rumores, declaraciones y confesiones. Los casos, levantados sobre rumores y habladurías, fueron producto de la histeria que ayudaron a crear; las confesiones utilizadas para condenar a un gran número de personas no fueron sino historias que a día de hoy siguen presentes en los sueños de la gente.

AGRADECIMIENTOS

Gracias a Rich Arcus, de Hachette (RU). Nadie podría pedir un editor mejor: su precisión, ímpetu narrativo y pasión por el tema que trata el libro están presentes en cada párrafo. Gracias a Juliet Mahony de Lutyens & Rubinstein por animarme a escribir la sinopsis del libro y proponerla a la editorial, y por ser una fuente constante de apoyo a lo largo de todo este proceso; sin ella, este libro nunca se habría escrito.

Gracias a Dylan Howitt, quien condujo muchas de las entrevistas clave en las que se basa el libro. Sin su criterio, sensible y reflexivo, este sería un libro mucho más pobre. Gracias a Margrét Jónasdóttir, de SagaFilm, por llevar a cabo las entrevistas en islandés que se recogen en este libro y por sus valiosas observaciones a lo largo del proceso de redacción.

Gracias a Mosaic Films y SagaFilm por permitirme acceder a entrevistas e investigaciones recogidas durante la realización del documental *Out of thin air*.

Gracias a mis superiores y a mis compañeros de trabajo por su flexibilidad en cuanto a mis plazos de entrega, así como por su apoyo al proyecto: Andy Glynne, en Mosaic Films; Kavita Puri, en la BBC; y Laurie Harris, en Detour.

Gracias también a todos aquellos que leyeron versiones del libro durante las diferentes etapas del proceso de redacción, y en particular a Helgi Gunnlaugsson, Gísli Guðjónsson, Jón Daníelsson, Sumarliði Ísleifsson, Charlie Griffiths, Jasper Jolly, Camilla Adeane, Henry Adeane, Madeline Adeane, Pat

Brooke, Helena Blackstone, Joe Dodd, Hugh Davies y Dan Meththananda.

Gracias a Sigurþór Stefánsson, Helga Lúthersdóttir, Tryggvi Brynjarsson y Tryggvi Hubner por su ayuda en varias etapas del proceso de redacción.

Se han escrito muchos libros excelentes en inglés sobre la cultura y la historia islandesa, y los que me resultaron particularmente útiles fueron: *The history of Iceland*, de Gunnar Karlsson; *Wasteland with words: a social history of Iceland*, de Sigurður Gylfi Magnússon; *The history of Iceland*, de Guðni Thorlacius Jóhannesson; y *A place apart*, de Kirsten Hastrup.

Y, sobre todo, gracias a todos aquellos que me recibieron en sus casas para responder pacientemente a mis preguntas sobre sus vidas. Espero haber hecho justicia a esta triste y complicada historia.

Cualquier error en el texto, por supuesto, es de mi exclusiva responsabilidad.

BIBLIOGRAFÍA COMENTADA

FUENTES PRIMARIAS

BOYES, ROGER, *Meltdown Iceland*, Londres, Bloomsbury Publishing Plc., 2010. No solo un fascinante análisis de los efectos de la quiebra financiera, sino también una historia de Islandia de gran rigor investigativo y estilo muy ameno.

GUNNLAUGSSON, HELGI, Y JOHN F. GALLIHER, *Wayward Icelanders: punishment, boundary maintenance, and the creation of crime*, Madison (Wisconsin), University of Wisconsin Press, 1999. Un volumen particularmente útil, en especial su análisis de los distintos vetos y prohibiciones de Islandia, así como el conciso repaso histórico de sus presidios.

JÓHANNESSON, GUÐNI THORLACIUS, *The history of Iceland*, Santa Barbara (California), Greenwood, 2013. Brillante examen de los efectos de la Segunda Guerra Mundial sobre Reikiavik y Keflavík, y también de los «vikingos del capital riesgo» y la terminología empleada para describir sus actividades en los mercados de valores.

KARLSSON, GUNNAR, *The history of Iceland*, Londres, C. Hurst & Co., 2000. La más extensa historia de Islandia escrita en lengua inglesa. Un riguroso y detallado ejercicio de investigación que me resultó especialmente útil para dilucidar aspectos concretos de la Reikiavik previa a 1970 y de la ayuda recibida por Islandia en el marco del Plan Marshall.

MAGNÚSSON, SIGURÐUR GYLFI, *Wasteland with words: a social history of Iceland*, Londres, Reaktion Books Ltd., 2010. Una lectura excelente, a veces por motivos inopinados. En ella se abordan en minucioso detalle temas como las kvöldvakas, la identidad islandesa y los efectos de la americanización sobre Keflavík.

FUENTES SECUNDARIAS

AUDEN, W. H., y LOUIS MACNEICE, *Letters from Iceland*, Londres, Faber and Faber, 1937. [Hay trad. cast.: Cartas de Islandia, Barcelona, Alba Editorial, 2000.]

BYOCK, JESSE, «History and the sagas: the effect of nationalism», en *From sagas to society: comparative approaches to early Iceland*, Londres, Hisarlik Press, 1992.

FAIRHALL, DAVID, *Cold front: conflict ahead in Arctic waters*, Nueva York, I. B. Tauris & Co. Ltd., 2010.

GRASSIAN, STUART, «Psychiatric effects of solitary confinement», *Washington University Journal of Law & Policy*, vol. 22, *Access to Justice: The Social Responsibility of Lawyers / Prison Reform: Commission on Safety and Abuse in America's Prisons*, enero de 2006.

GUDJÓNSSON, GÍSLI H., «Delinquent boys in Reykiavik: a follow-up study of boys sent to an institution», en Gunn, John y David P. Farrington (eds.), *Abnormal offenders, delinquency, and the criminal justice system*, Londres, John Wiley & Sons Ltd., 1982.

—, *Psychology of interrogations and confessions: a handbook*, Londres, John Wiley & Sons Ltd., 2009.

—, «Memory distrust syndrome, confabulation and false confession», *Cortex*, 2016.

GUNNI, DR., *Blue eyed pop: the history of popular music in Iceland*, Reikiavik, Sögur Útgáfa, 2013. Excelente crónica de la historia de la música pop en Islandia, acompañada de magníficas fotografías y esclarecedoras entrevistas con las principales figuras de los distintos entornos musicales.

HAFSTEIN, VALDIMAR, «The elves' point of view: cultural identity in contemporary Icelandic elf-tradition», *Fabula*, vol. 41, n.º 1-2, 2000.

HASTRUP, KIRSTEN, *A place apart: an anthropological study of the Icelandic world*, Oxford, Oxford University Press, 2004.

HERON, WOODBURN, «The pathology of boredom», *Scientific American, Inc.*, 1956.

HIGGINS, ANDREW, «Teeing off at the edge of the Arctic? A Chinese plan baffles Iceland», *The New York Times*, 22 de marzo de 2013.

IRWIN, COLIN, «The decline and fall in Iceland», *Melody Maker*, 26 de septiembre de 1981.

KABA, FATOS, ANDREA LEWIS *et al.*, «Solitary confinement and risk of self-harm among jail inmates», *American Journal of Public Health*, vol. 104, n.º 3, marzo de 2014.

KASSIN, SAUL M., y LAWRENCE S. WRIGHTSMAN (eds.), *The psychology of evidence and trial procedure*, Beverly Hills (California), Sage Publications, 1985.

KISSINGER, HENRY, *Years of upheaval*, Nueva York, Simon & Schuster, (reed.), 2011.

KOIS, DAN, «Iceland's water cure», *The New York Times*, 19 de abril de 2016. Artículo muy informativo sobre las piscinas naturales en Islandia.

LAXNESS, HALLDÓR, *The atom station*, Reikiavik, Second Chance Press, 1948. [Hay trad. cast.: *La base atómica*, Madrid, Cátedra, 1989.]

LEWIS, MICHAEL, «Wall Street on the tundra», *Vanity Fair*, abril de 2009.

MOORE, TIM, «Iceland's tourism boom – and backlash», *Financial Times*, 8 de marzo de 2017.

PAUMGARTEN, NICK, «Life is rescues», *The New Yorker*, 9 de noviembre de 2015. Un artículo particularmente conseguido sobre la ICE-SAR y el accidente del Geysir.

SCHACTER, DANIEL L., *The seven sins of memory: how the mind forgets and remembers*, Boston, Houghton Mifflin, 2002. [Hay trad. cast.: *Los siete pecados de la memoria: cómo olvida y recuerda la mente*, Barcelona, Ariel, 2012.]

SHAW, J., y S. PORTER, «Constructing rich false memories of committing crime», *Psychological Science*, vol. 26, n.º 3, 2016.

SMILEY, JANE, *The sagas of Icelanders*, Londres, Penguin, 2005.

STEINSSON, SVERRIR, «The Cod Wars: a re-analysis», *Journal of European Security*, vol. 25, n.º 2, 2016.

SVEINSSON, ÓTTAR, *Lost on the glacier*. Óttar Sveinsson ha escrito varios libros sobre las misiones de rescate islandesa. Su crónica del accidente del *Geysir* en 1950 no ha sido todavía traducida al inglés, pero sus investigaciones son la base de la descripción que se ofrece de aquel osado rescate en el primer capítulo del presente libro.

TROIL, UNO VON, *Letters on Iceland*, Londres, W. Richardson, 1780.

WADE, ROBERT H., y SILLA SIGURGEIRSDÓTTIR, «Iceland's meltdown: the rise and fall of international banking in the North Atlantic»,

Brazilian Journal of Political Economy, vol. 31, n.º 5, São Paulo, 2011.

WHITEHEAD, Þór, *The ally who came in from the cold: a survey of Icelandic foreign policy* 1946-1956, Reikiavik, University of Iceland Press, 1998. Crónica muy informativa sobre el referéndum de la OTAN de 1949.

—, *Ísland í hers höndum [Islandia y la presencia militar aliada]*, Reikiavik, University of Iceland Press, 2002.

ÍNDICE ANALÍTICO

NOTA: los nombres islandeses se alfabetizan por el nombre de pila, y no del apellido.

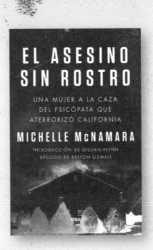

EL ASESINO
SIN ROSTRO

UNA MUJER A LA CAZA
DEL PSICÓPATA QUE
ATERRORIZÓ CALIFORNIA

MICHELLE McNAMARA

INTRODUCCIÓN DE GILLIAN FLYNN
EPÍLOGO DE PATTON OSWALT

RBA

En 1976 empezó a actuar uno de los asesinos en serie más crueles y escurridizos que jamás ha visto California. Tras estudiar los hábitos de sus víctimas, el criminal las asaltaba en sus casas provisto de un pasamontañas y una linterna. Comenzó violando a mujeres y más adelante se convirtió en asesino. Llevó el terror a otro estado y, de golpe, cesó su actividad criminal y su rastro desapareció.

Décadas más tarde, la guionista y periodista Michelle McNamara se sintió atraída por este macabro caso sin resolver. Decidida a poner fin a uno de los mayores misterios de la moderna crónica negra de su país, reabrió por su cuenta la investigación y se obsesionó con revelar la identidad y atrapar a una bestia devenida un fantasma. Fue una tarea que le costó la vida.

DAVID MAMET
CHICAGO

Mike Hodge, periodista del *Tribune*, conoce como nadie la cara más oscura de Chicago. Veterano de la Gran Guerra, es un tipo acostumbrado a moverse por una ciudad de la que se están adueñando los gánsteres tras la promulgación de la ley que prohíbe el alcohol. Mike tan solo se muestra inseguro ante Annie Walsh, una chica irlandesa de la que se enamora al frecuentar su floristería. Pero esa incipiente historia de amor se ve truncada cuando un desconocido mata a tiros a Annie. Preso de la desesperación, Mike acaba tomando una decisión drástica: se adentrará en los bajos fondos de la ciudad para atrapar al culpable cueste lo que cueste.